Na Ubook você tem acesso a este e outros milhares de títulos para ler e ouvir. Ilimitados!

Audiobooks Podcasts
Músicas **Ebooks Notícias**
Revistas Séries & Docs

Junto com este livro, você ganhou **30 dias grátis** para experimentar a maior plataforma de audiotainment da América Latina.

Use o QR Code

OU

1. Acesse **ubook.com** e clique em Planos no menu superior.

2. Insira o código **GOUBOOK** no campo Voucher Promocional.

3. Conclua sua assinatura.

ubookapp

ubookapp

ubookapp

Paixão por contar histórias

Kika Seixas
e Toninho Buda

Minha
história
com Raul
Seixas

© 2021, Kika Seixas e Toninho Buda

Todos os direitos reservados. Nenhuma parte deste livro pode ser utilizada ou reproduzida sob quaisquer meios existentes sem autorização por escrito dos editores.

COPIDESQUE	Ubook
REVISÃO	Diego Franco Gonçales
PROJETO GRÁFICO E DIAGRAMAÇÃO	Book All Book
CAPA	Book All Book
IMAGEM DA CAPA	Mário Luiz Thompson
IMAGEM DA CONTRA CAPA	Revista Trip/Felipe Gaspar

Dados Internacionais de Catalogação na Publicação (CIP)
(Câmara Brasileira do Livro, SP, Brasil)

Seixas, Kika
   Coisas do coração : minha história com Raul Seixas / Kika Seixas, Toninho Buda. -- Rio de Janeiro : Ubook Editora, 2021..

ISBN 978-85-9556-294-3

1. Músicos de rock - Brasil 2. Relatos pessoais 3. Rock - Brasil 4. Seixas, Kika 5. Seixas, Raul, 1845-1989 I. Buda, Toninho. II. Título.

22-116394   CDD-781.66092

Índices para catálogo sistemático:

1. Músicos de rock : Biografia 781.66092
Cibele Maria Dias - Bibliotecária - CRB-8/9427

Ubook Editora S.A
Av. das Américas, 500, Bloco 12, Salas 303/304,
Barra da Tijuca, Rio de Janeiro/RJ.
Cep.: 22.640-100
Tel.: (21) 3570-8150

Dedico este livro à minha filha Vivian.

AGRADECIMENTOS

Toninho Buda, Sylvio Passos, Paulinho Peró, Adelar Amorim, Roberto Seixas, Evandro Cruz, Airton Ramos, Tuninho da Fundação, Dra. Doris Israel, Lennie Dale, Dada Burger, Jô Costelo (João Xavier Castelo Branco) e principalmente aos milhares de músicos e fãs (me perdoem se esqueci alguém! Aos 67 anos a gente esquece um monte de coisas, rs rs rs...).

Agradecimentos especiais a minha filha Vivian, Arnaldo Brandão, a meus pais, Edmea e Affonso, minha irmã Tetê, Nanda Dias, meu queridíssimo amigo Marcelo Nova, João Carlos de Paranaguá, Claudio Roberto, Osias Silveira, Plínio e Maria Eugênia Seixas, que me apoiaram nos piores e nos melhores momentos de minha vida.

ÍNDICE

PREFÁCIO ....pg 15

CAPÍTULO I – PRAIA DO ARPOADOR, RIO DE JANEIRO, 1972 ....pg 17

Europa e o encontro com Lennie Dale – 1974 .... pg 23

O meu primeiro encontro com Raul Seixas – 1979 .... pg 29

Nuvens carregadas no horizonte – novembro de 1979 .... pg 35

Raul passou mal com a Matilda .... pg 38

Você, meu amigo de fé, meu irmão, camarada .... pg 40

Mauro Motta faz o sol voltar a brilhar – 1980 .... pg 43

Mais mãos se aproximam: Cláudio Roberto, Rick Ferreira e Celso Blues Boy .... pg 47

As 15 músicas que fiz com Raul Seixas e que foram gravadas em discos .... pg 51

A foto da capa do LP Abre-te Sésamo passou pela censura de Dona Solange! .... pg 53

Eu lutei, mas perdi a guerra. E não posso nem te dar meu nome! .... pg 56

A minha filha pensa que estou morto .... pg 57

CAPÍTULO II – DEZEMBRO DE 1980:
FINALMENTE, A IDA PARA SÃO PAULO............pg 63

Na cama do hospital ressurge no horizonte
o trem das sete .... pg 74

As fugas do hospital.. pg 78

Alta do hospital Albert Einstein............................. pg 79

O projeto inacabado do LP Nuit – 1981 .... pg 85

O nascimento da nossa filha Vivian –
28 de maio de 1981... pg 91

1982: da glória na Praia do Gonzaga à confusão
em Caieiras.. pg 102

Uma nova tentativa de desintoxicação em
Ubatuba, no litoral paulista – 1982 .... pg 114

CAPÍTULO III – 1983: O RIO VOLTA
A PARECER UMA CIDADE MARAVILHOSA...............pg 119

Raul Seixas na academia de ginástica...................... pg 124

A gravadora Eldorado nos abre as portas para
o nosso Eldorado pessoal –1983.............................. pg 126

A explosão de alegria do Carimbador Maluco............. pg 131

A volta para São Paulo e o lançamento
do LP Raul Seixas.. pg 133

Raul volta a enfrentar a censura: "Alô! É a Solange,
do Departamento de Polícia Federal!" .... pg 137

CAPÍTULO IV – UMA SERPENTE SEMPRE À ESPREITA ....pg 147

TVNENOS .... pg 150

A compra do nosso apartamento em São Paulo – 17 de novembro de 1983 .... pg 152

Um breve tributo aos meus pais .... pg 153

Raul Seixas – oito discos de ouro e dois de platina em trinta anos (1974 a 2004) .... pg 156

Amor só dura em liberdade .... pg 165

O agravamento da situação familiar em 1983 .... pg 167

CAPÍTULO V – CONTRATO COM A SOM LIVRE E A VIAGEM AOS ESTADOS UNIDOS – 1984 ....pg 171

A criação do novo trem: Metrô Linha 743 .... pg 176

Raul Seixas e John Lennon .... pg 180

Dentro de casa, o veneno destrói tudo em 1984 .... pg 185

O Circo Voador e o primeiro Rock in Rio, templos do rock nos anos 1980 .... pg 189

O alarme definitivo .... pg 192

CAPÍTULO VI – AGOSTO DE 1984 A AGOSTO DE 1989 (CINCO ANOS EM CAMINHOS PARALELOS) ....pg 197

Raul Seixas no Parque Lage, em 1985 .... pg 208

Num tempo em que se falava por cartas .... pg 211

Minha volta por cima – 1985 e 1986 .... pg 221

Airto Moreira e Flora Purin – Santa Bárbara, Califórnia, 1987 .... pg 225

CAPÍTULO VII – O INVENTÁRIO DE UMA VIDA E A MORTE DE RAUL SEIXAS .... pg 237

Raul Seixas: lista das tentativas de controlar situações – 1987 .... pg 239

New York, New York – 1987-1988 .... pg 247

A hora do adeus: o último encontro com Raul Seixas, em meados de 1989 .... pg 257

As últimas anotações de Raul Seixas no caderno de 1989 .... pg 266

21 de agosto de 1989 – a morte de Raul Seixas .... pg 271

A cortina final: o enterro de Raul Seixas em Salvador .... pg 275

CADERNO DE FOTOS ....**pg 281**

CAPÍTULO VIII – O INVENTÁRIO DOS BENS DE RAUL SEIXAS ....**pg 315**

Carta de 14 de outubro de 1989, em que Maria Eugênia faz a partilha dos bens de Raul Seixas .... pg 317

O inventário dos bens de Raul Seixas .... pg 325

CAPÍTULO IX – RAUL 4EVER ....**pg 331**

Os trinta ritmos que Raul Seixas explorou na sua carreira .... pg 336

Uma vitória histórica contra o monopólio das gravadoras.......................... pg 338

Nem tudo são flores na produção de espetáculos......... pg 342

O que realmente importa nesta vida................ pg 346

EPÍLOGO – CARTA DE SETEMBRO DE 1995, EM QUE MARIA EUGÊNIA CONVOCA A CONCILIAÇÃO ....pg 351

Anexo 1 – Textos originais das dez cartas de Maria Eugênia para Kika, após a separação de Raul............ pg 357

Anexo 2 – Falando da música Carimbador Maluco ...... pg 399

Anexo 3 – Principais nomes do rock no Brasil entre os anos 1950 e 1980... pg 405

Anexo 4 – Os oito discos de ouro e dois discos de platina de Raul Seixas... pg 409

Anexo 5 – Se você acha que tem pouca sorte, se lhe preocupa a doença ou a morte........................ pg 415

Anexo 6 – Lista de 61 músicas que Raul Seixas fez para outros cantores (existem outras)................. pg 423

Anexo 7 – Currículo de Kika Seixas como produtora artística e musical entre 1992 e 2014 (23 anos) .... pg 429

Anexo 8 – Os trinta ritmos que Raul Seixas explorou... pg 435

ÍNDICE ONOMÁSTICO ....pg 439

Prefácio

Desde a morte de Raulzito, dezenas de biografias foram escritas (algumas interessantes, a maioria desprovida de consistência) abordando, como não poderia deixar de ser, a sua carreira artística. Agora pela primeira vez, uma biografia descortina não só o artista, mas principalmente o homem, o filho, o pai, o marido e o amigo.

Amigo com quem compartilhei, canções, textos, ideias, noitadas e momentos inesquecíveis.

Escrita por Kika Seixas, terceira esposa e mãe da sua filha Vivian, *Coisas do Coração* nos dá uma visão única do particular na vida de Raul Seixas, o que talvez até involuntariamente ajude na compreensão da sua trajetória errática e genial.

Marcelo Nova

Arquivo pessoal

Kika surfando no Arpoador – final da década de 1960

CAPÍTULO I

PRAIA DO ARPOADOR,
RIO DE JANEIRO, 1972

Vê se me entende,
olha o meu sapato novo
Minha calça colorida,
o meu novo way of life

Raul Seixas e Paulo Coelho,
em *Rockixe*

Rio de Janeiro em 1972, sob os efeitos da onda avassaladora da contracultura. No Brasil, esse movimento tinha tomado diversas formas, da Jovem Guarda a uma grande diversidade de artistas e grupos que, de uma maneira ou de outra, falavam a linguagem do *flower power*, do *faça amor, não faça a guerra*. Mas isso representava para mim coisas bem práticas, como uma desconfiança de tudo que fosse careta e a possibilidade de fazer o que me desse na telha. Era época do desbunde, e o verbo *desbundar* tinha muitos significados, como ficar deslumbrada com o pôr do sol, perder totalmente o controle com o uso de drogas e até mesmo chutar o pau da barraca e ligar o foda-se!

Na área política, o mundo estava pegando fogo, com o Brasil debaixo de uma ditadura militar e alguns jovens rebeldes brasileiros pegando em armas para lutar contra a "invasão do imperialismo americano", apoiados por regimes comunistas como a União Soviética e Cuba. Mas me importava muito mais o Festival de Woodstock, que tinha acontecido em agosto de 1969, no interior do estado de Nova York. Eu fazia parte da rapaziada que via o mundo como uma onda maravilhosa a cada dia, sol, surf, sexo sem grilo, muita música, paquera e curtição, num dos cenários mais lindos do Rio de Janeiro: eu era da Turma do Arpoador, em Ipanema, e Saquarema era o nosso paraíso!

Nós éramos uma galera do bem: esporte, natureza, violão em volta da fogueira, mas, para equilibrar, a turma também adorava tomar um remédio chamado

Mandrix, que alguns pais usavam para dormir. Só que se você o tomasse e ficasse acordado, acabava dando um barato. Ao mesmo tempo, com vinte anos, eu tinha passado em 11º lugar na faculdade de arquitetura da Gama Filho, no Rio. Minha família estava muito feliz e meu pai todo orgulhoso. Mas aquela suave pressão para que eu cumprisse uma carreira acadêmica, fosse uma profissional de sucesso e uma zelosa mãe de família não me soava bem. Meu instinto me dizia que eu não seria feliz naquela onda. E assim o mundo perdeu uma arquiteta infeliz e ganhou esta história que vou contar.

Nesse período do desbunde, conheci um fotógrafo chamado Cláudio Fortuna, que era amigo do Luiz Melodia e acabava se entrosando com todos os artistas da época, como Gal Costa, Caetano Veloso e Milton Nascimento. Ele fotografava essa rapaziada e muitas vezes me convidava para ver os shows. Com isso me aproximei do casal Melodia e Jane e acabei cruzando com pessoas que não imaginava que fariam parte da minha história. Numa ocasião fomos ao apartamento do Paulo Coelho e Adalgisa. Em outra visitamos um tal de Raul Seixas e a mulher dele, Edith, no Jardim de Alah, no Leblon, mas eles não estavam em casa.

Até que um belo dia o Cláudio me levou para ver o show de lançamento de um disco, no Rio de Janeiro, daquele Raul Seixas que tínhamos tentado visitar. O cantor havia estourado ao apresentar *Let Me Sing, Let Me Sing* e *Eu Sou Eu, Nicuri é o Diabo*, no VII Festival Internacional da Canção, promovido pela Rede Globo em 1972. Este foi o show de lançamento do LP *Krig-Ha, Bandolo!*, no Teatro da Praia, no Rio, em outubro de 1973. A foto da capa desse disco, que foi produzido pela gravadora Philips, tinha sido feita por esse meu amigo. O curioso é que, naquela época, dava-se tão pouca importância aos fotógrafos que essa capa histórica do primeiro LP de sucesso de Raul Seixas – magérrimo, com as mãos para cima, a figura do anti-herói – está sem crédito do autor. Deixo aqui registrado que ela é de Cláudio Fortuna. Gostei tanto que acabei voltando mais onze vezes para assistir o show! Sim, voltei onze vezes com o Cláudio para ver o mesmo espetáculo! Fiquei apaixonada pelo Raul Seixas!

A música *Rockixe*, por exemplo, falava a linguagem que eu queria ouvir e me deu forças para manter minhas atitudes perante a vida, como desistir da faculdade de arquitetura. "Vê se me entende, olha o meu sapato novo, minha calça colorida, o meu novo *way of life*". Naquela época, Gal Costa e Milton Nascimento eram artistas bem conhecidos na música brasileira, mas eles não faziam a minha cabeça. Foi o rock'n'roll do Raul Seixas que me conquistou! No entanto, nosso encontro ainda levaria alguns anos para acontecer.

E aquela coisa que eu sempre tanto procurei, Que é o verdadeiro sentido da vida: abandonar o que aprendi, parar de sofrer"

Raul Seixas, Kika Seixas e
Cláudio Roberto, em *Aquela Coisa*

Europa e o encontro com Lennie Dale

Em 1974 meus pais me mandaram para a Europa, para passar quatro meses por lá. Nessa época era comum que as filhas de famílias de classe média alta fossem para o exterior estudar ou fazer cursos de alguns meses. Claro que eles queriam também me afastar da turminha do Mandrix e do desbunde. Mal sabiam eles que a contracultura tinha tomado o planeta inteiro. Dessa vez eu só passei alguns meses em Paris e depois fui para Londres. Poderia ter feito algum curso ou aperfeiçoamento em línguas, mas não consegui fazer a viagem cultural que meus pais esperavam. E o ano seguinte, 1975, foi tão conturbado e irrelevante que eu prefiro nem lembrar.

Em 1976 voltei para a Europa e fiquei na casa de uma grande amiga, Vivian Magnus Mayer, que era esposa do Albert Koski, o maior empresário do *show business* europeu. Com eles assisti alguns dos maiores artistas e bandas da época, como The Who, Paul McCartney & The Wings, Jethro Tull, JJ Cale e até o show de Eric Clapton na Plaza de Toros de Ibiza. Foi nesse período que conheci Lennie Dale, já separado do grupo Dzi Croquettes (que ele havia criado no Rio, em 1972). Lennie nasceu em Nova York e veio dos Estados Unidos para o Brasil em 1960 para realizar apenas um trabalho, em São Paulo. Mas com uma bagagem que incluía até apresentações na Broadway, desde o início ele mostrou uma competência e profissionalismo que os artistas brasileiros não conheciam. Sua consagração definitiva foi ter dirigido e transformado Elis Regina na maior estrela da época.

Os Dzi Croquettes era um grupo de treze rapazes, que se vestiam apenas com tapa-sexo, a bunda de fora; faziam papéis de mulheres, mas mantinham todas as características masculinas, como barba e pernas cabeludas. Eles não se identificavam como travestis e se consideravam uma família que vivia em comunidade. Estrearam seu espetáculo no Teatro da Praia, no Rio de Janeiro, em 1972. Como já disse, Raul fez seu primeiro trabalho de grande sucesso no ano seguinte. A princípio, ambos foram ignorados pela censura por motivos diferentes: Raul por ser considerado mais um dos nordestinos "famintos" que estavam se destacando no "Sul Maravilha" e os Dzi Croquettes porque não passavam de "mais um bando de viados da Galeria Alaska e do Beco das Garrafas".

No entanto, o rápido crescimento das plateias de ambos chamou a atenção dos olheiros do regime militar. O astral dos Croquettes baixou drasticamente depois da perseguição maciça que sofreram e que culminou na ida deles para tentar a vida na Europa. Como prova das voltas que o mundo dá, lá acabaram alcançando um sucesso extraordinário. Raul, que a partir do ano seguinte teria suas obras e suas músicas censuradas, criticadas e adulteradas até o final de sua vida, também viria a desfrutar de períodos de grande sucesso profissional.

Lennie e eu nos tornamos grandes amigos e passamos dois anos juntos na Europa. Enquanto dava aulas de balé em diversas academias, eu o acompanhava e ele gentilmente me deixava assistir e até participar de algumas. Eu não era bailarina profissional e nunca desejei sê-lo. Éramos apenas grandes amigos, e isso causava até um certo ciúme dos tietes[1] que o cercavam o tempo todo. No verão de 1976, quando Paris ficava um forno, ele me levou para conhecer Ibiza. Essa praia era o paraíso dos jovens alemães, ingleses e franceses em férias, gente bonita o tempo todo. Foi uma das melhores épocas da minha vida. Estivemos também em Londres, onde ele ministrou duas semanas de aulas. Em uma troca de confidências, Lennie me contou uma das suas inúmeras histórias hilárias, que rolou entre ele e a atriz e cantora Liza Minelli. Para ajudá-los, ela, que ficara simplesmente fascinada pelo grupo que ele havia montado e trazido da América do Sul, promoveu uma festa para a qual convidou os artistas Omar Sharif, Catherine Deneuve, Jeane Moreau e o estilista Valentino. A partir daí eles acabaram, em pouco tempo, explodindo em Paris. E tome festa!

Um dia, depois de muitas comemorações, Lennie e Liza resolveram ir para o hotel, para curtir um barato juntos. Ela com certeza tinha atração sexual por ele, porque apesar de homossexual, tinha uma postu-

---

[1] Tiete: admirador fanático e impertinente de algum artista ou ídolo. Raul Seixas cita o termo na música *Metrô Linha 743* (que algumas pessoas pensam que é "Tietê", nome do rio de São Paulo).

ra masculina. No hotel, papo vai, carícia vem, beijo na boca, até aí o Lennie topou. Até que ela abaixou as calcinhas e pediu pra ele cair de boca! Me falando desse *affair* com a grande estrela de *Cabaret*, ele dizia, ofegante: "Baby, quando eu vi o tamanho da buceta, e ela forçando a minha cara naquilo, eu fui ficando desesperado, parecia um pesadelo, eu pulei fora e ela ficou indignada, frustrada; na verdade ela ficou furiosa! Kika, eu gosto mesmo é de pau!"

Quando regressei da Europa, em 1978, fui convidada para ser assistente pessoal do Lennie, no espetáculo *1.707.839 Leonardo La Ponzina*, que estreou no Rio de Janeiro, no Teatro da Lagoa, dia 25 de maio daquele ano. Era um espetáculo autobiográfico e o número do título era o mesmo que ele tinha na Penitenciária Hélio Gomes, em 1971, quando ficou um ano preso por ter sido flagrado com um cigarro de maconha. Leonardo La Ponzina era seu nome de batismo. Desse espetáculo fizeram parte grandes personalidades do *show business* brasileiro, como a atriz Vera Setta, a bailarina e coreógrafa Marilena Ansaldi, o diretor paulista Iacov Hillel e o maestro Edson Frederico.

A produção ficou a cargo de Robson Paraíso (que era também empresário de Chico Anísio). Os bailarinos Ricardo Whately, o nova-iorquino Adrian Rosário e Nádia Nardine acabaram se tornando meus grandes amigos. O show era para ter viajado pelo Brasil todo, mas no final de 1978 as apresentações foram todas canceladas devido aos sérios problemas pessoais do protagonista, como depressão e outros sintomas, que tornaram impossível o prosseguimento da turnê. Lennie Dale foi um dos meus maiores amigos nesta vida. E por isso é que eu o convidei para ser padrinho da minha filha com o Raul, Vivian, quando ela nasceu em 28 de maio de 1981.

No início do ano seguinte eu estava procurando emprego. Uma amiga me disse que a gravadora Warner estava em busca de uma secretária bilíngue. Eu dominava bem o francês e o inglês; apresentei-me como candidata para a vaga do Departamento de Projetos Especiais e fui contratada imediatamente, em fevereiro de 1979.

Quantas vezes eu
me quis negar
Mas o meu rio só corria em
direção ao mar de Ângela

Raul Seixas e Cláudio Roberto, em *Ângela*

O MEU PRIMEIRO ENCONTRO COM RAUL SEIXAS

A WEA no Brasil (Warner-Elektra-Atlantic), que tinha sido criada por André Midani (ex-diretor artístico da Phonogram/Philips), estava efervescente em 1979 e tinha no *cast* nomes como Elis Regina, Gilberto Gil, Gal Costa, Tim Maia, Baby Consuelo e Pepeu Gomes. Um belo dia eu vi o Raul Seixas passar, de terno, todo arrumado, e subir as escadas rapidamente. Quase nem o reconheci, porque só o tinha visto no palco daquele show no Teatro da Praia, seis anos antes, em trajes bem diferentes do terno e gravata de agora. Depois é que fiquei sabendo que ele tinha tido um desentendimento com André Midani e sua situação estava muito complicada...

O produtor de todos os grandes sucessos do Raul tinha sido até então o Marco Mazzola, que havia sido transferido para outra área e passado a produção dos dois últimos discos – *Por Quem os Sinos Dobram* e *Mata Virgem* – para Gastão Lamounier. Esse substituto era um produtor jovem e inexperiente, cujo desempenho nos estúdios de gravação tinha grande diferença em relação ao trabalho do Mazzola. E isso aborrecia muito o Raul. Mas a estratégia da gravadora era exatamente esta: irritá-lo ao máximo para ele pedir a rescisão do contrato (e assim livrar a empresa de pagar a multa prevista no caso de dispensá-lo).

Não há como negar que Raul tinha se tornado extremamente difícil de lidar. Para piorar a situação, ele havia sido internado na sua primeira crise de pancreatite aguda e isso o impediu de fazer a divulgação dos LPs em rádios e televisões, procedimento de rotina naquela época. A confusão era tanta que, em certa ocasião, mais uma vez ele não apareceu para as gravações e Leonardo Netto, meu chefe do Departamento de Projetos Especiais, me pediu que ligasse para sua casa. Atendeu uma moça, que disse que ele não aparecia há mais de três dias.

No final de um dia de trabalho qualquer, quando eu estava saindo do estacionamento com um fusquinha que uma colega havia me emprestado, o Raul fez sinal para eu parar e disse: *"Where are you heading?"* (Para onde você está indo?). Achei engraçado aquilo, o cara falando comigo em inglês, mas respondi *"I'm going to Copacabana. Do you wanna a ride?"* (Estou indo para Copacabana, quer uma carona?). Ele aceitou e fomos animadamente batendo um papo sempre em inglês, e ele adorando!

Raul me disse que morava na rua Assis Brasil, 194, perto da praça Cardeal Arcoverde. Estávamos subindo a rua Nossa Senhora de Copacabana quando percebi que o tráfego estava ficando muito complicado. Então eu disse: "Olha, eu vou te deixar aqui, porque o trânsito está ficando muito ruim e eu não vou entrar em Copacabana, não. Estou indo para um lugar aqui pertinho e infelizmente não vou poder te deixar lá na tua casa!" Ele me olhou com uma cara de total surpresa e até meio indignado: "Mas você vai me deixar aqui!?" Eu confirmei: "Sim, vou! O tráfego está muito ruim, não dá pra encarar!" Ele agradeceu a carona, meio contrariado, saiu e foi embora.

Poucos dias depois eu estava na gravadora trabalhando e toca o telefone. Para minha enorme surpresa era ele, me convidando para passear e tomar um drink. Achei bacana, por que não? Eu morava na Praça Pio XI, a duzentos metros da Warner (que era na rua Itaipava, no Jardim Botânico). Ele me pegou de táxi e fomos para um bar na Avenida Atlântica, em Copacabana. Foi a primeira vez que tomei Steinhäger (que significa "água de pedra", uma bebida alemã muito forte, feita de trigo e aromatizada com zimbro. No Brasil, é costume tomá-la acompanhada com chopp, e seguimos a tradição).

Foi interessante perceber que ele, mesmo sendo um astro do rock nacional, ficou muito impressionado com minha independência e experiência de vida, por eu conhecer tanta gente da música no Rio, ter visto seu lançamento do *Krig-ha, bandolo!* onze vezes, trabalhar numa multinacional do disco, ter viajado para a Europa sozinha, ser amiga de personalidades como Lennie Dale e Albert Koski e já ter visto ao vivo bandas como Eric Clapton, The Who, Paul McCartney e JJ Cale. Mais tarde apresentei a ele a obra de Leonard Cohen (um dos maiores poetas, cantores e compositores que conheci até hoje), que o influenciaria muito a partir de então. Os discos que trocávamos desde a época de namoro hoje fazem parte do meu acervo de lembranças.

Depois do barzinho fomos direto para o apartamento que ele tinha alugado por temporada (com o parceiro argentino Oscar Rasmussen), na rua Leopoldo Miguez, 166, também em Copacabana. Ele já havia abandonado aquele endereço da rua Assis Brasil e me levou para a nova casa. Foi tesão à primeira vista. Depois desse primeiro encontro, ele começou a aparecer com regularidade no meu apartamento da Praça Pio XI e fomos nos encaixando cada vez mais, sob as bençãos do Steinhäger com chopp!

Dever de casa de Raul Seixas

Dever de casa.
(kita N vêzes)
Eu sou apaixonado por você
Eu sou apaixonado por você
Eu sou apaixonado por você
Eu sou apaixonado por você
Eu sou apaixonado por você
Eu sou apaiXONADO por VOCÊ
EU SOU APAIXONado por você
Eu sou apaixonado por VOCÊ
EU SOU apaixonado por você
Eu sou apaixonado por você
Eu sou apaixonado por você
Eu sou apaixonado por você
Eu sou apaixonado por você
Eu sou apaixonado por você
Eu sou apaixonado por você
Eu sou apaixonado por você
Eu sou apaixonado por você
Eu sou apaixonado por você
Eu sou a-p-a-i-x-o-nado p/ você
Eu sou apaixonado por você.
viu, nega?

Mas é preciso você tentar
Talvez alguma coisa
muito nova
Possa lhe acontecer

Raul Seixas, Kika Seixas e
Cláudio Roberto, em *Aquela Coisa*

Nuvens carregadas no horizonte

Um ou dois meses depois parei de trabalhar na Warner e a gente passou a se ver mais. Deve ter sido em setembro ou outubro de 1979. Até que em novembro daquele mesmo ano um argentino foi assassinado naquele antigo apartamento da rua Assis Brasil em que ele havia morado. Tudo indicava que estavam usando o local para tráfico de drogas. Me lembro perfeitamente do escândalo nas páginas dos jornais como o *Última Hora*, falando da morte do argentino Hugo Rangel Amorrotu. Tive que arranjar um advogado pro Raul, que nos acompanhava nas audiências na delegacia de Copacabana.

Me lembro dele totalmente atormentado por ter seu nome nas primeiras páginas, associado ao assassinato de um traficante de drogas. É evidente que isso prejudicava muito sua carreira. Mesmo assim, nossa paixão só aumentava, e logo depois desse fato trágico resolvemos morar juntos. Meu pai, muito preocupado com tudo isso, chegou a me aconselhar, dizendo: "minha filha, onde há fumaça, há fogo!" Não teve jeito, alugamos um apartamento na rua Itaipava, próximo da antiga sede da Warner. Como o Raul estava em baixa no mercado e só recebia o que era relativo aos discos vendidos, não tinha reservas financeiras, não tinha crédito na praça e nem quem fosse seu fiador. Papai, mesmo com sua preocupação, nos apoiou e assegurou a fiança do imóvel.

Além disso, outra questão econômica massacrante era a inflação descontrolada. No período em que vivemos juntos, de 1979 a 1984, esse índice anual foi subindo de 77% em 1979 até 215% em 1984. A taxa de 215% é cinquenta vezes maior do que a que temos hoje. Atualmente, se alguma coisa custa R$ 10,00 em janeiro, em dezembro deverá custar em torno de R$ 10,44. Mas em 1984, quando a moeda era o cruzeiro, se custasse Cr$ 10,00 em janeiro, no mês seguinte estaria custando Cr$ 12,00 e em dezembro seria Cr$ 21,50. E o salário nunca acompanhava esse disparate. Nós estávamos realmente passando por muitas dificuldades!

Raul nunca soube lidar com documentos e contabilidade, estava devendo muito dinheiro e tinha uma vida financeira completamente desorganizada. Nesse meio tempo conheci sua mãe, por telefone, e fiquei sabendo que ela tinha contratado um advogado chamado Dr. Lélio e eles estavam tentando administrar essas dívidas. Entre as maiores estava a do Imposto de Renda, atrasado dois ou três anos. É até engraçado quando a gente lembra de sua música *Al Capone* (de 1973), que começa "Hey, Al Capone, vê se te emenda! Já sabem do teu furo, nego, no imposto de renda!".

Raul também não tinha amigos por perto, salvo um ou outro. O próprio Oscar Rasmussen, do período do disco *Por Quem os Sinos Dobram*, tinha desaparecido na Argentina depois do escândalo do assassinato, e nunca mais ouvi falar dele. Nesse tempo de vacas magras, a gente só contava com a família do artista plástico Osias Silveira. Não tínhamos dinheiro para ter empregada em casa. Osias e os pais moravam relativamente perto, no Jardim Botânico. A mãe dele fazia uma comidinha pra gente nos fins de semana, e nós íamos pra lá.

Lembro que pegávamos ônibus para ir visitar meus pais, que moravam no Leblon. O Raul ficava muito incomodado por andar de ônibus, mas era o único jeito. O que salvava um pouco a situação era seu lado divertido, sempre arrumando disfarces para não ser reconhecido no meio dos passageiros. Ríamos muito porque cada vez ele arrumava adereços diferentes e mais engraçados. Mas depois voltávamos de táxi, porque mamãe me dava algum dinheiro para ajudar nas despesas.

Tem outra história que ilustra seu lado brincalhão. Sua tia, Maria Angélica Seixas (irmã de sua mãe, Maria Eugênia), morava no antigo Prédio dos Jornalistas, no Leblon, com a filha Heloísa (de quem vou falar em breve). Certa vez, Raul estava almoçando com uma amiga em um restaurante nas imediações do Jardim de Alah. Como ele já tinha terminado, ficou observando-a terminar a refeição. De repente, inventou que eles tinham que sair rapidamente para visitar sua tia Maria Angélica, que morava ali perto, e que seria uma ótima ocasião para revê-la. A amiga – na falta de um espelho na bolsa – quis ir no banheiro para se arrumar, mas ele não deixou e insistiu que tinham que sair imediatamente.

Chegando lá, feitas as honras da casa, dona Maria Angélica ficou olhando fixamente para o rosto dela, como se estivesse vendo um extraterrestre ou algum ser das Ilhas Galápagos. Era uma mulher muito bonita, estava acostumada a ser admirada, mas não daquele jeito esquisito... A situação ficou tão constrangedora que a moça acabou pedindo para ir ao banheiro ver se tinha alguma coisa errada. E no espelho constatou que havia uma enorme casca de feijão tapando quase totalmente um de seus dentes, o que, a certa distância, dava a exata impressão da falta de um canino. Com os caninos à mostra ela voltou para a sala e esculhambou com Raul por tê-la feito passar por aquele vexame! Ele ria, dizendo que ela continuava linda sem um dentão na frente. Era mestre em sacanear as pessoas!

Raul passou mal com a Matilda

Certa ocasião hospedei a Matilda no nosso apartamento no Rio. Era uma amiga alemã que eu havia conhecido em Ibiza. Lá havia praias de nudismo, pra onde a gente ia só de tapa-sexo ou com a parte de baixo do biquíni. Com a mesma espontaneidade, andávamos peladas pela casa e lá ia ela pra baixo e pra cima de calcinha, ou saía molhada do banheiro e pedia – em inglês, claro – para o Raul lhe levar a toalha, de forma bem íntima, com a mesma naturalidade que ela tinha comigo, mas não com ele!

Em uma das ocasiões percebi que ele tinha ficado completamente atordoado, quando ela desceu a escada que ligava o térreo ao primeiro andar, de calcinha e sem sutiã, e cruzou com ele subindo, de forma que os peitinhos dela passaram balançando na altura dos seus olhos, deixando-o completamente congelado de susto!

No terceiro dia dessa sequência de desfiles sensuais, o Raul caiu doente e começou a reclamar que não estava bem. Sem febre ou outro sintoma qualquer. Ele tinha um médico, que já o havia tratado de uma pancreatite anterior e pediu que eu o chamasse para examiná-lo. Quando ele chegou, foram conversar a sós. Após a consulta o doutor receitou alguma coisa e, na saída, disse que queria conversar comigo em particular:

— Olha, ele está bem de saúde, eu só receitei um remedinho para dormir, porque está tendo muita dificuldade pra cair no sono e a pressão arterial um pouquinho alterada. É o que a gente chama de *pico pressórico devido a situação estressante*. Coisa simples, muito comum, sem maiores consequências. Mas para que ele melhore você tem que dizer pra sua amiga se vestir. O Raul está passando mal com essa moça pelada dentro de casa. Bom dia para vocês!

E lá fui eu explicar pra Matilda que ela tinha que se *vestir mais*. As cenas seguintes foram muito engraçadas, porque ora ela colocava a calcinha e uma camisa de manga comprida, com a gola fechada até o pescoço, ora vestia uma saída de praia (pareô, ou sarongue, que era um pano amarrado na altura dos seios) com um casaco cobrindo tudo. Ou seja: ela foi de Ibiza direto pra Arábia Saudita! Ficou hilário aquele constrangimento dela tentando *se adaptar ao ambiente*! Mas o remédio deu certo, porque dentro de poucos dias ela foi se encontrar com o namorado na Bahia e o *pico pressórico* desapareceu por completo. Essa foi a primeira e única experiência do Raul com os meus amigos da praia de nudismo da Espanha.

Raul Flashback

"Angela! A tresloucada e sagrada estrela que ilumina os escolhidos! Não admitem-se planetas que girem sem mostrar seus dons. Tua paz, ó mulher dos homens e mulheres, me fascina. Odeio teu obscuro e magnânimo útero universal perante esse missionário Quixote de La Mancha que abate moinhos. Afasta-te do meu lado, porém deglute-me em inteiros pedaços de amor! Princesa das trevas, medusa dos cabelos, covil de todas as benditas cascavéis. Vingo-me do teu veneno no mais profundo poço de amor, no minuto em que o sagrado orgasmo te arrebata como uma punhalada quase mortal. Amo a grande – deusa total! Teu Homem" – 1980

Você, meu amigo de fé, meu irmão, camarada

Dia 28 de junho de 1980 foi o aniversário de 35 anos do Raul. Eu queria fazer uma festinha para os amigos dele e chamar também algumas pessoas da classe artística para prestigiá-lo. Mas logo vi que ele realmente tinha pouquíssimos amigos. Na verdade, não foi ninguém, a não ser o Erasmo Carlos.

Nesse dia o Raul deu pra ele um disco e autografou na hora. Mais tarde fiquei sabendo que o Erasmo sempre mostra esse LP para as pessoas, na tentativa de encontrar alguém que consiga traduzir o que está escrito. E pelo que sei, parece que até hoje ninguém conseguiu decifrar esses hieróglifos!

O Erasmo sempre ficou na lembrança do Raul, tanto por ser uma pessoa extraordinária quanto por ter sido o único amigo que foi no seu aniversário quando ele estava na pior, no Rio de Janeiro.

Eu tomo café pra
mim não chorar
Pergunto à nuvem
preta quando o sol
vai brilhar
Estou na Clínica
Tobias, tão longe
do aconchego do lar

Raul Seixas, *Canceriano sem Lar*

MAURO MOTTA FAZ O SOL VOLTAR A BRILHAR

Incomodado com a falta de trabalho e dois discos mal divulgados na Warner (*Mata Virgem* e *Por Quem os Sinos Dobram*), Raul lembrou-se do Mauro Motta, amigo e parceiro na gravadora CBS dos anos 1970, e resolveu contatá-lo. Com ele, Raul havia feito pelo menos 22 músicas para muitos cantores da Jovem Guarda (veja no Anexo 6, no final deste livro, as canções de Raul com outros compositores). Em 1971, os dois estouraram com *Doce, Doce Amor*, para Jerry Adriani, *Ainda Queima a Esperança*, para Diana, e *O mundo dá Muitas Voltas*, para Wanderley Cardoso.

Liguei para o Mauro e ele me contou muitas histórias com o Raul, como os passeios que faziam no Tívoli Park (na Lagoa Rodrigo de Freitas) e no Zoológico do Rio de Janeiro (na Quinta da Boa Vista). Mauro ia com a esposa Sandra e seu filho Marcinho, e Raul ia com Edith e a filha Simone. Em 1973, Raul falou disso na canção *Ouro de Tolo*, cantando: "Eu devia estar feliz pelo Senhor ter me concedido o domingo pra ir com a família no Jardim Zoológico dar pipoca aos macacos". Comentou também sobre a genialidade do então *Raulzito*, que em 1971 já tinha praticamente prontas todas as músicas que viriam a ser sucesso no seu encontro com Paulo Coelho em 1973.

Agora, em 1980, Mauro Motta era diretor artístico da gravadora CBS, e contratou Raul para fazer seu novo

LP, *Abre-te Sésamo* (que lhe deu seu segundo disco de ouro). Com este trabalho, o astral do nosso apartamento na rua Itaipava mudou completamente, com Raul voltando a compor. O Brasil estava passando por uma situação econômica muito ruim, com uma dívida enorme com o FMI (Fundo Monetário Internacional, considerado o grande sanguessuga da nossa economia). Um dos assuntos principais da mídia era repercutir a opinião pública, a favor de dar o calote no FMI!

Certa manhã ele leu na seção de cartas do jornal O Globo o texto de um leitor – que, por sinal eu gostaria de encontrar para conhecê-lo e relembrar mais detalhes deste fato – dizendo que "a solução era alugar o Brasil" e que os gringos iriam "adorar, porque a gente tinha muita madeira, muito ouro e pedras preciosas"; assim, a galera "não iria pagar mais nada e ter tudo de graça". Com aquela visão crítica, divertida e irônica que ele sempre teve com relação à situação política do país, Raul se inspirou no leitor e fez a música *Aluga-se*, que acabou se transformando num grande sucesso e é uma das mais pedidas até hoje.

À Beira do Pantanal é uma versão de uma música folclórica irlandesa chamada *Down in The Willow Garden*. Esta canção foi gravada por muitos intérpretes, mas também por uma dupla de rock'n'roll e country americana que ele simplesmente adorava, chamada *Everly Brothers* (eles cantavam fazendo primeira e segunda voz e são mais conhecidos por seu maior sucesso, gravado em 1957, *Bye Bye Love*). Na época do lançamento, alguns fãs do Raul a estranharam bastante, por ser muito fora do seu estilo. Nessa interpretação, ele mantém o tom mórbido e melancólico da versão original, que conta a história de um jovem assassinando a punhaladas a própria namorada. Uma curiosidade adicional é que eu faço a segunda voz, em harmonia com o Raul. Passamos noites e noites treinando. Foi a minha primeira experiência numa gravação com profissionais em estúdio. A partir daí passei a fazer parte dos *backing vocals* em alguns de seus shows, como no Festival de Rock de Águas Claras, três anos depois, em 1983.

Abre-te Sésamo refere-se ao fato de estarmos em pleno processo de abertura política em 1980, sob o governo João Figueiredo (este processo havia se iniciado no governo Geisel, de 1974 a 1979, foi até Figueiredo, entre 1979 e 1985, para ser então concluído em 1988, com a promulgação da Nova Constituição Brasileira). A censura ainda era implacável, mas o disco todo reflete a esperança pelo fim da ditadura militar. Essa euforia estava presente nos diversos campos da cultura e nos versos "lá vou eu de novo, brasileiro nato, se eu não morro eu mato, essa desnutrição; minha teimosia braba de guerreiro é que me faz o primeiro dessa procissão". Ajudei bastante na confecção desta letra, mas por timidez e insegurança não quis que o Raul me colocasse como parceira. Achava justo que ficassem somente ele e o Cláudio Roberto.

Minha Viola é uma toada feita somente pelo pai

do Raul, o Dr. Raul Varella Seixas, engenheiro da rede ferroviária na Bahia, mas também poeta e escritor. Sempre que a gente ia para Salvador, o pai lhe mostrava as poesias que havia escrito e o filho musicava algumas delas. Mesmo não conhecendo teoria musical ou partitura, o Dr. Raul às vezes cantarolava com ele, numa parceria muito bonita. Lembro-me perfeitamente da emoção refletida no rosto do velho senhor ao ouvir o próprio filho cantando suas letras. Essa veia poética vem de longa data: a família Varella tem nos seus ancestrais o famoso poeta e escritor Fagundes Varella (natural de Rio Claro, RJ, um dos mais famosos expoentes do romantismo brasileiro. Viveu apenas 33 anos, entre 1841 e 1875, e é o patrono de uma das cadeiras da Academia Brasileira de Letras).

Finalmente, *O Conto do Sábio Chinês*. Sempre gostei de aventuras fantásticas, influenciada por meu pai, Affonso Costa, que era piloto de avião e me contava histórias de ficção científica. Um belo dia contei para o Raul a lenda do sábio chinês, que sonhou que era uma borboleta voando nos campos e que quando acordou ficou para sempre com essa dúvida: se era um sábio chinês sonhando que era uma borboleta, ou se era uma borboleta sonhando que era um sábio chinês. Mais uma vez ele se mostrou um grande incentivador de talentos, desenvolvendo junto comigo mais uma canção baseada nessa ideia muito simples, mas de enorme delicadeza. Essa sua vontade de querer ajudar é uma das qualidades que mais me dão saudades dele.

Mais mãos se aproximam: Cláudio Roberto, Rick Ferreira e Celso Blues Boy

Para fazer o LP *Abre-te Sésamo* Raul contratou Celso Blues Boy, um jovem guitarrista que estava despontando no cenário musical do Rio de Janeiro. Era tão habilidoso que mais tarde iria se tornar amigo de B. B. King e fazer algumas participações em shows com ele aqui no Brasil. A gente ia buscá-lo em Copacabana para gravar conosco todo dia de manhã junto com o guitarrista Rick Ferreira, que era o fiel escudeiro do Raul desde 1974. Para completar a formação da banda, chamou o baixista preferido, Paulo César Barros (do Renato e Seus Blue Caps), o baterista Ivan Mamão (da banda Azimuth) e o maestro e arranjador Miguel Cidras.

Além de todos esses músicos, foi nesse disco que eu conheci o Cláudio Roberto, parceiro e grande amigo do Raul desde 1963 (quando, ainda adolescente, namorava a prima do próprio Raul, Heloísa, no Rio). Nessa época ele morava em Miguel Pereira, no estado do Rio. Algumas vezes ele vinha pra cá e outras a gente ia pra casa dele. Sua mulher (já falecida) também se chamava Ângela, e uma das músicas mais bonitas desse trabalho foi exatamente "Ângela", que os dois compuseram pra nós. Ela tem um solo de guitarra do Celso Blues Boy que é de chorar de tão bonito!

O LP tem também a participação do Dedé Caiano, irmão do cantor e compositor Sérgio Sampaio, que ficou morando com a gente durante alguns meses. Com aquela generosidade que lhe era característica, Raul fez a música *Anos 80* e colocou o Dedé como parceiro. Foi assistindo Cláudio Roberto compor junto com Raul que me apareceu a oportunidade de fazer a minha primeira parceria com os dois, na música *Só pra Variar* – "...tem que acontecer alguma coisa, neném, parado é que eu não posso ficar...". Foi a primeira das quinze músicas que eu faria com o Raul, dentre as quais cinco com ele e Cláudio Roberto. Foi ali que eu comecei a aprender a compor. E que escola!

Começamos a passar noites e noites adentro compondo. Em Miguel Pereira, os dois se refugiavam num casebre longe da casa principal (onde ficávamos a Ângela, as filhas dela e eu. Na época eu ainda não tinha nossa filha). E os dois ficavam na cabana, cheirando e compondo, compondo e cheirando. Numa daquelas manhãs eu acordei e fui lá cumprimentá-los e perguntar se não queriam tomar um café. Foi então que eles me mostraram o *Rock das Aranha*: "Subi no muro do quintal e vi uma coisa que não é normal..." Eu achei aquilo genial, pois era uma característica deles, que adoravam brincar e falar sacanagens na hora de compor. Achei muito gozado aquilo, "vem cá mulher, deixa de manha, minha cobra quer comer sua aranha!"

Mas a Ângela do Cláudio Roberto achou a música indelicada e grosseira! Que absurdo, rock das aranha! Mas eu achei hilária e dei a maior força! Então o LP foi lançado, mas com uma advertência da Censura Federal, um selo que dizia: "Por determinação do Conselho Superior de Censura, decisão 29/80, a música 'Rock das Aranha' tem sua execução proibida em emissoras de rádio e TV". Com essa proibição de execução pública, o Raul escolheu as músicas *Abre-te Sésamo* e *Aluga-se* para trabalhar na imprensa.

RAUL FLASHBACK

"Para Kika, não para Angela – Tu, urubu profundos olhos de águia, tempestades, desvairios em peles escarlates. Desplugando de mim meu amor por mim. Mas já que és dona de mim, bocarra mãe. Seu sutil chicote de prata. Comilona ardilenta armadilha. Lua vermelha, enchendo marés. Eu que era o rei do fogo e dos trovões, sinto minha coroa está pendente a cair em mil mãos que eu não posso enxergar. Desplugando impiedoza meu amor de mim. I' will let it be... se o amor e ódio não passam predestino de um casal dum para outro... parte do jogo. Mas se amor é meu grande jazigo, que mais eu posso fazer? Ninguém além de ti. Mas eu e tu. Que meu pau de ferro seja seu companheiro e compromisso.
Velha noitenta madrasta, engula-me com tua magnânima bocarra de onde me cuspistes para que se cumpra o grande destino do que me foi doado a ser. Que minha estaca viril esteja na grande rainha das rainhas. Tu, oh, tu!! Nunca piedade quando sedento de paixão me deixo aos teus cuidados! Nunca jamais. "Amor e ódio são destinos dos ímpios" Hino a ti, serpente voraz! Tuas horas sagradas são maiores do que as minhas jamais poderiam ser! Devora-me!! Teu servo e criado na tua ardilosa armada! Tuas mil mãos me marionetando como o sempre do sempre! Curvo-me ante teu corpo de veludo-verde-serpente de argila; meu ódio se desfaz quando minha espada segura lhe traspassa as entranhas" – 1980

AR Prá KiKH não para Ângela

Tu
Uni tu, profundo olhos de águia
Tempestades, desvairos em peles escarlates
Desplugando de mim, meu amor por mim
Mas já que és dona de minha
Bocarra mãe
Seu sutil chicote de prata
Comilona apetitenta armadilha
Lua vermelha, enchendo marés
eu que
era o rei dos fogo e dos
Trovões
Sinto minha coragem está pendente
A cair em mil mares que eu
não posso enxerga
Desplugando impiedoza meu amor
de mim
I' will let it be ...... →
se o amor e odjo não passou
de predestino de um casal
para outro... parte do jogo!
Mas se amor é meu grande
Jazigo, que mais posso eu
fazer? Niguem alem de Ti
mas, eu e Tu!
P.S. q' Continues sendo!
Que minha pau de ferro seja
meu
seu companheiro e compromisso

AS 15 MÚSICAS QUE FIZ COM RAUL SEIXAS E QUE FORAM GRAVADAS EM DISCOS

Nr	Título	Autores	Disco	Gravadora	Ano
1	Só Pra Variar	RS CR KS	Abre-te Sésamo	CBS	1980
2	Nuit	RS KS	A Panela do Diabo	Warner	1989
3	Aquela Coisa	RS CR KS	Raul Seixas	Eldorado	1983
4	Coisas do Coração	RS CR KS	Raul Seixas	Eldorado	1983
5	Coração Noturno	RS KS RV	Raul Seixas	Eldorado	1983
6	DDI	RS KS	Raul Seixas	Eldorado	1983
7	Quero Mais	RS CR KS	Raul Seixas	Eldorado	1983
8	O Segredo da Luz	RS KS	Raul Seixas	Eldorado	1983
9	Canção do Melâncio	RS KS	TV Tutti Frutti	PolyGram	1983
10	Chiquita Banana	RS KS	TV Tutti Frutti	PolyGram	1983
11	Canção do Vento	RS KS	Metrô Linha 743	Som Livre	1984
12	Geração da Luz	RS KS	Metrô Linha 743	Som Livre	1984
13	Meu Piano	RS CR KS	Metrô Linha 743	Som Livre	1984
14	O Messias Indeciso	RS KS	Metrô Linha 743	Som Livre	1984
15	Quero Ser o Homem que Sou	RS KS AS	Metrô Linha 743	Som Livre	1984

Observações:

a) Autores: RS: Raul Seixas; KS: Kika Seixas; RV: Raul Varella Seixas (pai de Raul); CR: Cláudio Roberto; AS: Adilson Simeone.

b) As músicas estão por ordem de ano de composição (o projeto do LP independente *Nuit*, onde constava a música de mesmo nome, é de 1981).

Minha espada erguida
para a guerra,
Com toda a fúria
que ela encerra,
No entanto é tão
doce para Ângela, Ângela!

Raul Seixas e Cláudio Roberto, *Ângela*.

A FOTO DA CAPA DO LP *ABRE-TE SÉSAMO* PASSOU PELA CENSURA DA DONA SOLANGE!

Naquele início de relacionamento nós estávamos apaixonadíssimos e eu queria fazer o possível para ajudá-lo. Para o LP *Abre-te Sésamo*, a CBS contratou o fotógrafo Frederico Mendes (que é meu amigo até hoje) para fazer o ensaio para o disco. Então eu e Raul saímos para comprar um terno branco na Ducal (lojas que tinham sido referência de bom gosto dos anos 1950 até 1970, mas que permaneciam até então. É engraçado que seu nome quer dizer "duas calças", pois quem levava um terno ganhava uma outra calça, mais barata, de brinde!).

Em seguida fomos na Sapasso para escolher um sapato (essa loja nos apoiaria doze anos depois, quando fizemos o primeiro *O Baú do Raul*, no Circo Voador, em 1992). Raul estava sentado, experimentando vários modelos e, de repente, um rapaz que estava passando na rua o reconheceu e entrou para pedir um autógrafo. Isso causou um pequeno tumulto, inclusive entre os próprios vendedores, e ele ficou distribuindo autógrafos para a galera. Nesse burburinho acabei escolhendo pra ele aquele tênis amarelo, que hoje se encontra no acervo do Raul Rock Club, cujo curador é o Sylvio Passos, em São Paulo.

Optei por esse calçado para dar um toque mais moderno, pois Raul era uma pessoa bem tradicional no modo de vestir. No palco criava seus diversos personagens, com bota e blusão de couro, mas fora isso ele era bem careta. Quando procuramos os sapatos que ele estava usando, um deles tinha desaparecido! Isso criou um baita constrangimento entre os vendedores, afinal, nunca tinha acontecido antes. Percebemos então que só poderia ter sido um dos fãs que o havia levado como recordação. A solução foi sair de lá com os tênis amarelos.

Frederico Mendes sugeriu que fizéssemos as fotos no Arpoador, o que me deixou muito feliz, porque era onde eu tinha passado grande parte da minha infância e adolescência. Durante a sessão, Raul e eu ficamos nos agarrando o tempo todo e isso acabou ficando evidente na foto que ilustra a capa do disco (a imagem imponente do morro Dois Irmãos ao fundo e Raul de pau duro).

Fiz meu rumo por essa terra, entre o fogo que o amor consome.
Eu lutei, mas perdi a guerra, eu só posso te dar meu nome!

Raul Seixas e Paulo Coelho,
Cantiga de Ninar.

Eu lutei, mas perdi a guerra e não posso nem te dar meu nome!

Já estávamos juntos há três ou quatro meses, no apartamento da rua Itaipava, no Rio de Janeiro, em 1980, quando recebemos um envelope registrado da mãe dele, dona Maria Eugênia (que eu ainda não conhecia pessoalmente). Por telefone ela nos esclareceu os detalhes do documento enviado, que havia recebido dos Estados Unidos, postado pela Edith, primeira mulher do Raul, da qual ele tinha se separado há seis anos, em 1974. Ela era a mãe da Simone, primeira filha dele, nascida dez anos antes, em 19 de novembro de 1970, no Rio de Janeiro, quando recebeu o nome de Simone Andrea Wisner Seixas. Eles não haviam se comunicado mais depois da separação, por opção da própria mãe, devido à forma com que ele as havia abandonado (saiu para comprar cigarros e nunca mais voltou. Na verdade, ele foi viver com a próxima companheira). A partir daí, Edith acabou voltando para os Estados Unidos e dizia para a filha que o pai havia morrido. A carta continha um documento de adoção da Simone, transferindo a paternidade para o companheiro da Edith nos Estados Unidos, cujo sobrenome era O'Donoghue. Ela passaria a se chamar Simone Andrea Wisner O'Donoghue e não mais Seixas.

Naquele momento de intensa indignação, Raul rasgou o documento, gritando: "De jeito nenhum ele vai levar minha filha! Esse canalha quer me tomar a Simone!" Instintivamente eu o apoiei, porque sabia o quanto ele, mesmo no seu comportamento contraditório e inconsequente, amava aquela criança. Mas perdendo a cabeça a gente faz as piores besteiras: a destruição daquela folha de papel da Justiça Americana transferia automaticamente a paternidade para o padrasto americano! Na linguagem jurídica – na qual não cabem ataques histéricos – ele teria direito ao contraditório (direito de resposta), ou seja, contestar a proposição dentro do prazo previsto. Sem o contraditório, vencido o prazo, o processo passaria a correr à revelia, com a anuência (concordância) do verdadeiro pai! Um pai que há quatro anos havia composto uma canção chamada *Cantiga de Ninar* onde dizia "...fiz meu rumo por essa terra, entre o fogo que o amor consome. Eu lutei, mas perdi a guerra. Eu só posso te dar meu nome". Agora, nem o nome ele poderia mais lhe dar!

Esta matéria publicada em julho de 1981 mostra o quanto este afastamento da filha Simone o incomodava. O texto é de Rosangela Petta, a reportagem de Luiz Cal e fotos de Paulo Salomão:

A MINHA FILHA PENSA
QUE EU ESTOU MORTO

A maior mágoa na vida de Raul Seixas é não poder ver nem se corresponder com Simone Andréa, uma de suas três filhas. Sua primeira mulher não deixa. Edith, a primeira mulher de Raul Seixas, levou sua filhinha aos Estados Unidos e

A maior mágoa na vida de Raul Seixas é não poder ver, nem se corresponder

"A MINHA FILHA PENSA

Edith, a primeira mulher de Raul Seixas, levou sua filhinha aos Estados Unidos e disse para a menina que o pai tinha morrido. O cantor não se conforma e sofre muito com isso.

Reportagem: Luiz Cal
Texto: Rosangela Petta
Fotos: Paulo Salomão

disse para a menina que o pai tinha morrido. O cantor não se conforma e sofre muito com isso. Ele enfrentou de tudo na vida. Altos e baixos (financeiros, profissionais e amorosos) sempre pontilharam os 36 anos de Raul Seixas. Mas nunca uma coisa magoou tanto o roqueiro como o fato de sua primeira mulher, Edith Nadine Wiscom Simone Andréa, uma de suas três filhas. Sua primeira mulher não deixa.

"QUE EU ESTOU MORTO"

Ele enfrentou de tudo na vida. Altos e baixos (financeiros, profissionais e amorosos) sempre pontilharam os 36 anos de Raul Seixas. Mas nunca uma coisa magoou tanto o roqueiro como o fato de sua primeira mulher, Edith Nadine Wisner, impedir que ele veja a filha, Simone Andréa, hoje com 11 anos.

Raul e Edith casaram-se em 1966, quando ele se dividia entre a música e os cursos de inglês, filosofia e psicologia. A união seguiu aos trancos e barrancos por oito anos. Com a separação, porém, Edith acabou ficando com a filha nos Estados Unidos e parece ter declarado guerra ao ex-marido: além de impedir a correspondência entre Raul e Simone, convenceu a menina de que seu pai está morto:

— Morro de saudades da minha filha — desabafa o cantor. — Amo a Simone da mesma forma como amo a Scarlet e a Vivian.

Hoje Raul está casado com Kika, com quem tem uma filha.

Scarlet e Vívian são suas outras filhas, que nasceram de seus dois casamentos seguintes.

Ele conheceu sua segunda mulher nos Estados Unidos. Foi amor à primeira vista — e em 1974 ele se unia a Gloria, uma norte-americana com quem viveu até 1979.

O casal chegou a morar no Brasil, no Rio de Janeiro. Mas assim que o casamento terminou, Gloria partiu para sua terra com a pequena Scarlet (hoje com cinco anos) a tiracolo. Mais uma saudade para Raul.

Há dois anos, no entanto, o coração do rapaz voltou a bater mais forte. Desta vez, por Kika (apelido de Ângela de Afonso Costa), com quem tem uma filha, Vívian, de apenas um mês e meio. Agora, sim, ele acha que encontrou a verdadeira companheira.

Simone Andréa nasceu do primeiro casamento de Raul com Edith Nadine Wisner.

Scarlet, a filha que teve com Gloria. E Vívian, fruto de seu casamento com Kika.

— A Kika é incrível. Inteligente, compreensiva, boa companheira e ótima empresária. Ela trata da minha parte financeira. E assim é bom, porque fica tudo dentro de casa.

Romântico e apaixonado, Raul está apenas esperando que saia o seu divórcio de Gloria para oficializar sua união com Kika. Ele quer que tudo seja feito conforme a tradição: com papel passado, igreja e festa. Tudo com a devida aprovação de Kika:

— Eu sou como o Raul, também gosto de cerimônia. Imagine que ele me pediu pra namorar e foi falar com os meus pais quando resolvemos viver juntos. É assim que ele quer e eu fico feliz quando o Raul está feliz. Só sei que ele ficaria ainda mais legal se pudesse ter as três filhas juntas ao seu lado. Seria a felicidade total mesmo.

OL ROCK CLUB
Caixa Postal 12.106 - Santana
02017 - São Paulo - SP

RAUL LANÇA DOIS DISCOS AO MESMO TEMPO

Se na vida particular Raul Seixas está numa boa maré, o mesmo acontece com sua vida profissional. Já começou a gravar seu novo LP pela gravadora CBS, *Blitz*, e em setembro vai aos Estados Unidos lançar o disco *Opus 666* — um trabalho que está pronto há sete anos e esperou o momento certo para entrar no mercado internacional.

— Esse LP vai abalar as estruturas dos americanos — garante Raul.

Ilusão 49

---

ner, impedir que ele veja a filha, Simone Andréa, hoje com 11 anos.

Raul e Edith casaram-se em 1966, quando ele se dividia entre a música e os cursos de inglês, filosofia e psicologia. A união seguiu aos trancos e barrancos por oito anos. Com a separação, porém, Edith acabou ficando com a filha nos Estados

Unidos e parece ter declarado guerra ao ex-marido: além de impedir a correspondência entre Raul e Simone, convenceu a menina de que seu pai está morto:

— Morro de saudades da minha filha — desabafa o cantor. — Amo a Simone da mesma forma como amo a Scarlet e a Vivian. Hoje Raul está casado com Kika, com quem tem uma filha. Scarlet e Vivian são suas outras filhas, que nasceram de seus dois casamentos seguintes. Ele conheceu sua segunda mulher nos Estados Unidos. Foi amor à primeira vista — e em 1974 ele se unia a Gloria, uma norte-americana com quem viveu até 1979. O casal chegou a morar no Brasil, no Rio de Janeiro. Mas assim que o casamento terminou, Gloria partiu para sua terra com a pequena Scarlet (hoje com cinco anos) a tiracolo. Mais uma saudade para Raul. Há dois anos, no entanto, o coração do rapaz voltou a bater mais forte. Desta vez, por Kika (apelido de Ângela de Afonso Costa), com quem tem uma filha, Vivian, de apenas um mês e meio. Agora sim ele acha que encontrou a verdadeira companheira.

— A Kika é incrível. Inteligente, compreensiva, boa companheira e ótima empresária. Ela trata da minha parte financeira. E assim é bom, porque tudo fica dentro de casa.

Romântico e apaixonado, Raul está apenas esperando que saia o seu divórcio de Gloria para ofi-

cializar sua união com Kika. Ele quer que tudo seja feito conforme a tradição: com papel passado, igreja e festa. Tudo com a devida aprovação de Kika:

— Eu sou como o Raul, também gosto de cerimônia. Imagine que ele me pediu pra namorar e foi falar com os meus pais quando resolvemos viver juntos. É assim que ele quer e eu fico feliz quando o Raul está feliz. Só sei que ele ficaria ainda mais legal se pudesse ter as três filhas juntas ao seu lado. Seria a felicidade total mesmo.

Errata: Raul viveu com Gloria até 1974 e não 1979, como informado na matéria do jornal.

RAUL LANÇA DOIS DISCOS AO MESMO TEMPO

Se na vida particular Raul Seixas está numa boa maré, o mesmo acontece com sua vida profissional. Já começou a gravar seu novo LP pela gravadora CBS, Blitz, e em setembro vai aos Estados Unidos lançar o disco Opus 666 — um trabalho que está pronto há sete anos e esperou o momento certo para entrar no mercado internacional.

— Esse LP vai abalar as estruturas dos americanos — garante Raul.

Divulgação CBS

Raul no Programa do Chacrinha - 1980

CAPÍTULO II

DEZEMBRO DE 1980:
FINALMENTE, A IDA
PARA SÃO PAULO

Amanhece, amanhece,
amanhece, amanhece o dia
Um leve toque de poesia,
com a certeza que a luz
Que se derrama nos traga
um pouco de alegria!

Raul Seixas, Raul Varella Seixas
e Kika Seixas, *Coração Noturno*

Resolvemos nos mudar para São Paulo. Nesse período Raul fez várias viagens para divulgar o *Abre-te Sésamo*, inclusive uma participação superespecial no *Programa do Chacrinha*. Na carta a seguir, escrita para seu pai, no dia 27 de setembro de 1980, ele contextualiza tudo o que estava acontecendo conosco e procura dividir com o velho Raul todo o sentimento de esperança que nos tomava naquele momento, mesclando recordações do passado e afinidades com o pai. A carta fala por si e vou manter a grafia original:

Meu querido painho

Hoje é dia 27 de setembro, talvez uma hora da manhã. Chegamos de São Paulo, onde o trabalho foi maravilhosamente bem. Adorei sua opinião sobre cada música. Você, como sempre, é coração puro, um poeta em potencial! Estou me mudando com Kika para São Paulo, pois lá a receptividade de trabalho são melhores. Estou me mudando também (cada dia mais). Estou tomando uma vodka (muito embora saiba que não posso). Não estou só, Kika ressona ao meu lado.

A vida em São Paulo é mais barata e eu preciso voltar ao palco. Esse disco vai me dar condições. Saudades. Minha plantinha está bonita, né? Que lindo! Saudades das coisas doces! (você me conhece mais que todos!). Atrás dessa fúria rebelde de um leão que rosna, existe um cora-

ção que bate tão forte, que às vezes as pessoas se confundem com um gato (bicho malicioso). Plininho (Stan) esteve comigo e Kika. Rimos muito, muito embora ele tenha suas restrições comigo, mas você sabe, né, pai? Os poetas e doidos são assim mesmo... esquisitos! Tomei essa decisão de morar em São Paulo, a qual K concordou plenamente! Já pensou? Às vezes eu me sinto só. São Paulo foi lindo para comigo. Você é meu pai e meu amigo. Meu pai, adorei sua paternidade sobre "Ê, meu pai". Ê, meu pai, olha teu filho, meu pai!

Estou partindo para outras jornadas (São Paulo), já que esgotou-me as possibilidades de caminhar nos mesmos estúpidos erros. Desculpe o mal escrito, tive dez dias de longos trabalhos, estou morto de cansado. Tem uns programas lá em S.Paulo que já tocam "Minha Viola" e eu fico todo orgulhoso. Eu estava há três anos desolado, fora do palco, mas agora tudo bem, voltei.

Não chore escondido, meu pai, chorar hoje é tão difícil. Gente é tão difícil. Tenho arrependimento de não estar devidamente preparado para ser um pai para Simone e Scarlet como o senhor foi para mim. Amo você e minha mãe! (Plininho e Janaína também). Meu coração só dói!! Dói!! Já são uma e trinta da manhã. Minha companheira está comigo.

Vou fazer um disco em março nos EUA. CBS. American Way. Tenho 35 anos e um coração enorme!

Kika me disse hoje à noite, antes de dormir, que nunca me viu tão bonito! Que coisa, já pensou? O dia que eu for um homem igual ao senhor, meu pai, eu estou "feito"! De saudade estou perdido, nessa eterna soledade; prefiro ser essa metamorfose ambulante... Quem tem o coração mole assim é fogo, né, meu pai! (revestido de uma capa de retado!). Não jogue fora esses rabiscos. São 15 minutos para duas horas da manhã. Quero sua benção, o mais humildemente possível. Você se parece muito comigo, viu? Eu segurei uma barra, pai, que não foi mole (de fora é fácil falar). Seu filho que muito te ama. Raulzito

No início de dezembro de 1980 fomos pra São Paulo com disco recém-lançado e cheios de amor e esperança. Colocamos duas malas dentro do Fiat 147, nos despedimos dos meus pais e partimos. Não conhecíamos nada da cidade, e foi o cantor Jair Rodrigues que nos deu a dica para nosso primeiro refúgio, um apart-hotel no bairro da Consolação, muito próximo da tradicional Cantina d'Amico Piolin, na rua Augusta.

A Cantina Piolin era o ponto de encontro da classe artística, local ideal para saber de tudo o que estava acontecendo no meio musical e fazer novos contatos. Um local estratégico de trabalho, e por isso a gente o frequentava bastante. É bom lembrar que em 1980 não existia internet e celular; uma linha de telefone custava uma fortuna e era muito difícil de se conseguir. Para se fazer uma ligação interurbana era preciso solicitar à companhia telefônica e aguardar muitas vezes por horas. As pessoas normalmente se comunicavam por cartas, que podiam demorar até uma semana, e por telegrama, nas emergências (a Embratel só ativou oficialmente a internet no Brasil em maio de 1995).

Numa dessas noites de virada, muito sexo, drogas e rock'n'roll, de madrugada resolvemos jantar. Ligamos para o *Piolin* e fizemos o pedido. Quando o entregador chegou, o Raul me deu uma piscadela e pediu para acompanhá-lo para ir "buscar o dinheiro". No quarto ele fez um sinal para eu "ficar na minha" e em seguida voltou para o boy do restaurante e disse:

— Olha, o senhor volte para o Piolin e diga ao gerente que Raul Seixas quer falar com ele!

Raul então ligou para o restaurante e eu continuava sem entender nada.

— Alô, é do *piolinho*?

— Não, não, aqui não tem *piolinho* nenhum, não! Aqui é da cantina Pi-o-lin! Piolin, senhor! O que o senhor deseja?

— Ah, sim, *piolinho*! Aqui é o Raul Seixas!

— Ah, sim, senhor! Como vai, seu Raul? O que o senhor deseja?

— É que acabei de fazer um pedido, recebi agora, e aconteceu uma coisa muito desagradável! Preciso que o gerente venha aqui falar comigo, porque eu não esperava uma coisa dessas de uma casa de renome como a de vocês!

Eu, que já estava preparando os pratos para jantarmos, continuei *boiando* na história! Pouco depois, o gerente tocou o interfone e subiu.

– O que aconteceu, seu Raul?

O Raul então pegou uma das quentinhas, cheias de strogonoff ao molho (um dos pratos que ele mais gostava), abriu e mostrou para duas pessoas boquiabertas, que éramos eu e o gerente: lá dentro, no meio da comida, tinha um saca-rolhas! Aquele senhor de bochechas rosadas, de calça azul marinho, sapato brilhante, camisa branca e gravata borboleta, arregalou os olhos e disse:

– Mas não é possível!

Ao que ele respondeu:

– Pois é, eu sei que nem tudo a gente pode controlar, mas o senhor há de convir que uma coisa dessas é muito desagradável!

Quando eu saquei a maluquice que Raul estava aprontando, saí de perto pra não cair na gargalhada. E ele continuou impassível, debochando do pobre e desesperado administrador do restaurante, que não sabia mais como se desculpar:

– Pois é, olha o tamanho desse saca-rolha! E se eu engulo isso, como é que ia ser?!

– Não! Pelo amor de Deus, eu vou mandar outro pedido, o senhor pode pedir o que quiser! Isso nunca aconteceu antes! Por favor, nos perdoe!

E nos mandou o prato mais caro do menu, regado ao melhor vinho da casa! E assim, confirmou o que ele dizia: "Eu sou tão bom ator, que finjo que sou cantor e todo mundo acredita". Terminamos a noite comendo, rindo do *piolinho*, trepando e vendo o sol raiar num dia maravilhoso!

Ficamos pouco tempo nesse endereço, pois era uma região nobre e muito cara. Quem nos ajudou a procurar e encontrar outro apart-hotel foi Claudine, esposa do Jair Rodrigues. E lá fomos nós para o Edifício Aliança, na rua Frei Caneca, bem mais barato e onde o Raul viria a falecer nove anos depois. Além do grande alívio em sair do Rio, ele pressentia que São Paulo era uma cidade mais produtiva para se trabalhar e que ali estava seu público mais fiel.

Nas questões externas, como trabalho e relações sociais, tudo parecia caminhar para um futuro melhor. Mas o descontrole financeiro e principalmente a saúde pessoal estavam para estourar como uma bomba relógio. Éramos jovens (ele tinha 35 anos, e eu 28), e eu considerava normal que ele bebesse todos os dias, nem pensava nas consequências. Em alguns países que visitei as pessoas bebem muito mais do que no Brasil. Na Espanha uma garrafa pequena de vinho faz parte das refeições. Nos anos 1960 e 1970 o jovem bêbado era sinal de que tinha virado macho e os pais se orgulhavam do primeiro porre do herdeiro.

O problema é que o excesso de álcool pode causar pancreatite crônica, uma inflamação muito perigosa e que pode induzir o aparecimento de diabetes (pois é o pâncreas que produz a insulina). Há vários anos Raul tomava um copo de vodca com Fanta antes do café da manhã e já vinha tendo problemas com crises de pancreatite e internações. Mas quando tinha alta, tudo ficava na conta de que ele "tinha tido um problema de saúde, mas tinha feito tratamento e estava curado". A realidade não eram bem assim e o risco estava ficando cada vez maior.

Até que tudo aconteceu num piscar de olhos: com dores horríveis por causa de uma crise gravíssima, tive que levá-lo para o Hospital Albert Einstein, onde ele passou por diversos exames que constataram alto risco de morte e necessidade de remoção imediata de parte do pâncreas, além da internação por tempo indeterminado. A partir daquele momento ele iniciaria, para o resto de sua vida, a fase crítica dos efeitos da intoxicação. Surpreendentemente, durante os três meses em que esteve internado, nunca o vi reclamar de nada. Eu estava sempre ao seu lado e tinha uma preocupação a mais: estava grávida de três meses!

Raul Flashbacks

"Para Kika, grávida de Vivian: Não quero que você labute, não é hora, espere! Eu te protejo, eu posso fazer tudo! TE amo muitíssimo, Angela! Amor é vida. Ronque, ronque muito em meus ouvidos. Eu sou o sol da manhã, tu és a paz da noite. Amo nossa criança, antes do ato de nascer. É nossa criança astral." - 1980

"Não existe motivo para eu parar de viver. Bebia sabendo que ia morrer! Acho que para preencher a vida é necessário seguir e acreditar em alguma coisa que possa acalmar o absurdo da vida. Conheço muitas 'escolas': ocultismo, religiões, carreiras, tudo para camuflar o vazio. O amor é o mais forte preenchimento. Escolhi ser artista por amor. Por que eu trabalho de noite? Me destruo com cigarros, cocaína e maconha. Me desespero por não encontrar um sentido de vida, por isso não me importo com nada. Tudo é sem importância diante do fato de que estou procurando um propósito; o que chamo de 'um fim'" - 1980

Ói, ói o trem, vem surgindo
de trás das montanhas
azuis, olha o trem...
Ói, ói o trem, vem
trazendo de longe as
cinzas do velho aeon...

Raul Seixas, *O Trem das Sete.*

NA CAMA DO HOSPITAL RESSURGE NO HORIZONTE O TREM DAS SETE

Essa internação nos deu tempo de conversar sobre aspectos de sua vida dos quais nunca havíamos falado antes. Ele sempre tinha sido muito discreto sobre seu passado, suas ex-mulheres e antigos parceiros musicais. Lá, na cama do hospital, certamente movido por melancolia e saudade, começou a relembrar sua infância como nunca havia feito. A primeira pessoa que surgiu foi o Plínio, seu irmão mais novo, de quem Raul falava com muito amor e carinho. Sempre que estávamos em momentos de resgate do passado, ele se lembrava das histórias dos dois, como quando vendia desenhos e histórias em quadrinhos para Plínio e outra peraltice que quase se transformou em tragédia.

Nessa ocasião eles estavam no local mais mágico de sua infância, Dias D'Ávila, onde seu pai possuía um sítio, a cerca de sessenta quilômetros de Salvador. Eles estavam brincando de esconde esconde numa espécie de depósito, onde havia muita coisa velha e a carcaça de uma das geladeiras que o titio Lulu consertava. Para deixar o Raul isolado enquanto se escondia, Plínio colocou-o dentro do refrigerador e inadvertidamente o trancou lá dentro. E saiu para se esconder, acabou se distraindo com outras coisas e esqueceu-se do irmão. Normalmente iam para o sítio todo final de ano vários primos da mesma faixa etária, junto com as quatro irmãs: a mãe, dona Maria Eugênia, com Raul e Plininho; Maria Angélica, mãe de Heloísa e Horácio; Maria Luiza, com os filhos Carlinhos e Vera; e a tia Maria Lígia, todas com os respectivos maridos, mais o primo José Walter e o tio Lulu Geladeira. Na hora do almoço dona Maria Eugênia reuniu toda a prole e perguntou "está faltando o Raulzito, onde ele está?" Ato contínuo Plínio gritou "está trancado na geladeira!" e disparou em direção ao galpão, com a família toda atrás. Ao abrir a porta encontraram o Raul quase desfalecido, com o nariz sangrando e sufocando-se naquela câmara da morte! Como ele jamais conseguiria sair sozinho, por pouco essa brincadeira não se transformou numa tragédia que marcaria a família, Dias D´Ávila e privaria o mundo do cantor genial. Mas Raul ficou para sempre com sequelas dessa peraltice: tinha claustrofobia, muito medo de avião e até de entrar em elevadores.

Para contrabalançar o lado materno, dominador e autoritário, ele tinha o pai, Raul Varella Seixas, meigo e compreensivo, que sempre os tratava com carinho e sem punições. Quem batia pra valer era a mãe! Quando o Raul tinha quatorze anos e o Plínio dez, Dona Maria Eugênia descobriu que os dois falsificaram a assinatura dos pais durante um ano inteiro na caderneta escolar, tudo porque matavam às aulas para ir para o Cantinho da Música curtir rock'n'roll. Quando a mãe descobriu a "falsificação", exigiu que o velho Raul os punisse severamente. Diante de uma situação tão grave, o pai os levou para o quarto e com o cinto começou a bater. Batia na cama, batia na porta, nos móveis, fazendo o máximo de barulho possível, enquanto os filhos gritavam, fingindo que estavam apanhando de verdade. Era um tal de "Ai, painho, para, painho! Assim dói! Para, painho!" Do lado de fora da porta, dona Maria Eugênia ouvia o corretivo que os filhos estavam finalmente levando.

Em Dias D'Ávila, a linha férrea percorria um descampado atrás do sítio da família. Quando eles estavam lá de férias, muitas vezes o Dr. Raul, que era engenheiro ferroviário, passava no trem, bem devagar, como era procedimento perto de povoados. O maquinista apitava e os meninos saíam correndo ao lado da linha e *pongavam*[2] perigosamente dentro dos vagões e despongavam antes de chegar na plataforma da cidade mais próxima, chamada Amado Bahia. Essa imagem da fumaça surgindo no horizonte, "apitando e chamando os que sabem do trem", ficou no imaginário e na obra de Raul para sempre, numa das suas mais belas composições, *O Trem das Sete*.

Seus pais faziam parte da elite social de Salvador, mas seus momentos mais felizes na infância e adolescência sempre estiveram ligados à vida no campo, às brincadeiras de rua, ao povão do Cinema Roma e ao rock'n'roll que conhecera com os filhos dos americanos que trabalhavam na embaixada dos Estados Unidos em Salvador. Depois de três meses internado no Albert Eins-

---

[2] Pongar: regionalismo nordestino que significa "pegar o trem ou qualquer veículo em movimento".

tein, me contando essas histórias, a primeira coisa que ele me pediu quando teve alta foi: "Vamos dar um pulo em Dias D'Ávila?" Queria rever a fumaça no mesmo horizonte de onde surgia o trem, apitando e chamando para a viagem encantada.

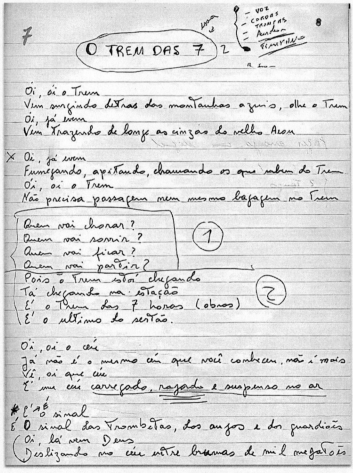

Manuscrito original da música O Trem das Sete

As fugas do hospital

Depois de dois meses internado, Raul já conseguia caminhar quase normalmente dentro do quarto e corredores do hospital. E evidentemente estava louco para ir embora! No entanto, a previsão era de que ele ficasse pelo menos mais um mês e era absolutamente proibida qualquer saída! Pois bem, nós começamos a bolar uma forma de sairmos escondidos, para pelo menos dar um rolé pelas redondezas. Este era o plano: ele colocaria uma roupa normal, como se fosse um visitante qualquer, e nós sairíamos separados, pela porta principal, na maior tranquilidade, no horário de visitas.

Primeiro treinamos, para ver se ele conseguiria caminhar com firmeza, sem cambalear ou mostrar qualquer insegurança. Calculamos a distância que ele percorreria até a rua, e ele reproduzia essa distância nos corredores, para executar com sucesso a missão. Procuramos saber o horário da troca de turno do pessoal da portaria, porque no tumulto seria mais fácil ele passar despercebido. E ele também treinou as técnicas que havia aprendido nas sociedades secretas, para "ficar invisível" (bem, pelo menos ele disse que tinha aprendido essas coisas por lá!).

A primeira vez foi a mais tensa, mas depois ficou um pouco mais fácil. Pegávamos um táxi e dávamos algumas voltas pelo bairro do Morumbi e às vezes parávamos em uma lanchonete, nos distraindo tanto que chegávamos a esquecer que tínhamos que voltar. O curioso é que escapamos de lá algumas vezes e nunca ninguém desconfiou. Eu acredito que, se os médicos ficassem sabendo, a gente poderia até ser expulso (Raul nunca me ensinou, mas eu acho que esse papo de *ficar invisível* realmente existe!).

ALTA DO HOSPITAL ALBERT EINSTEIN

De forma surpreendente ele conseguiu melhorar e teve alta do hospital, apesar de sair de lá com um dreno no abdômen. A operação de retirada de parte do pâncreas tinha sido extremamente invasiva e traumática. No início dos anos 1980 não existiam os recursos atuais de robótica nas cirurgias, que eram feitas com grandes cortes e recuperação muito lenta. Como eu mencionei antes, nunca o vi reclamar de nada. No entanto, os médicos foram muito claros em relação ao fato de que ele não poderia beber de forma alguma. Em meados de 1981 ele conseguiu voltar a trabalhar e infelizmente, a beber! Apesar disso, conseguiu fazer uma excelente temporada no Teatro Pixinguinha, de 1º a 5 de julho. Mas o show seguinte, três meses depois (dias 4 e 5 de outubro, no Colégio Equipe), foi um fiasco: Raul estava embriagado e não conseguia cantar. O público a princípio cantava junto e ele ficava assistindo, mas havia um grupo mais exaltado que começou a jogar coisas no palco, avacalhando o espetáculo! Foi muito, muito triste!

Eu torcia tanto para ele superar o alcoolismo, mas não adiantava absolutamente nada! Nunca vou esquecer de uma cena, na casa da rua do Rubi, quando me ajoelhei diante dele – implorando pelo amor de Deus, com as mãos postas em forma de oração – para que ele se controlasse e parasse de beber, pois isso estava colocando em risco nossa família e até a integridade da nossa filha. Quando ele se aproximava dela, bêbado, e a pegava no colo, eu morria de medo que ele se desequilibrasse! Ao mesmo tempo, sentia um enorme constrangimento em tirá-la dos seus braços ou adverti-lo, porque ele poderia se ofender e achar que era "excesso de zelo" ou "implicância". Nossos diálogos estavam ficando cada vez mais difíceis e ele mais triste, porque sabia que estava completamente refém da bebida.

RAUL FLASHBACK
"HOJE – Tensão total! Angústia, apatia, ansiedade!
Dor de cabeça, depressivo, triste, desanimado.
Culpado, desolado, irritado, mentalmente fraco.
Existencialismo pesado. Falta de vontade.
Labilidade.[3]
Cansado. Consciência lúcida da situação.
Hipersensibilidade. Segurando a explosão compulsiva!
Agressivo. Engaiolado!" – 1980

---

[3] Observação: "labilidade" significa "instabilidade, variabilidade, adaptabilidade".

Por causa do vício da bebida, Raul não conseguiu fazer a divulgação do *Abre-te Sésamo* e perdeu sua grande oportunidade, que seria gravar o videoclipe no Fantástico, da Rede Globo, por ter virado a noite na bebedeira. Quando chegou no *set* de gravação não conseguia nem fazer a dublagem da música tocada em *playback!* Com isso frustrou a equipe do programa e gerou uma onda de rejeição do empresariado em geral. Pois se fazia isso até com a Rede Globo, imagine com um empresário ou promotor de shows...

Mesmo nessa roleta-russa, ele tinha um contrato de três anos com a gravadora CBS, correspondente a um disco por ano. Já tinha feito o *Abre-te Sésamo* (1980) e estava preparando o material para o segundo LP, cujo conceito seria uma ópera-rock chamada *Nuit* (1981). Mas nós ligávamos para a gravadora e tanto o diretor musical quanto o presidente não atendiam e nos ignoravam. Por pura provocação, chegaram a pedir que ele gravasse uma *demo-tape*, como se fazia naquela época com qualquer iniciante.

Finalmente conseguimos marcar uma reunião e, de comum acordo, rescindir o contrato. Para justificar publicamente o distrato, Raul criou a lenda de que a gravadora "havia pedido que ele fizesse um disco em homenagem a Lady Di". Isso não é verdade, mas não esteve longe de semelhante tentativa de humilhação. As anotações que se encontram no caderno que ele utilizava à época dão sinais claros de que estavam preparando esse desfecho. À página 49, escreveu:

"Olha como está a situação: eu tenho 15 dias úteis para gravar o LP no Level, do dia 17 de agosto a 4 de setembro de 1981. 1) Não tenho resposta do setor de produção sobre as escolhas dos músicos. 2) A reunião que há dois meses eu peço para fazer num plano de trabalho, mais uma vez ficou prorrogada. E prorrogada para praticamente na época em que estou no estúdio. 3) Não existe absolutamente nenhum entrosamento entre os diversos setores, como o de Marketing e o da Direção Artística, assim como o de plano de gravação. 4. Qual é essa finalidade de mandar o demo-tape do LP se os responsáveis não estarão presentes para escutar. Já não entendo, a princípio, a finalidade dessa fita de demonstração. Há algumas semanas eu tento falar sobre o adiantamento referente a 10 de maio de 1981, que consta em contrato, para o segundo LP, mas ele se omite em falar comigo..."

E continua na página seguinte:

"Assuntos com a CBS: 1) LP do Raul NUIT pronto. O pintor Lula Martins espera a capa. Soltar urgente (ontem) o single "Nuit"/"Não fosse o Cabral", no período 10/14 nos estúdios da CBS. 2) Definir o maestro americano para os arranjos na reunião do dia 20 de dezembro. 3) Definitivamente esquematizar o plano de trabalho do LP: um grande

show de lançamento no Anhembi, com orquestra e direção de Lennie Dale; reunião TV Globo para organizar um especial com Raul Seixas. Acertar data para viagem aos EUA, com a demo-tape de "I Am" e "Morning Train". A permissão já foi cedida pela Phonogram".

E por ironia do destino, Raul ganharia um disco de ouro com o LP *Abre-te Sésamo*, em 1984, lançado por um selo desconhecido chamado Harmony, da gravadora Sony Music, aproveitando a onda do sucesso que ele conquistou com a música *Carimbador Maluco*, em 1983.

Eu, eu ando de passo leve
para não acordar o dia
Sou da noite a companheira
mais fiel qu'ela queria

Raul Seixas & Kika Seixas, *Nuit*

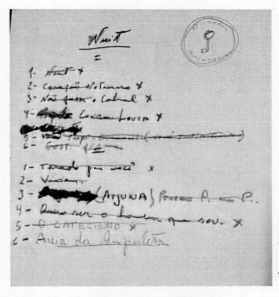

Manuscrito original do projeto do LP Nuit

O PROJETO INACABADO DO LP *NUIT*

Mesmo com todos esses contratempos, Raul precisava continuar produzindo, e levamos o projeto *Nuit*, numa fita cassete, para um importante produtor da gravadora EMI-Odeon. Depois ficamos sabendo que ele mostrava a gravação para os colegas, debochava e dizia que "não ia gravar *aquilo*, pois estava vacinado contra Raul Seixas". Quero registrar alguns detalhes importantes da história desse disco que não foi lançado, mas no qual o Raul saiu do conceito político do *Abre-te Sésamo* e retomou seu lado místico e filosófico.

Nuit é o nome de uma deusa egípcia que representa o *Céu Estrelado*. Na mitologia adotada por Aleister Crowley no *Livro da Lei*, Nuit é a *Mãe*, Hadit é o *Pai*. Nuit é a primeira a se manifestar nesse livro, anunciando a *Nova Era* ou *Novo Aeon*. Depois de se apresentar, a primeira frase que ela diz é: "Todo homem e toda mulher é uma estrela". Nuit representa a noite e Hadit representa o dia e o Sol.

Como Raul trabalhava à noite, enquanto eu dormia, a representação da nossa relação na música *Nuit* começa dizendo "Eu, eu ando de passo leve para não acordar o dia. Sou da noite a companheira mais fiel qu'ela queria". E segue mesclando imagens do Sol, noite, luz, fogo e vida para finalizar com "o Sol dos dois horizontes" (numa alusão ao deus Hórus dos Dois Horizontes, que na complexa mitologia egípcia representa o filho do casal supremo Ísis e Osíris). Sei que tudo isso pode parecer um sonho maluco, mas a inspiração maior era o nascimento de nossa filha Vivian.

Arjuna é outra canção bastante simbólica desse trabalho. É o nome do principal personagem de um dos livros mais antigos do hinduísmo, chamado *Bhagavad Gita*, que serviu de inspiração para Raul Seixas e Paulo Coelho comporem a música *Gita*, em 1974. Na letra dessa nova música que Raul e eu criamos, o guerreiro Arjuna é obrigado a ir para o combate, mas o tempo todo só pensava em voltar para sua amada, que o esperava há 7 anos. Vou manter a grafia original do manuscrito:

Arjuna
Raul Seixas & Kika Seixas, 1981

Uma donzela sozinha no seu jardim
Um estrangeiro que passava lhe perguntou

– Ó, linda jovem: queres casar comigo?
– Não, gentil senhor. Ela lhe respondeu.

Gentil senhor, contigo não casarei
Pois meu amor navega além do mar
E há 7 anos foi que ele partiu
Nenhum outro homem comigo casará.

E se ele estiver morto num campo de batalha
Ou afogado no sal do profundo mar
Ou se tiver achado um outro novo amor
E essa união consumada está

Se morto estiver num campo de batalha
Ou engolido nas vagas do profundo mar
Fiel serei à sua lembrança
Flores plantei para quando voltar!

Mas se casados ele e ela estão
Preces farei pela paz dessa união
Eu lhes desejo toda saúde e paz
Onde quer que estejam que a distância faz.

O estranho jovem tomou-a em seus braços
Beijou-lhe a face uma, duas e três
Não, não chores mais meu sincero amor
Pois eu sou Arjuna
Seu homem que voltou!

A canção *Coração Noturno* (baseada num poema do Dr. Raul) é uma saudação ao Sol, feita por alguém que desperta e se maravilha com a beleza da vida. Está dentro da concepção deste trabalho. *Aquela Coisa*, com parceria também de Cláudio Roberto, é um incentivo à superação e aprendizagem constantes, em busca do "verdadeiro sentido da vida": "É preciso você tentar! Mas é preciso você tentar! Talvez alguma coisa muito nova possa lhe acontecer"!

A "busca pela verdade" e respeito aos próprios valores continua na música *Quero Ser o Homem que Sou (Dizendo a Verdade)*, mas enfrenta a dura realidade da finitude da vida em *Areia da Ampulheta*, um de seus depoimentos pessoais mais amargos, onde após o "vinagre e o vinho" continua fiel às suas ideias: "Eu sou a areia da ampulheta. Mas o que carrega sua bandeira. De todo lugar o mais desonrado. Nascido no lugar errado. Eu sou– Eu sou você."

Mesmo com essa densidade simbólica e passando por momentos de desânimo, Raul conseguiu criar uma grande brincadeira com o próprio Deus em *Diabo no Poder*, que viria a dar origem à música DDI (Discagem Direta Interestelar), que assinamos juntos em 1983 pela gravadora Eldorado, da qual falaremos em breve. É uma pena que nenhuma gravadora tenha se interessado em lançar o LP *Nuit*. O consolo é que Raul incluiu cinco dessas canções no disco seguinte – *Raul Seixas* – e distribuiu as outras no *Metrô Linha 743* (1984), *A Pedra do Gênesis* (1988) e a própria *Nuit* na *Panela do*

Diabo (1989). Para encerrar este capítulo, vejam o dia em que Deus apareceu no seu quarto para dizer que tinha "passado o comando" para o Diabo:

Diabo no Poder
Raul Seixas, 1981

Deus me apareceu às 11 e meia, anteontem no meu quarto
Onde eu faço meus trabalhos de cantor
Entre um papo e outro me contou que concedeu para o diabo
O seu trono de Senhor. Ele reinou por muito tempo
E cansado me contou: "Nada mudou, nada mudou!"

Tá tudo a mesma droga aqui na Terra e nada nunca mudou
Fez-se amigo do diabo, com o qual se aliou
Dando ao demo a chance de ser o seu novo sucessor
Deus e o diabo agora são colegas

Brigaram muito tempo, foi Deus quem se cansou
A zorra não mudava e o diabo é o sucessor

Dorme enquanto teu
pai faz música
Que é a forma dele rezar

Raul Seixas e Paulo Coelho,
em *Cantiga de Ninar*

O NASCIMENTO DA NOSSA FILHA VIVIAN

Vivian nasceu na maternidade Matarazzo, em São Paulo, no dia 28 de maio 1981, numa cesariana. Felizmente, logo saí da sala de cirurgia e fui levada para o quarto. Me lembro claramente do Raul em pé, segurando o bebê no colo muito, muito emocionado! Quando saímos do hospital, fomos para a rua do Rubi, no Brooklin Velho, onde estávamos morando. A vovó, Maria Eugênia, e o avô, Raul, logo vieram da Bahia para ficar um mês com a gente, pois não viam o filho há pelo menos cinco anos e meus pais estavam no Rio de Janeiro e não puderam vir me acompanhar. Na emoção do contato com a nova netinha, seu Raul escreveu uma música chamada *Acalanto em Lá Menor para Minha Neta Vivien*:

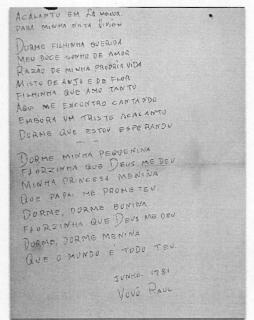

Original do vovô Raul

Acalanto em Lá Menor para Minha Neta Vivien

Vovô Raul – junho de 1981

Dorme filhinha querida
Meu doce sonho de amor
Razão de minha própria vida
Misto de anjo e de flor
Filhinha que amo tanto
Aqui me encontro cantando
Embora um triste acalanto

Dorme que estou esperando
Dorme minha pequenina
Florzinha que Deus me deu
Minha princesa menina
Que papai me prometeu
Dorme dorme bonina
Florzinha que Deus me deu
Dorme dorme menina
Que o mundo é todo teu

Raul e eu compusemos a música *Vivian* (que faria parte do inacabado LP *Nuit*, mas foi lançada dois anos depois no disco *Raul Seixas*, de 1983, com o nome *Segredo da Luz*).

Vivian

Raul Seixas & Kika Seixas, 1981

Os olhos verdes que não puxaram aos seus pais
Perninhas grossas no molde bem feito da mãe
No mês de maio, entre as flores nasceu!
Vivian, Vivian, viiiva, Oh, Vivian!!!

Em casa seu nome é pipoca, de tanto aprontar
Talvez muito dengo d'avó, da Telita e Betão,
Só quer o braço e a quentura do peito da mãe!
Vivian, Vivian, viiiva, Oh, Vivian!!!

Antes de ser batizada
sorri para os anjos do céu
Do céu da sua boca pequena
Com cheiro de flor, igualzinha ao pai, ao pai.

Vivian, Vivian, fica zarolha olhando as coisas
Aprendendo a olhar, fralda borrada,
Uma outra golfada, e um gargalhar.
Riso banguelo, e eu me acabo de tanto lhe amar!

Vivian, Oh!, Vivian!

Por estar me recuperando da cesariana, era Maria Eugênia quem trazia o bebê para colocar no meu colo. Numa dessas ocasiões, Raul fez uma gravação muito divertida, enquanto a nenê estava mamando. Naquele momento, por algum motivo, ela chorava e se afastava de mim, toda birrenta. Mas o pai dizia "Vivi, um dia, minha filha, você vai ouvir isto aqui e vai achar graça, a Vivi mamando no peito da mamãe". Fiel à mania de gravar suas memórias, a colocava de volta no meu seio e gravava o som dela sugando. Depois, a gente ligava o gravador e só ouvia aquele *glupt-glupt-glupt* que ela fazia e ríamos muito! Eu tenho essa fita cassete guardada até hoje!

Depois de poucas semanas, quando eu já tinha me fortalecido, Maria Eugênia voltou para Salvador e ao chegar lá enviou esta cartinha para a Vivi:

Salvador, 15/7/1981
Querida Vivian, beijos mil

Senti vontade de lhe escrever uma cartinha, para saber se você está bem, se seus pais já lhe registraram, se está ficando gordinha, quem tem lhe dado banho, se tem feito muito frio, se tem mamado muito, se ainda acorda para mamar pela madrugada, se já conhece sua mãezinha, seu papai, tia Telita? Estou sinceramente com inveja de sua avó Edmeia, que deve estar encantada com você, e curtindo as delícias de seus sorrisos.

Você tem se comportado boazinha, ou chora muito? Gostou do passeio ao Rio? Sua tia Maria Angélica ficou sentida de não ter ido lhe vêr e levar a priminha Julia para lhe dar um beijo. Janaína não lhe esquece, conta a todas as amigas que lhe carregou muito e que você é linda!...

Já usou o babadouro que ela lhe deu? Quando será seu batizado? Recomende a sua mamãe para guardar a camisinha de pagão que foi de seu pai, para seu irmãozinho quando nascer, pois já está muito velhinha e não aguenta estar lavando toda hora.

Tenho sentido muitas saudades de você e de seus pais. Estou contando os dias para ve-la de novo.

Espero que você venha mesmo em setembro, junto com a primavera tempo tão jovem e lindo quanto você.

Beijos e Deus lhe abençoe
Sua avó Maria Eugênia Seixas

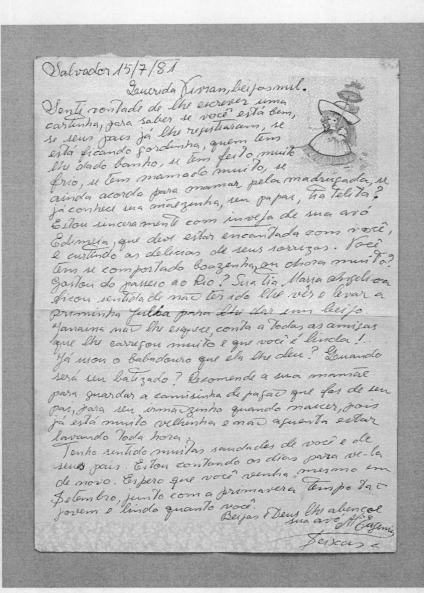

Carta da vovó Maria Eugênia para Vivi, em 15 de julho de 1981

Maria Eugênia teve o cuidado de enviar de Salvador uma moça para nos ajudar, chamada Sandrita. Depois de algum tempo aconteceu outra história engraçada, num dia em que eu saí para fazer compras. Sim, a história *hoje* parece engraçada, mas naquele dia eu não achei graça nenhuma! Ao chegar ao supermercado, notei que tinha esquecido a carteira em casa e voltei no mesmo táxi para buscá-la. Quando o carro estava estacionando no nosso endereço, vi uma mulher pulando desajeitadamente por uma janela lateral, enquanto a Sandrita, lá de dentro, fazia sinais para que ela entrasse com cuidado e sem fazer barulho! Me perguntei "Que diabo é que está acontecendo aqui?" E quando abri a porta principal, dei de cara com aquela cena patética: a empregada tinha trazido uma amiga dela, que era fã do Raul, para conhecê-lo no momento em que eu não estivesse em casa!

Naturalmente, ela tinha receio de que eu pudesse me negar a receber a tal tiete! É claro que eu, com uma criança de dois meses para cuidar, não iria aceitar uma estranha dentro da minha casa! Como é evidente também que, com essa atitude desastrada, eu decretei o despacho Sedex 10 da Sandrita de volta para Salvador!

Como eu não tinha tempo para fazer a produção de eventos, entregamos as negociações para a Empresa 707 Promoções e Publicidades, que fechou dois contratos para shows em abril, um em São Paulo, na Paulicéia Desvairada, em 12 de abril de 1981, e outro no campo do Cruzeiro Esporte Clube, no centro de Belo Horizonte (MG), no dia 17 de abril de 1981. E quatro meses depois da Vivi nascer, no Clube Aramaçan, em Santo André (SP), dia 13 de setembro de 1981.

Por um acaso do destino, a casa que alugamos na rua do Rubi, no Brooklin, em São Paulo, em abril de 1981, pertencia ao ator Tony Ramos. Quem fez o contrato conosco foi a Lidiane Barbosa, sua esposa. O imóvel era superconfortável, com três quartos e um jardim grande e bonito. Um dos quartos ficou para a Vivi, recém-nascida; o outro era o nosso e o terceiro ficou sendo um estúdio para o Raul trabalhar, ouvir os discos que gostava e fazer pesquisas musicais. E assim, nesse ambiente familiar, fomos levando o ano de 1981.

Como conhecíamos pouca gente em São Paulo, vivíamos bem isolados. Havia um casal que vinha nos visitar de vez em quando, o Eduardo e a Sylvinha Araújo. Nascido em Joaíma, no norte de Minas, em 1942, ele foi um dos pioneiros do rock e do soul no Brasil, influenciado inicialmente pelo rock'n'roll dos anos 1950, como Gene Vincent. Em 1958 participou de sua primeira banda de rock, *Os Playboys* (exatamente no ano em que Raul montou com seu irmão, Plínio, o *Rock Boy Club*). Depois acabou se enturmando na *Jovem Guarda* e explodiu com o sucesso *O bom* e ainda a regravação de *Vem Quente Que eu Estou Fervendo* (de Erasmo Carlos), em 1967. A Sylvinha também era cantora. Eles se conheceram quando foram contratados para apresentar juntos um programa musical na extinta TV Excelsior e se casaram em 1969. Ficaram casados até 25 de junho de 2008, quando ela faleceu depois de uma luta de doze anos contra um câncer de mama. Como Raul e Eduardo tinham histórias parecidas dentro do rock, nossos papos rolavam até altas horas da noite.

Também aparecia por lá um fotógrafo que nos acompanhou nesse período, o Mário Luiz Thompson. Dono de um dos maiores e mais extensos currículos fotográficos do país, contribuiu com suas fotos para discos e livros de Rita Lee, Clube da Esquina, Gilberto Gil, Milton Nascimento, Elis Regina e uma infinidade de outros artistas. Trabalhava com filmagens e registrou momentos históricos dos Festivais de Águas Claras, entre 1981 e 1984, onde o próprio Raul se apresentou. Era sempre um grande prazer recebê-lo! Mas na maior parte do tempo, como a Vivi era muito pequena, a gente ficava enfurnado em casa. Dos amigos de São Paulo sempre me lembrarei com o máximo carinho da Iza Goes, que já tinha filhos e, com sua experiência, me ajudou demais a cuidar da Vivi. Sempre foi uma companheira de todas as horas e somos próximas até hoje.

Uma surpresa muito bem-vinda foi quando um rapazola nos telefonou no início de junho de 1981, pedindo autorização para criar um fã-clube para Raul Seixas, que se chamaria *Raul Rock Club*. A ideia, para mim, foi completamente estranha, mas o Raul adorou a sugestão, pois ele próprio havia fundado o primeiro fã-clube do Elvis Presley, em Salvador, no dia 13 de julho de 1959. Foi assim que o Sylvio Passos entrou na nossa vida e se tornou um amigo e confidente que o acompanhou desde então, até sua morte, em 21 de agosto de 1989.

Raul Flashback

"EU PRECISO DE AJUDA – Para todos os insonemaníacos da Terra, eu quero construir um novo tipo de máquina para voar de noite, saindo do corpo. Ela ganhará prêmios de paz, eu sei disso. Mas eu mesmo não posso fazê-la. Estou exausto, eu preciso de ajuda. Admito meu desespero, eu sei que minhas pernas estão tremendo. E o esqueleto quer sair do meu corpo. Porque a noite de pedra já está concreta. Eu quero alguém para içar uma imensa roldana, e içá-la de volta sobre a montanha. Eu preciso de ajuda. Porque eu não posso fazer isso sozinho. Está tão escuro aqui fora, que estou cambaleando rua abaixo, como bêbado. Se bêbado não sou, talvez aleijado. Eu preciso de ajuda!" – 1981

Cada um de nós é o
resultado da união
De duas mãos coladas
numa mesma oração

Raul Seixas, Kika Seixas e
Cláudio Roberto, *Coisas do Coração*.

1982: DA GLÓRIA NA PRAIA DO GONZAGA À CONFUSÃO EM CAIEIRAS

Numa dessas noites em que estávamos em casa, em janeiro de 1982, Raul recebeu um convite para fazer um show na Praia do Gonzaga, em Santos. Foi uma surpresa muito feliz, porque ele estava abatido com a falta de trabalho. O show, realizado dia 13 de fevereiro de 1982, foi um enorme sucesso de público, com cerca de 180 mil pessoas enlouquecidas, cantando junto com ele e berrando seu nome. Além do mais, a TV Cultura estava retransmitindo ao vivo para o Brasil todo.

Na época ainda estávamos à procura de um escritório que cuidasse de seus contratos e apresentações. Foi quando apareceu o Dinho (Raimundo Bandeira Barbosa, que era também empresário dos Novos Baianos). Ele acertou um show com o presidente da Feira de Folclore de Caieiras, no interior de São Paulo. Na manhã de 16 de maio de 1982, dia seguinte ao show, Dinho me ligou, dizendo que Raul estava preso na delegacia da cidade, por causa de uma confusão durante sua apresentação, pois começaram a desconfiar de que ele era um impostor! Pra piorar, ele estava sem documentos e o delegado disse que não o liberaria sem provas de que era realmente o cantor Raul Seixas.

Tive que chamar um táxi e mandar levar a documentação (carteira de identidade, passaporte e a cópia do contrato do show). Depois de um tempo, Raul voltou

102

arrasado, mal dormido, com um ferimento no supercílio, uma mancha rocha no braço esquerdo e me relatou o que tinha ocorrido. Como sempre, ele realmente estava muito embriagado durante a apresentação, errava as letras e não conseguia cantar as músicas até o final. De repente, o clima ficou tenso e as pessoas começaram a jogar coisas no palco. Depois é que fiquei sabendo que o show era para um candidato da política local e que os comparsas do candidato rival é que tinham começado a espalhar comentários no meio da plateia, dizendo que aquele cara era um cover qualquer.

A intenção era realmente que a festa se transformasse num desastre, para que a culpa recaísse sobre os políticos contratantes. Deu uma confusão tão grande que a polícia acabou levando-o para a delegacia e o delegado, acordado de madrugada, para testar se era realmente Raul Seixas, perguntou: "Onde o Chacrinha nasceu?" Como ele não sabia, tentou arrancar sua barba para ver se era falsa, e disse que "conhecia o verdadeiro Raul Seixas". Finalizou com três tapas na cara e mandando os guardas jogarem-no violentamente numa cela. E ele ficou lá até o amanhecer, quando me ligaram para contar o ocorrido. E pra completar a lambança, o tal presidente da Feira do Folclore em Caieiras pagou o show com um cheque sem fundos!

A seguir, três matérias da Folha da Tarde sobre o caso:

TENTARAM LINCHAR RAUL SEIXAS
Folha da Tarde. São Paulo, segunda feira, 17 de maio de 1982

O show que Raul Seixas apresentava anteontem à noite no Centro Esportivo Municipal de Caieiras, quase terminou em tragédia. Após a apresentação de várias músicas, começou a surgir, entre os expectadores (sic) — mais de 300 — a suspeita de que não se tratava de Raul Seixas, mas de um imitador dele.

Ameaçado de linchamento, o cantor saiu do palco escoltado por policiais que o levaram à Delegacia local. Àquela altura cerca de 200 pessoas já demonstravam plena convicção de que tinham sido ludibriados por um sósia do cantor. Por isso foram exigir providências. O delegado ███████████ ████████, chamado em sua residência, no sentido de que autuasse o "imitador".

O cantor na cela

Enquanto os mais revoltados cercavam a Delegacia, Raul Seixas era colocado numa cela por algumas horas, segundo relataria mais tarde seu empresário Raimundo Bandeira Barbosa Júnior, o "Dinho". Depois de ter levado três tapas do delegado ██████████████████, afirmando — "eu conheço Raul Seixas, você é um vagabundo". Essa versão foi dada pelo próprio Raul Seixas. Depois de libertado, quando retornava para São Paulo no rádio-taxi, prefixo 489, de ████ ████████, disse Dinho.

O cantor só foi liberado depois que o delegado se convenceu da autenticidade do artista. Para isso, o cantor, inicialmente, cantou algumas músicas, acompanhado por seu próprio batuque, na poltrona. ██████████████████ autorizou-lhe ligar para a mulher em São Paulo, que enviou todos os seus documentos para a Delegacia, através do rádio-táxi.

Afirmando ter acreditado na versão das pessoas que assistiram ao show, o delegado elaborou um Boletim de Ocorrência para "Averiguação de Falsa

Identidade". Mas acrescentou que Seixas "cantou umas musiquinhas e as coisas se modificaram para mim". Entretanto, o delegado só se convenceu de estar na presença do cantor após a chegada dos documentos. Já por volta das quatro horas da madrugada de ontem.

A autoridade examinou a Identidade, em nome de Raul Santos Seixas (passaporte, certidão de nascimento) e o contrato para a apresentação do show, firmado entre seu empresário e ███████ ████████████, presidente da Feira do Folclore de Caieiras.

Alegando cansaço, Seixas preferiu que seu empresário prestasse os esclarecimentos à imprensa. Este afirmou que vai mover uma ação "por danos morais" contra o contratante do show, ███████ ██, "porque ele e outras pessoas da comissão organizadora poderiam ter esclarecido tudo à plateia, mas eles também se mostraram duvidosos quanto à honestidade da apresentação".

Comportamento absurdo

A maior revolta da esposa do cantor, Angela Seixas, porém, é contra o comportamento do delegado. "Depois que ele obrigou meu marido a cantar várias músicas, acompanhado pelo seu próprio batuque, o delegado quis estabelecer a identidade de Raul Seixas com uma indagação absurda, a de se ele sabia aonde o "Chacrinha" havia nascido.

Como meu marido não soubesse, foi tomado como um impostor, esbofeteado e preso".

RAUL SEIXAS, MAIS CALMO, JÁ PENSA EM NOVO DISCO

Folha da Tarde. São Paulo, quinta feira, 20 de maio de 1982

Aos poucos, a vida vai voltando à normalidade na casa do Brooklin, onde o cantor Raul Seixas mora com sua mulher, Kika, e a filha Vivian, que começa a andar. Ele ainda não esqueceu da experiência violenta de sábado último, quando passou a madrugada na delegacia de Caieiras, município da Grande São Paulo. Mas já não fica tão nervoso se alguém lhe pede para contar como tudo aconteceu, e está saindo do abatimento em que passou o domingo e a segunda feira. "Foi horrível, parecia um pesadelo. Não consigo sequer me lembrar de certos detalhes. Fiquei em estado de choque", diz ele.

Sábado passado, acompanhado por seu empresário Raimundo Bandeira Barbosa Júnior, o "Dinho", e sete músicos, Raul Seixas foi para Caieiras, onde encerraria a Feira do Folclore, promovida pela Prefeitura local. "Eu estava bem tranquilo" – afirma o cantor – "porque faz um ano que apresento este show pelo Brasil, sempre com muito sucesso. No Festival de Verão de Santos, em fevereiro,

180 mil pessoas dançaram e cantaram comigo".
Mas em Caieiras a situação era outra; havia ape-
nas 300 pessoas no ginásio do Centro Esportivo
Municipal, e isto gerou o primeiro desentendimen-
to de Dinho com ███████████, *o responsável pela*
programação.

"O ██████ *dizia que o público era pequeno e a bi-*
lheteria insuficiente para cobrir o cachê de Raul
e dos músicos. Atrasou o início do show por qua-
se uma hora e pouco. Antes da meia-noite acer-
tamos uma nova forma de pagamento, reduzi-
mos o cachê, aceitamos uma parte em dinheiro
e um cheque pré-datado para dali a sete dias",
conta Dinho.

A primeira música cantada foi "Rock do Diabo".
Alguém jogou uma lata de cerveja e a confusão
se formou: o público começou a vaiar, o cantor pe-
diu aos músicos que o acompanhassem em outra
música, "porque talvez o pessoal não gostasse
daquela". Não adiantou, mais latas de cerveja
foram lançadas ao palco, junto com bolinhas de
papel. "Decidi acabar com o show antes do tem-
po. Ele dura normalmente 50 minutos, mas eu o
interrompi depois de meia hora". Pouco depois,
alguns policiais entraram em seu camarim e o
levaram para a delegacia da cidade, sob a acu-
sação de ser um impostor: "Só então eu percebi
o que havia acontecido. O público achava que eu
não era o Raul Seixas. Não sei se me confundi-

ram por causa dos óculos escuros, que uso porque sofro de fotofobia, ou foi má fé de algumas pessoas, que iniciaram o tumulto".

Daí para a frente, Raul Seixas se recorda apenas de algumas passagens: "Entrei em pânico, porque logo os PMs começaram a puxar minha barba, a me empurrar de um lado para o outro", diz ele, mostrando um hematoma no braço. "Eu não tenho boa saúde, no ano passado sofri uma cirurgia muito delicada, e coisas como essa me abalam demais". Ele se lembra, entre outras coisas, que pediu ao delegado ████████ ██ que telefonasse para sua casa, de onde sua mulher, Kika, enviaria os documentos que comprovariam sua identidade. "Em vez de fazer isso, o delegado preferiu exigir que eu dissesse onde nasceu o Chacrinha. Segundo ele, esta "prova" seria suficiente para que ele me aceitasse como o verdadeiro Raul Seixas. Como eu não me lembrasse disso, fui colocado num xadrez de uns quatro metros quadrados, com apenas uma pequena janela na porta de ferro".

Nesse meio tempo, Dinho já havia saído à procura de um telefone (o delegado não permitiu que ele usasse o da delegacia, para ligar para Kika) e de um advogado. Kika mandou todos os documentos de Raul Seixas, com fotografias, e o cantor foi solto por volta das cinco horas da manhã. "Quando entrava no carro que me levaria para casa, um dos

PMs – "o mais simpático de todos" – disse baixinho – "Você nunca deveria ter vindo cantar aqui. Isto é terra de bandidos". Não sei se é verdade. Mas fiquei meio abalado com tudo isso. E na segunda feira ainda um jornal publicou que quiseram me linchar porque eu estava embriagado. Um absurdo. Não posso me embriagar, porque minha saúde não permite."

Raul Seixas também afirma que não está atravessando má fase em sua carreira. "Eu não me apresentei na Hebraica, há vinte dias, porque pouco antes do show fui acometido de uma pancreatite. Mas não houve tumulto no clube, como disseram. Se assim fosse, eu teria sido processado pela sua diretoria. Ao contrário, o próprio médico de lá atestou que eu estava impossibilitado de cantar".

ADVOGADO ABRE AÇÃO PARA INVESTIGAR O CASO RAUL SEIXAS

Folha da Tarde. São Paulo, quarta feira, 26 de maio de 1982

Onze dias após ter sido insultado e agredido fisicamente por ser acusado de impostor de si mesmo, o cantor e compositor Raul Seixas continua assustado. Prefere não dizer mais nada sobre o caso Caieiras – "sou canceriano, tô me escondendo todo, com tanta gente escrevendo sobre isso" – e

deixa o advogado ███████████████████,
contratado especialmente para tomar as medidas necessárias ao esclarecimento público e pessoal do episódio que provocou, além de danos materiais imediatos, até a suspensão temporária de seu novo LP.

Na verdade, a história se ampliou e vai ser desdobrada juridicamente devido a um fato a mais, o cheque que o cantor recebeu (Cr$ 500mil), assinado por ██████████████████, *identificado como tesoureiro da comissão da Feira de Folclore, da qual seu show seria parte, simplesmente não tinha fundos e a conta estava encerrada. Assim, o advogado* ███████████ ███████████ *anunciou a intenção de abrir duas ações paralelas, uma já definida sob o aspecto cível, para se apurar os danos morais e materiais do artista, envolvendo desde a Prefeitura de Caieiras até o ex-prefeito, o engenheiro* ███ ████, *o emitente do cheque e* ████████ ████████, *intermediário para a contratação do show e que se identificou como coordenador da Feira do Folclore junto ao ex-prefeito (então prefeito), mas que saiu para concorrer a cargo público nas eleições.*

A segunda, na esfera pessoal, está sendo estudada. Nesta, seriam apuradas as responsabilidades dos direta e indiretamente (o ex-prefeito, o emissor do cheque e █████ *) envolvidos* *no caso, que o advogado classifica como um "tremendo estelionato". Fora isso, há também a hipótese de um inquérito administrativo na área da Corregedoria Geral, para se esclarecer a atuação do delegado* ████████████: *"Isso depende dos fatos que forem levantados e do esclarecimento se houve realmente dois boletins de ocorrência, conforme foi aventado: um antes do delegado chegar à delegacia, outro depois", diz o advogado.*

Ontem à tarde, em coletiva para anunciar as medidas a serem tomadas daqui para a frente, surgiram informações mais precisas sobre aquela noite. ████████████████████, *alinhavando os momentos que antecederam a entrada de Raul Seixas ao palco do Centro Esportivo Municipal, com seu grupo, à meia noite do dia 15 último, disse: "O contrato foi assinado na antevéspera do show, e entre suas cláusulas estava a obrigatoriedade de pagamento antes de Raul Seixas subir ao palco, sob pena de não fazer o show; que Raul Seixas deveria comparecer uma hora antes do horário marcado, 23 horas, que os organizadores deveriam fornecer ônibus, água, cerveja e refrigerantes ao grupo".*

O que aconteceu depois foi dito em parte. O ginásio tinha entre 200 e 300 pessoas reclamando do atraso (portanto, com ingressos a Cr$ 500,00, a arrecadação estava em torno de Cr$ 150 mil, *não cobrindo nem metade do cachê de Cr$ 700 mil contratado): "um dos organizadores foi ao camarim, já alcoolizado, dizendo que Raul era um impostor, e esse boato foi espalhado na plateia. Só quando a situação ficou insustentável trouxeram Cr$ 100 mil em dinheiro e o cheque de Cr$ 500 mil. Ele entrou à meia noite e só conseguiu fazer meia hora de apresentação (o público agredia, segundo o advogado, uma reação normal diante de um "impostor"). Depois foi levado, a pedido dos organizadores, para a delegacia. Como estava sem documentos, lá, Raul Seixas foi maltratado e impedido de telefonar para sua casa pedindo os documentos, o que só foi feito bem mais tarde, quando o delegado chegou".*

"▆▆▆▆ já sabia que o cheque não tinha fundos", diz Raimundo Bandeira Barbosa Júnior, empresário de Raul: "então, quanto mais confusa ficasse a situação, melhor para eles. Porque na verdade aquela Feira do Folclore foi um tremendo fracasso".

Segundo os envolvidos, eles não têm certeza de uma atuação violenta da polícia de Caieiras "os próprios organizadores espalharam o boato". Mas, coincidentemente, ou por causa do ocorrido no dia 15, um grupo de moradores daquele município denunciou à "Folha Emergência" que aquele caso foi apenas o complemento de uma situação que já se prolonga há algum tempo, de violência no município e arbítrio de autoridade, tanto que já foi criada uma Comissão de Moradores levando a situação à Assembleia Legislativa, e que o próprio secretário de Segurança Pública está interessado em apurar tudo".

Essas situações complicadas, como nesse episódio de Caieiras, só me deram mais certeza de que ele estava bebendo descontroladamente e sem condições de administrar situações e conflitos. Não conseguia se apresentar de forma minimamente decente: saía do compasso, deixava os músicos desorientados e isso transparecia para o público e comprometia tudo. Nas entrevistas, depois do episódio, não estava sóbrio e se expressava de forma confusa, ameaçando seus agressores de processo.

UMA NOVA TENTATIVA DE DESINTOXICAÇÃO EM UBATUBA, NO LITORAL PAULISTA

Raul usava a cocaína como estimulante e se sentia melhor, mas depois ficava extremamente deprimido pela falta de canalização de sua criatividade, pois não estava gravando e nem fazendo shows. Com isso ele afundava cada vez mais no álcool e na depressão. A responsabilidade da família recaía sobre mim e comecei a ter episódios de falta de ar por puro estresse e falta de uma luz no fim do túnel! O que me salvou foi a homeopatia, através da Dra. Dóris Barki Israel, pois se eu procurasse por médicos alopatas, teriam me enchido de remédios tarja preta. Evitava dividir toda essa carga com meus pais, mas acabei procurando minha mãe, Edmea, para contar o que estava ocorrendo. Ela ficou muito preocupada conosco e pensamos na possibilidade de irmos para um lugar tranquilo, fora da agitação de São Paulo. Alguns conhecidos sugeriram a praia de Ubatuba. Conversei com Raul, fizemos planos e ele até se prontificou a fazer mais uma tentativa de desintoxicação. Ficou animado com a perspectiva de ir para a praia, mesmo não sendo muito fã de areia. E lá fomos nós.

Colocamos nossos móveis num depósito da Transportadora Pauliceia, entregamos a casa da rua do Rubi, embarcamos no Galaxie e fomos para o litoral paulista, Raul, Vivi, a babá e eu. Nos instalamos numa casa linda à beira-mar, passeando na praia, peixinho frito aqui, peixinho frito ali... Para garantir o sucesso da mudança de hábitos, o médico indicou um remédio que, ao ingerir bebida alcoólica, a boca ficava amarga e imediatamente vinha ânsia de vômito.

Mas nem assim Raul parou de beber! Por causa do medicamento passava muito mal, vomitava, mas no dia seguinte repetia o ritual! A cada dia eu ficava mais decepcionada, brigava com ele, tentava não falar alto por causa do neném, mas não adiantava! Eu evitava ao máximo ter bebidas dentro de casa e restringimos até as saídas e os passeios.

Constatei que a bebida, para ele, era um vício incontrolável e destruidor.[4] Ele nunca foi agressivo comigo, mas ia logo de manhã para o bar e voltava falando enrolado, cambaleante, triste, porque sabia a merda que estava aprontando. Ninguém queria mais trabalhar com ele e a história do *Fantástico* o tinha jogado no fundo do poço, pois a Globo o proibiu de participar de qualquer de seus programas. Foi também um prejuízo financeiro muito grande porque, ao aparecer na maior emissora do país, imediatamente a gravadora vendia uns trinta mil discos!

---

[4] Informações fisiológicas sobre a pancreatite e diabetes de Raul Seixas: sabe-se que o álcool substitui os alimentos na dieta de dependentes graves. O alcoólatra em estado crítico é descrito como um paciente desnutrido, uma vez que a ingestão alcoólica substitui calorias e nutrientes adequados. Raul Seixas, com 48 quilos e 1,68 metro de altura, sedentário, tinha necessidade média de 1650 kcal por dia. Um copo de vodca, que ele tomava como "café da manhã", tem em torno de 540kcal (em 76g de álcool). Para começar o dia ele ingeria 33% (ou um terço) da sua necessidade calórica diária! E essa energia imediata induz (por complicados processos metabólicos) a estocagem da energia dos outros alimentos, como a gordura. O tecido adiposo é vivo e produz seus próprios hormônios, induzindo desequilíbrio hormonal no organismo e colaborando com o surgimento de diabetes. Esta é uma das causas do excesso de gordura a partir do consumo de álcool: pessoas gordas, com desequilíbrio hormonal e desnutridas! Veja maiores detalhes sobre isso no Anexo 5 (no final deste livro), chamado "Se você acha que tem pouca sorte, se lhe preocupa a doença ou a morte".

Vivian no Rio, 1983

CAPÍTULO III

1983: O RIO VOLTA A
PARECER UMA CIDADE
MARAVILHOSA

Ora, vejam só, já estou
gostando de vocês,
Aventura como essa
eu nunca experimentei...

Raul Seixas, *O Carimbador Maluco.*

Mais uma vez meus pais, preocupados com nosso bem-estar, sugeriram que voltássemos para o Rio, onde poderíamos contar com o amparo da família e tínhamos o apartamento de minha irmã Cláudia, que estava desocupado. Nosso amigo Jô Costello nos ajudou com a mudança e dirigiu o Galaxie de Ubatuba até à rua Pompeu Loureiro, em Copacabana. Vivi tinha pouco mais de um ano. Apesar do Raul estar muito triste naquela fase, eu tinha certeza de que a gente iria vencê-la. Eu sempre acreditei no talento dele, que, de livre e espontânea vontade, fez uma nova tentativa de desintoxicação numa clínica da Zona Oeste do Rio, onde ficou umas duas ou três semanas. Nos seus cadernos encontrei este texto:

"Hoje eu vivi intensamente os dias de Raulzito e seus Panteras no Rio, passando fome, com um disco debaixo do braço. Gravava, por sede de cantar, indo sempre a pé do Leblon até a Avenida Rio Branco. Tinha um buteco em que eu comia mais barato. DJ with me, spiting on my album. Looking hungry nas vitrines de doce. Hoje eu me lembrei disso. Estou arrasado hoje!"

No Rio eu tinha amigos e empresários que conheci no tempo em que trabalhei na Warner. E estando na minha terra natal, me sentia à vontade para procurá-los. Liguei para os jornalistas Tárik de Souza e Nelson Motta, que trabalharam na WEA junto com Raul e reconheciam o talento dele. Tárik foi muito gentil, ligou pra ele dando a maior força, e Nelsinho foi visitá-lo na clínica. Com isso ele se sentiu mais estimulado e valorizado.

Quando saiu da internação voluntária e voltou para casa, em Copacabana, eu liguei para a Dedé, mulher do Caetano Veloso. Nunca fui próxima do Caetano e nem dela, mas tínhamos uma amiga em comum que nos aproximou. E achei que, se o Caetano viesse falar com ele, seria mais uma força junto aos apoios de Tárik e Nelsinho. Ela então confirmou a visita e eu avisei o Raul, que não ficou lá muito entusiasmado... deu de ombros e disse "tudo bem, Caetano vem aqui!"

Recebi Caetano, os dois se sentaram na sala e... cadê a conversa? O papo não decolava de jeito nenhum... Fiquei tentando quebrar o gelo, servi Coca-Cola (Caetano só tomava Coca) para descontraí-los, perguntei "Como estão as coisas, e a Dedé, está bem?" Eles até tentaram colaborar, falaram sobre suas lembranças da Bahia, Cinema Roma, Teatro Vila Velha... mas realmente não deu para esticar mais do que quinze minutos de visita! Eu, que pensei que ia ser um barato total, vi ali meus sonhos irem por água abaixo... A visita não foi ruim, mas eles não tinham intimidade e nunca tinham sido amigos. Esse gesto do Caetano foi muito importante naquele momento e serei sempre grata a ele, Dedé, Tárik e Nelsinho, pela solidariedade e apoio moral!

Procurei também o Augusto César Vannucci, diretor musical muito importante da TV Globo (ele dirigiu grandes programas da emissora, como *Globo de Ouro, Chico City, Os Trapalhões e a Turma do Balão Mágico*). Para mim foi uma surpresa a maneira gentil como ele me recebeu, porque eu era uma desconhecida e o Raul ainda estava com aquele problema na Globo... Quando expliquei nossa situação, ele logo perguntou se eu queria que ele fizesse um show em benefício de Raul. E eu respondi:

—Augusto, o Raul não precisa apenas de dinheiro, ele precisa trabalhar, produzir e estar ativo, pois sem isso a vida dele vira um inferno de isolamento e depressão! Ele entendeu e prometeu nos ajudar.

Nos cinco anos em que vivi com Raul, a arrecadação era variável, porque dependia das vendas e do trabalho de divulgação dos discos. No início foi bastante complicado, devido à completa incompetência dele para lidar com documentos. Mas com a administração do Dr. Lélio as coisas melhoraram muito. Este advogado cuidava das arrecadações nas gravadoras, controlava as contas a pagar, economizava de forma a quitar dívidas anteriores e ainda nos repassava os relatórios, balanços mensais e o que nos era devido. Eu também sempre fui uma pessoa controlada e não existiam extravagâncias nos nossos gastos. Com isso, passamos a viver dos direitos autorais arrecadados.

Raul Flashback

"Há quatro anos que venho engolindo meus sentimentos, minha arte, minhas emoções. Tem sido assustador!!! Estou profundamente magoado por não ouvir minhas músicas tocando nas rádios, nem ser chamado para programas de televisão. Eles me esqueceram!" – 1982

RAUL SEIXAS NA ACADEMIA DE GINÁSTICA

Como Raul estava deprimido pela falta de trabalho, eu o estimulava a fazer ginástica. Meus pais sempre me incentivaram a fazer muito exercício físico. Praticava vôlei, surf e dança, muito antes de conhecer o Lennie. Agora eu já tinha me matriculado em uma academia perto de casa e insistia para que ele também a frequentasse, porque precisava estar em forma para os shows que deveriam acontecer em breve. O próprio Lennie, que era padrinho da Vivi, me ajudava nesse esforço para convencê-lo. Finalmente Raul concordou, desde que ele pudesse ir um pouco mais tarde, porque eu ia para a academia muito cedo.

Essa era uma diferença importante na nossa convivência: eu era a *cotovia* e ele a *coruja*. Eu sempre gostei de dormir e acordar cedo, enquanto ele trabalhava à noite e dormia até mais tarde. Então fomos lá e fizemos a matrícula. Logo de início eu notei que, para ir para a academia, ele botava um short, mas com um sapato de couro e uma meia que ia até quase o joelho, uma coisa meio esquisita, mas saia todo disposto para a malhação... Para não o desestimular, eu ficava na minha e deixava que fizesse lá do jeito dele...

A primeira coisa estranha que notei foi que ele estava de volta em meia hora ou pouco mais, e sem nenhum sinal de suor ou mesmo de ter feito qualquer esforço físico... Eu pensava que, sendo sedentário, deveria estar fazendo algum tipo de atividade que não exigisse muito dele, para ir pegando o ritmo aos poucos. Passadas umas duas semanas, Raul continuou colocando aquela roupa hilária, com short, sapatos e meias compridas, como num filme do *Gordo e o Magro*... Ora, a gente sabe que em academia todo mundo usa tênis, e não sapatos de couro! E eu perguntava:

— E aí, Raul, como foi a aula?

— Foi legal, foi bacana, o professor Francisco é muito atencioso, estou gostando!

Na terceira semana eu comecei a ficar realmente intrigada, pois não notava a menor diferença no aspecto dele ao sair e voltar para casa! Então resolvi ir lá na academia falar com o tal do professor Francisco, para ver como ele estava se saindo na preparação física para os próximos shows.

— Oi, professor, como o Raul está se saindo nas aulas? Ele está progredindo?

— Olha, ele não tem vindo às minhas aulas, não! Eu até que o vejo de vez em quando por aqui, mas sentado lá na lanchonete da entrada! Mas aqui, na aula, ele nunca veio, não!

Então fui direto perguntar à garota que estava atendendo na lanchonete e ela respondeu:

— Ah, o seu Raul? Ele vem aqui na lanchonete, sim, duas ou três vezes por semana! Ele senta aí, ó, nesse banquinho, e fica batendo papo e tomando uma cervejinha. Depois ele vai embora!

Bem, esta foi a grande experiência de preparação física do Raul numa academia de ginástica, com o *personal trainer* Francisco, em Copacabana: os únicos exercícios que ele fazia eram as duas *exaustivas* caminhadas de 3 minutos cada, de ida e volta, ficar conversando fiado na lanchonete e fazendo algumas séries de *alterocopismo*, com quinze a vinte repetições e baixíssima intensidade![5]

A GRAVADORA ELDORADO NOS ABRE AS PORTAS PARA O *NOSSO* ELDORADO PESSOAL

Durante um de nossos bate-papos em casa, tocou o telefone e eu atendi. Era um rapaz chamado João Lara Mesquita, dizendo que havia assumido recentemente o comando da Rádio Eldorado, de São Paulo. Queria falar com o empresário de Raul Seixas porque tinha uma proposta a fazer. A ideia tinha surgido em um programa que ele havia feito na emissora, só com músicas do Maluco Beleza. Tinha sido um sucesso absoluto, com muitas pessoas ligando. A partir disso ele queria incluir o Raul no processo de renovação da empresa, que sempre buscou trabalhar com artistas de qualidade e, quem sabe, gravar um novo disco com ele.

Eu fiquei muito desconfiada, pois não conhecia essa Rádio Eldorado e nem João Lara Mesquita. Mas para testar se estava falando sério, pedi que enviasse as passagens de ida e volta, para que eu e Raul pudéssemos ir a São Paulo e conversarmos pessoalmente.

---

[5] O cantor Odair José (amigo do Raul desde os anos 1960), na edição do Programa do Bial dedicado a Raul Seixas, dia 17 de dezembro de 2019, relatou o último encontro deles, num aeroporto de São Paulo, onde os dois combinaram ir para uma academia de ginástica, porque tinham ouvido falar que era ótimo para recuperar a saúde!

Ele imediatamente mandou a confirmação dos voos. Nós ficamos ansiosos e torcendo para dar tudo certo. E deu, porque voltamos felizes e já com o contrato para fazermos um LP com o selo Eldorado! E na conversa nos demos conta de que a empresa era formada pelas rádios Eldorado AM e FM, o Estúdio Eldorado e também a Gravadora Eldorado, todos pertencentes ao jornal O Estado de São Paulo.[6]

Nossa felicidade era completa e, como se não bastasse, se comprometeram a nos alugar um apartamento em São Paulo, perto do estúdio de gravação, para que pudéssemos trabalhar mais confortavelmente no novo disco. Voltamos exultantes de alegria, com o Raul já pensando em qual seria o conceito do novo projeto. Como a banda Raíces de América fazia parte do *cast* da gravadora Eldorado, nela o Raul reencontrou o multi-instrumentista Tony Osanah, que o acompanharia em muitos de seus shows ao vivo daí para a frente.

Paralelamente, no final de 1982, em São Paulo, o dono da famosa casa de shows Fofinho Rock Bar, na avenida Celso Garcia, no bairro do Tatuapé, procurou

---

[6] A Eldorado surgiu como rádio AM em 1958, dedicando-se à música erudita e ligada ao grupo O Estado de São Paulo. A Eldorado FM foi fundada em 1975. O Estúdio Eldorado foi criado em 1971 e a Gravadora Eldorado em 1977, para atender a um "público carente de alta qualidade", tanto na música erudita quanto na cena independente (sem se definir como "gravadora Independente"). Surgiram ali nomes como Boca Livre, Osvaldo Montenegro, Lira Paulistana, Arrigo Barnabé, Língua de Trapo, Premeditando o Breque, Clementina de Jesus e Cartola. A partir de 1982, com João Lara Mesquita, tornou-se mais diversificada, com nomes como Raíces de América, Sepultura, Ratos de Porão e Raul Seixas.

o fundador do Raul Rock Club, Sylvio Passos, querendo fazer contato conosco para um show com Raul na Sociedade Esportiva Palmeiras. Esse show seria para comemoração do aniversário de sua empresa. Sylvio explicou a ele que o Raul também estava querendo fazer um espetáculo, mas teria que ser somente de rocks dos anos 1950 e 1960. Seria interessante falar pessoalmente sobre isso com o Raul. Então marcamos uma reunião e eles vieram nos visitar, no Rio.

Uma das coisas que o Raul mais gostava de fazer – e isso se repetia enquanto moramos juntos – era ficar ouvindo discos como o *Rock'n'roll*, de John Lennon (de 1975), em que o beatle regravou cantores do final dos anos 1950 e início dos anos 1960, como Gene Vincent, Chuck Berry, Buddy Holly e Lloyd Price. E ele sempre me falava da vontade que tinha de fazer um show só com esses grandes nomes que o haviam influenciado profundamente desde a infância e adolescência e que, com certeza, haviam influenciado muitos outros artistas do rock nacional.

Na verdade, ele já havia gravado o disco *Os 24 Maiores Sucessos da Era do Rock* (1973, reeditado em 1975 com o nome de *20 Anos de Rock*) e *Raul Rock Seixas* (1977). Uma das músicas que ele mais adorava era *Stand By Me* (King, Stoller e Lieber), cantada por John Lennon, e me mostrava também outras de Eddie Cochran, Carl Perkins e Roy Orbison. Ele me contava sobre a influência de cada um deles em sua vida, além de Elvis Presley, claro, e o desejo de fazer um espetáculo com essa turma.

Na visita que Sylvio Passos e Celso Garcia nos fizeram, Raul insistia em fazer um show "didático", só com homenagens aos veteranos do rock'n'roll, mas o dono da Fofinho explicou que seria um risco muito grande não cantar músicas próprias, pois as pessoas queriam ouvir suas canções e não ele fazendo cover! Assim, chegaram a um acordo e Raul incluiu no repertório *Maluco Beleza, Rock das Aranha, Rock do Diabo e Sociedade Alternativa*. Os veteranos homenageados seriam Arthur Crudup (*My Baby Left Me* e *So Glad You're Mine*), Ager e Yellen (*Ain't She Sweet*), Louis Alter e Eddie De Lange (*Do You Know What Means To Miss New Orleans*), Dolores Fuller e Lee Morris (*Barefoot Ballad*), Richard Rodgers e Lorenz Hartz (*Blue Moon*), *Luiz* Gonzaga e Humberto Teixeira (*Asa Branca*), Chuck Berry (*Roll Over Beethoven*), Carl Lee Perkins (*Blue Suede Shoes*) e Gene Vincent e Davis (*Be Bop a Lula*).

O show da Sociedade Esportiva Palmeiras aconteceu no dia 26 de fevereiro de 1983 e foi um espetáculo maravilhoso, com casa lotada. Foi tão bom que acabou se transformando num disco que seria lançado pela nova gravadora, Estúdio Eldorado, com o nome *Raul Seixas ao Vivo, Único e Exclusivo!*, em 1984 (hoje disponível somente em vinil). O LP foi reeditado em 1993 com o título *Raul Vivo*, onde foram incluídas quatro músicas excluídas da versão anterior e mais algumas canções apresentadas durante outro show, também em 1983, no Ginásio do Corinthians.

Mas já pro seu foguete
viajar pelo universo,
É preciso o meu carimbo
dando o sim, sim, sim!

Raul Seixas, *O Carimbador Maluco*.

A EXPLOSÃO DE ALEGRIA DO CARIMBADOR MALUCO

Cerca de um mês depois de fecharmos contrato com a Eldorado, em São Paulo, o Guto Graça Mello, então produtor artístico da gravadora Som Livre, nos ligou, dizendo que era o responsável pela escolha do elenco e dos artistas do musical *Plunct Plact Zuuum*, da Rede Globo, e convidando o Raul para participar com a criação de uma música e também de um personagem que seria interpretado por ele próprio. Imediatamente percebi que se tratava de uma provável indicação do Augusto César Vannucci (por causa daquele encontro quando pedi a ele uma nova oportunidade para o Raul). Este era o segundo milagre acontecendo em nossas vidas em pouquíssimo tempo (além do contrato da Eldorado). Além de tudo, isso representava a reconciliação das relações do Raul com as Organizações Globo. Ficamos extremamente felizes e papai até comprou um novo gravador cassete, pois o que tínhamos havia se perdido na mudança de São Paulo para o Rio.

E havia uma outra coincidência extraordinária: a presença da Vivi, com pouco mais de um ano de idade, com aquele astral divertido de criança, brinquedos espalhados pra todo lado e ela dando gargalhadas maravilhosas. Ficou muito fácil para o Raul se inspirar nisso tudo para compor *Plunct Plact Zuuum*. Como ele gostava de trabalhar à noite, de manhã ele nos acordou cantando "...tem que ser selado, registrado, carimbado, avaliado, rotulado, se quiser voar! Pra Lua a taxa é alta, pro Sol identidade, mas já pro seu foguete viajar pelo Universo é preciso o meu carimbo dando o sim, sim, sim, *plunct plact zuuum*, não vai a lugar nenhum!" E a Vivi pulava e dançava ao som daquela alegre canção, que até hoje encanta milhões de crianças!

Logo em seguida Raul gravou a *demo* (no gravador que papai lhe deu) e levou para mostrar para o Guto Graça Mello. A letra tinha somente o refrão e dois versos curtos, sendo que o segundo já era uma despedida. O Guto achou a música muito pequena e perguntou:

– Mas, Raul, é só isso? Vai ficar muito curta!

– É só repetir a primeira parte, não tem erro não! Vai ficar melhor ainda!

Tudo foi filmado nos estúdios montados no teatro Fênix, no Rio. O *cast* era de primeiríssima ordem: Sérgio Sá criou o tema da *Gruta das Formigas*; Nelson Motta e Lulu Santos compuseram *Sereia*, cantada por Fafá de Belém; o tema principal, *Use a Imaginação*, foi gravada por José Vasconcelos e pelo coro infantil; e a música *Brincar de Viver*, versão de Guilherme Arantes para um canção de Jon Lucien, foi interpretada por Maria Bethânia. A trilha sonora desse especial saiu num disco da Som Livre e toda a escolha das músicas e intérpretes foi feita pela dupla Guto Graça Mello e Ezequiel Neves, que já haviam produzido o *Pirlimpimpim* (outro programa infantil da emissora). Os maiores hits foram *Carimbador Maluco* (ou *Plunct Plact Zuuum*) e *Brincar de Viver*, que são lembradas até hoje.

O curioso desse sucesso foi a reação de uma boa parte dos fãs do Raul, sempre muito exigentes, criticando-o por fazer música para crianças. E mais curioso ainda foi quando Raul declarou na imprensa ter se inspirado em um texto do "pai do anarquismo", Pierre-Joseph Proudhon, onde ele fala sobre "o que é ser governado". O texto é enorme, mas começa assim:

> *"Ser governado é ser guardado à vista, inspecionado, espionado, dirigido, legislado, regulamentado, parqueado, endoutrinado, predicado, controlado, calculado, apreciado, censurado e comandado por seres que não têm nem o título, nem a ciência, nem a virtude!"*[7] *O sucesso desta música* Carimbador Maluco *puxou a vendagem do disco de ouro do musical* Plunct Plact Zuuum.

A VOLTA PARA SÃO PAULO E O LANÇAMENTO DO LP *RAUL SEIXAS*

Nessa sequência de fatos altamente positivos no início de 1983, a Eldorado se transformou, para nós, no famoso mito do "El Dorado", a cidade de ouro que os desbravadores procuravam nas Américas. Conforme o acertado, após o sucesso do Carimbador Maluco no Rio, nós nos mudamos para um apartamento na alameda Franca, no bairro Jardins, uma região nobre da cidade

---

[7] Veja maiores detalhes no Anexo 2.

de São Paulo. Imediatamente o Raul começou a compor. E logo fez a canção *DDI* (*Discagem Direta Interestelar*, uma brincadeira com Discagem Direta Internacional, sigla da Telebrás[8] e inspirado naquele esboço chamado *Diabo no poder*).

Nessa divertida história, Deus faz uma chamada telefônica para a Terra, muito preocupado conosco e querendo falar depressa porque a ligação estava muito cara. Eu acabei entrando na brincadeira, completando a letra com ele: "Alô, aqui é do céu, quem está na linha é Deus, tô vendo tudo esquisito, o que é que há com vocês?" Lembro que estávamos no estúdio e o maestro Miguel Cidras (o único maestro que acompanhou o Raul a vida toda) fez questão de fazer a risada do diabo no final da música, debochando evidentemente da situação do país naquela época.

Com o Cláudio Roberto ele fez *Coisas do Coração*, que é uma das músicas mais lindas desse período. Eu fui apenas a inspiração, mas ele acabou colocando meu nome na parceria. A banda que o Raul adorava era *A Bolha*, com o baterista Gustavo Schroeter. Raul convidou o Gustavo Schroeter, baterista, mas ele não aceitou porque estava tocando em outro grupo chamado A Cor do Som (na verdade, Raul tinha a fama de faltar aos shows e estar sem-

---

[8] Telebrás: empresa estatal brasileira de telecomunicações. O governo controlava completamente a telefonia. Comprar um telefone particular era dificílimo e o aparelho era considerado artigo de alto luxo. Só poderia ser conseguido através do repasse de alguém e poderia custar o equivalente ao valor de um carro novo.

pre embriagado. Muitos músicos evitavam compromissos com ele, seja em estúdio ou em shows ao vivo).

Na música *Não Fosse o Cabral* Raul retoma a análise política, sempre com muito humor: "Tudo aqui me falta, a taxa é muito alta, dane-se quem não gostar. Miséria é supérfluo, o resto é que tá certo, assovia que é pra disfarçar... Falta de cultura, ninguém chega à sua altura..." Depois fizemos *Quero Mais*, no clima desse tesão enorme que tínhamos um pelo outro, principalmente nesse momento de felicidade total: "Cheiro de mato, cheiro morno, seu chamego, tenho sede, o seu suor é água que eu quero beber. Lhe faço festa, faço dengo, lhe mordendo, e essa coisa vai crescendo e eu me derramo em você. Ai, ai, ai, eu quero mais. Ai, ai, ai, eu quero muito mais..."

Compusemos *Quero Mais* pensando em oferecer para a Elba Ramalho. Por isso Raul escolheu o ritmo de xaxado, bem no estilo da grande estrela. Procuramos pelo seu empresário, mas ela não quis participar da gravação. Foi quando Raul se lembrou da Wanderléa, sua amiga desde a CBS, na época do Renato e seus Blue Caps. Fizeram então essa parceria que é uma graça, com muito improviso e brincadeiras durante as gravações. Como a Eldorado fazia parte do grupo do Estadão, esse encontro foi todo registrado e divulgado nas páginas do jornal *O Estado de São Paulo*, na Rádio Eldorado e em notinhas das colunas sociais.

Já bebi daquela água,
quero agora vomitar,
Tanto pé na nossa frente,
que não sabe como andar!

Raul Seixas e Paulo Coelho, *Como Vovó já Dizia* (versão censurada).

RAUL VOLTA A ENFRENTAR A CENSURA: "ALÔ! É A SOLANGE, DO DEPARTAMENTO DE POLÍCIA FEDERAL!"

Como havia acontecido no *Rock das Aranha*, em 1980, a censura voltou com tudo, em 1983, com Solange Hernandes, delegada da Polícia Federal e chefe da Divisão de Censura e Diversões Públicas, órgão do Ministério da Justiça. Ela ficaria à frente desse setor entre 1981 e 1984 e ficou muito famosa no ambiente artístico como "Dona Solange". Segundo registros da própria DCDP, durante sua gestão ela vetou 2.517 letras de músicas, 173 filmes inteiros, 42 peças de teatro e 87 capítulos de novelas (isso dá uma média de três proibições por dia útil, em quatro anos!). Apesar da propalada "abertura política" (criticada por Raul Seixas no LP anterior, *Abre-te Sésamo*, de 1980), o grande teste para a censura ocorreu durante a tentativa de liberação do filme *Pra Frente, Brasil* (1982), dirigido por Roberto Farias, que abordava a tortura no país durante o regime militar. A delegada não deixou passar! Leo Jaime fez, para ela, em 1985, a música "Solange". Chico Buarque, Odair José, Belchior, Genival Lacerda, todos tinham suas línguas democraticamente decepadas por sua tesoura maquiavélica! Estou contando isso para que fique fácil entender este depoimento do Raul em 1983:

Raul Flashback

"Três músicas minhas foram vetadas, proibidas. A primeira eu canto com a Wanderléa; é um forró cheio de humor, chamada Quero Mais. Vetada porque não se pode querer nada sem ordem. Nem mesmo o chamego da voz de Wandeca. A outra é uma versão de um rock'n'roll antigo, Bop-a-Lula; essa eu entendi menos ainda! A terceira é Não Fosse o Cabral, uma gostosa sátira à la Jô Soares, na qual ponho em dúvida a influência do tal português nos dias de hoje. Chego quase à conclusão de que Cabral não gostava de música.

Estou numa escola onde ensina-se a andar para trás. De segunda a sábado, obrigatoriamente, esse curso. O curso no qual eu não me matriculei. Estou andando para trás até direitinho, depois dos anos pra frente desde que nasci. Está na praça, já chegou o Dicionário do Censor. De A a Z tem todas as palavras que um dicionário tem. A diferença está na cruzinha preta, logo após a palavra, significando que 'não pode'. As que pode, o compositor deve conferir se não tem a cruz. A distribuição é feita para todos os compositores do país. Antes de colocar no papel um grande achado poético, consulte se existe uma palavra que 'não pode' entre as outras da frase. Se não puder, tente substituir por um sinônimo, embora o que você queria expressar era aquela primeira. O dicionário do censor é sério, e não é verdade o que dizem as más línguas: 'O censor acaba sendo seu parceiro na obra'? Método subliminar de indução parceirística por correspondência?

Por exemplo: você, compositor, cria um verso que diz 'eu canto para o meu povo, porque do povo é a minha voz, se eu pertenço ao povo, somente do povo será a minha canção'. Não se entusiasme, calma, *lembre-se: o dicionário. Vai lá no 'p'. Lá está a palavra povo com duas cruzes negras. Portanto, você há de aceitar que povo não pode! Tente um som próximo; que tal ovo? Ovo pode! Seu dever é decorar os 'pode' e 'não pode'. Assim facilita, você não dispersa. Não sei por que a palavra dentadura tem três cruzes!!! Agora, todo cuidado é pouco para quem tem miolo. Tem canibal excêntrico que dá banquetes de cabeças, entendeu? Miolos de gente que pensa são os mais caros do menu. Absurdo! 'O cantar tem sentido, sentimento e razão'. De todas as artes vigentes no Brasil, por que somente a música foi eleita como maldita? Medo de um eventual processo subliminar? Quem ouve discos, ouve porque quer, ao contrário da TV. Em 1983, com promessas de abertura, eu pergunto, em nome da música: - Seu medo é o meu sucesso?"* – 1983

Continuando no repertório do LP *Raul Seixas*, veio *Lua Cheia*, que é outra leitura de nossa paixão mútua: "Mulher, tal qual lua cheia, me ama e me odeia, meu ninho de amor. Luar, é meu nome aos avessos, não tem fim nem começo, Ó, megera do amor! Você é a vil caipora, depois que me devora, Ó, jibóia do amor!" Como já havia dito, a música feita para a nossa filha Vivian acabou se transformando em *Segredo da Luz*. Em parceria com o pai, Raul Varella Seixas, fizemos uma adaptação de um de seus poemas para a música *Coração Noturno*. Relembro aqui os nossos papéis de cotovia e coruja, porque nessa letra ele dá as boas-vindas ao Sol enquanto eu estou dormindo. Ou seja, fez a canção para saudar o nascer do dia e ao mesmo tempo o nosso reencontro, ao romper da aurora, com a cotovia acordando e a coruja indo dormir: "Amanhece, amanhece, amanhece, amanhece, amanhece o dia. Um leve toque de poesia, com a certeza que a luz que se derrama nos traga um pouco de alegria! A frieza do relógio não compete com a quentura do meu coração. Coração que bate quatro por quatro, sem lógica e sem nenhuma razão. Bom dia, Sol!" Muitos anos depois, entre suas anotações, encontrei o texto abaixo, que fala do nosso amor:

RAUL FLASHBACK

"Minha mulher, privilegiada, porque particularmente favorecida para viver do amor e da verdade. Sobre todas as coisas és dona da alegria de viver. O que tu levas deste mundo consegues lutando. O bom combate é o que se conquista. Você não diz nada. Forte no teu silêncio, limita-se a perturbar o sossego dos homens com tanta e tranquila beleza. Esplêndidas são as perspectivas para os sapateiros, para os músicos e melhores ainda para os marinheiros. Secretos deslumbramentos estão reservados para os que gravam sua dor em madeira e os que escrevem seus poemas sobre as águas. Te previno contra o sono, sono este que se alastra ao teu redor. Tua casa está dormindo, tua rua está dormindo. Aprenda música em segredo e desperte a tua praça com um canto de clarim" – 1983

Na ficha técnica deste disco encontramos ainda as seguintes anotações: a direção de produção, arranjos e regências foram de Miguel Cidras. As fotos são de Ariel

Severino. Participação especial de Wanderléa (gentilmente cedida pela gravadora CBS, na faixa *Quero Mais*).

A música *So Glad You're Mine* foi gravada ao vivo em um show realizado em 26/02/1983, na cidade de São Paulo, com participação de Tony Osanah (guitarra), Pedrão (bateria) e Miguel Cidras (piano). Em todo o LP, Rick Ferreira tocou guitarras e mais guitarras em todas as faixas, steel guitar no country *Coisas do Coração* e em *Capim Guiné*, vibrou com um *Ovation* de nylon nas mesmas e em *Quero Mais* e *Lua Cheia*; e ainda fez piano base nos rocks *Babilina* e *Não Fosse o Cabral*.

Paulo Cesar Barros, o "Cesinha" dos anos 1960-1970-1980... enfim, o mesmo baixo seguro, cheio de frases, balanço e tremenda inspiração, tocou todas as músicas deste LP. Teófilo Lima (Teo) tocou muita bateria e ainda fez seu som de timbales em *Quero Mais* e *Eu Sou Eu, Nicuri é o Diabo*. Nas músicas *Coração Noturno* e *Lua Cheia*, a turma das cordas foi:

Violinos: Elias Slon, Caetano Finelli, Audino Nuñez, Jorge Salim Filho, Germano, Ricardo Morato, Antonio Ferrer e Jorge Gisbert. Violas: Michel Verebes, George Kiszely, Loriano Rabarchi e Alwin E. Johannes Ochsner. Violoncelos: Paulo D. Taccetti e Maria Cecília L. Brucoli.

O coro de *Aquela Coisa*, *Coração Noturno* e *Segredo da Luz* teve a participação das *go go girls*: Silvinha Araújo, Cidinha e Rita, e dos rapazes da brilhantina: Carlinhos, Ralf e Luiz Bastos, que de passagem bateram palmas no rock *Não Fosse o Cabral*.

Os meninos do fôlego em *Eu Sou Eu, Nicuri é o Diabo*

são: sax-alto: Cacá, sax-tenor: Pick, saxbarítono: Baldo, trompetes: Tenisson e Gil, trombone: François, e por falar em trompetes e trombone, eles também aparecem no rock *Aquela Coisa*. Oldimar Cáceres e seu bandoneom nos brindam com quatro compassos de tango no mais perfeito estilo portenho, com sotaque e tudo, em *Eu Sou Eu, Nicuri é o Diabo*. Na percussão: Sérgio Porto tocou congas em *Quero Mais* e agogô em *Capim Guiné*, e Maurão triângulo em *Quero Mais* e *Capim Guiné*, e congas em *Eu Sou Eu, Nicuri é o Diabo*.

Armandinho Ferrante veio com o cabo em mau estado, mas depois que consertou fez seu som de Polysix em *D.D.I.* e *Segredo da Luz*. O pianista do disco foi Miguel Cidras, com direito a solo tipo boogie woogie em *Não Fosse o Cabral*. Chiquinho do Acordeon dá seu toque de mestre nas faixas *Quero Mais, Capim Guiné* e *Lua Cheia*. Raul Seixas cheio de amor convidou Wanderléa com toda a sua ternura para interpretarem juntos o casal "tchan" em *Quero Mais*.

O disco, que levou o nome de *Raul Seixas* foi planejado inicialmente com doze músicas (sendo incluída a música *Carimbador Maluco* somente na segunda edição), assim distribuídas:

LADO A – 1) *D.D.I.* (Discagem Direta Interestelar, Raul Seixas/Kika Seixas). 2) *Coisas do Coração* (Raul Seixas/Kika Seixas/Cláudio Roberto). 3) *Coração Noturno* (Raul Seixas/Kika Seixas/Raul Varella Seixas). 4) *Não Fosse o Ca-*

bral (Penniman/Bocage/Collins/Smith – versão Raul Seixas). 5) *Quero Mais* (Raul Seixas/Kika Seixas/Cláudio Roberto). 6) *Lua Cheia* (Raul Seixas)

LADO B – 1) *Segredo da Luz* (Raul Seixas/Kika Seixas). 2) *Aquela Coisa* (Raul Seixas/Kika Seixas/Cláudio Roberto). 3) *Eu Sou Eu, Nicuri é o Diabo* (Raul Seixas). 4) *Capim Guiné* (Raul Seixas/Wilson Aragão). 5) *Babilina* (Ronnie Self – versão Raul Seixas). 6) *So Glad You're Mine* (Arthur Crudup).

Este disco foi lançado no dia 26 de abril de 1983, na famosérrima boate Gallery, em São Paulo, junto com o livro *As Aventuras de Raul Seixas na Cidade de Thor* (pela Shogun Arte Editora, dirigida na época pela artista plástica Christina Oiticica, mulher de Paulo Coelho). O especial infantil *Plunct Plact Zuuum* foi exibido na Rede Globo, dia 3 de junho de 1983.

O livro, que viria a ser o único publicado por ele em vida, foi resultado das minhas primeiras incursões no "Baú do Raul", pois até então eu não tinha a menor noção das coisas que estavam guardadas ali. O que me surpreendeu foi encontrar registros desde quando ele tinha sete anos de idade, por volta de 1952. Eu só mergulharia fundo nos arquivos cerca de um ano após sua morte, por volta de 1991 e início de 1992.

Mas o livro *As Aventuras de Raul Seixas na Cidade de Thor* também tem textos da fase mais adulta, com frases encontradas posteriormente em suas músicas. Compare o manuscrito de *Sala de Espera*, a seguir, com a música *Ouro de Tolo*:

"O jornal sangrento, oleoso, untado, vende-se no açougue, sangue de fato, fato de sangue, nas paredes do Hotel do sossego. Nas cercas embandeiradas que separam quintais, nas cabeças ornamentadas de pinicos de metais, no peito entupido, o estilhaço de aço, bagaço, de gente junta, trincheiras abertas em bocas fechadas. A Bolha toma vulto, arrolha a rolha, o gargalo, pressão, prisão, sobe, não para, dispara, o elevador eterno às nuvens... o caos... E no cume calmo, no meu olho que vê, assenta a sombra sonora dum disco voador."

Voltando ao *Plunct Plact Zuuum*, essa sequência de sucessos, com discos, shows, livro e repercussão na mídia salvou a vida da gente! O personagem dele como O Carimbador Maluco, com aquela roupa cáqui toda cheia de carimbos e um ventilador rodando em cima da cabeça, enlouqueceu a criançada. E a relação antiga que Raul tinha com os discos voadores reaparece aqui, porque, no enredo, as crianças embarcam num OVNI para buscar aventuras pelo espaço.

Arquivo Pessoal

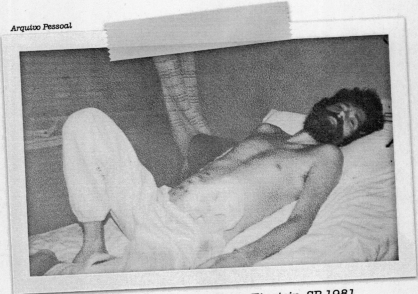

Raul Seixas no Hospital Albert Einstein, SP, 1981, uma situação que se repetiria cada vez mais.

CAPÍTULO IV

UMA SERPENTE
SEMPRE À ESPREITA

Eu tive que perder
minha família para
perceber o benefício
que ela me proporcionava.
É triste aceitar
esse engano quando
já se esgotaram as
possibilidades

Raul Seixas e Oscar Rasmussen,
Diamante de Mendigo

Essa maravilhosa retomada da carreira e a volta do sucesso nos fez felizes, mas também distraídos. Nós recebíamos convites de todas as partes e já tínhamos programada uma turnê por todo o Brasil, além de várias participações em programas de rádio e televisão, entrevistas, trilhas sonoras de programas infantis e convites para festas. Até trabalhar como ator, coisa que sempre sonhara, ele estava conseguindo fazer, e com enorme sucesso!

Mas eu percebi que a postura de Raul sempre minimizava as internações recorrentes, como se a doença fosse uma simples fragilidade "que o acometia de vez em quando". Relendo hoje todas as reportagens da época, eu confirmo isso: ele nunca encarava o fato de ser um total dependente químico! Mas a verdade é que o alcoolismo o havia dominado completamente e ele não tinha mais forças para reagir. Isso colocou todo nosso esforço, nosso projeto profissional, o empenho das pessoas que acreditaram novamente nele, e também nossa vida em comum, tudo, tudo por água abaixo!

E em Fortaleza, no Ceará, em pleno início da nossa turnê nacional, dia 3 de setembro de 1983, a serpente venenosa o atacou fulminante e definitivamente, iniciando sua derrocada até o final da vida, com direito a escândalo, polícia, ambulâncias, hospitais, quebra-quebra e músicos fugindo para não serem linchados! Somente hoje, emocionada, fazendo o inventário para este livro, é que constato tudo isso! Por ironia, a coluna do jornal *Notícias Populares* se chama "TVenenos":

TVNENOS

Notícias Populares, terça feira, 6 de setembro de 1983

Hepatite aguda leva Raul Seixas à beira da morte — O cantor Raul Seixas escapou da morte por muito pouco, na última segunda-feira, unicamente por ter sido atendido com rapidez pelos médicos da cidade de Fortaleza, onde iria apresentar um show. Ele chegou no ginásio com uma crise de hepatite aguda e amparado por dois médicos. Ao chegar no palco, ele não resistiu e caiu, sendo levado imediatamente para o camarim, onde foi constatada uma perigosa queda de pressão, que o deixou à beira da morte ali mesmo. Uma ambulância do pronto-socorro que estava de plantão levou o cantor para o hospital. Como o caso era delicado, não foi possível atendê-lo no local, tendo sido transferido para o Prontocardio, onde ficou até o dia de ontem e teve alta.

Raul Seixas havia viajado para Fortaleza acompanhado de sua mulher e de seu empresário, pois seus músicos já o aguardavam na cidade. Quando anunciaram que não haveria mais show porque o cantor se encontrava hospitalizado, começou um quebra-quebra danado, que resultou na destruição de todo o equipamento de som e instrumentos da banda. Os músicos fugiram, temendo um linchamento. Os prejuízos causados são da ordem de vinte e cinco milhões de cruzeiros somente para o equipamento, fora mais cinco milhões em cadeiras e outros objetos do ginásio, quebrados pela fúria dos jovens.[9] Raul Seixas embarcou ontem mesmo para o Rio de Janeiro, onde vai ser internado para tratamento. O cantor, antes de deixar Fortaleza, prometeu que tão logo fique bom, irá fazer um show de graça para os roqueiros.

---

[9] Observação: Como a cotação do dólar naquela semana estava em 685 cruzeiros, o prejuízo total de trinta milhões de cruzeiros representava em torno de 44 mil dólares.

A decisão de ir para fazer o tratamento no Rio – e não para São Paulo, onde morávamos – foi tomada porque no Rio eu tinha meus pais para me ajudar a cuidar da Vivi e da recuperação dele no hospital São Lucas. Eu não conseguiria fazer tudo isso sozinha, na capital paulista.

A COMPRA DO NOSSO APARTAMENTO EM SÃO PAULO

Depois desse trágico ocorrido e de sua recuperação, decidimos comprar nossa futura residência em São Paulo, que sempre nos recebeu de braços abertos e onde ele tinha um público enorme, com dezenas de fã-clubes. Além disso, a vida em Sampa era mais barata e também com melhores possibilidade de trabalho. Meus pais sempre nos apoiaram e propuseram nos ajudar na compra de um apartamento. Acabamos encontrando um de 180m² na rua Itacema, no Jardim Paulista, que foi adquirido no dia 17 de novembro de 1983, por CR$ 200.000,00 (duzentos mil cruzeiros). A escritura foi feita em nome de três pessoas, numa partilha de 25% para o Raul, 50% para minha mãe, Edmea Bastos Costa, e 25% no meu nome. O nosso representante na transação imobiliária foi o mesmo Dr. Lélio Altair Barbosa, advogado do Raul há alguns anos.

Além de pagar os 25% do valor do apartamento, Raul realizou o sonho de ter um estúdio só dele e financiou a construção. Como o apartamento tinha três quartos, transformou um deles em seu laboratório acústico, com isolamento de alta qualidade – feito por uma empresa especializada – com isopor revestido de cortiça, ar-condicionado e instrumentos novos, o que foi também um grande alívio para todos nós (eu, a Vivi e os vizinhos). Em todos os locais que moramos, uma das grandes reclamações dos vizinhos era porque Raul tinha mania de ouvir seus discos em alto e bom som madrugada a dentro, sem a menor preocupação. Com o novo estúdio, ele podia ficar isolado, bebendo, cheirando e compondo até a hora que quisesse. Vivi podia dormir serenamente no quarto ao lado e eu, sua cotovia, também podia me recolher mais cedo ao ninho.

UM BREVE TRIBUTO AOS MEUS PAIS

Esse cuidado dos meus pais em nos garantir maior segurança tinha um motivo dramático e relativamente recente. Nós éramos três filhas – Thereza, eu e Cláudia – que havia se suicidado em circunstâncias extremamente trágicas, no Rio de Janeiro, em 1977 (cerca de seis anos antes). Claudinha, como eu, teve uma educação tradicional, como toda moça de família, e sentia a quase *obrigação* de realizar um bom casamento. Mas havia sido iludida por um canalha que a traiu miseravelmente, apesar de ser um engenheiro com boa formação e educação de alto nível. Já casada com ele há algum tempo, descobrira que o pilantra estava noivo de outra garota em Teresópolis.

Para piorar a situação, no período em que essa tragédia aconteceu, meu pai trabalhava na EBE (Empresa Brasileira de Engenharia) como engenheiro e morava na Argélia, junto com mamãe, Edmea. Esse país tinha acabado de se libertar da França e estava erguendo faculdades na capital, Argel, num período de expansão da construção civil, onde papai conseguiu emprego. Como ele era um militar de alta patente – tenente Brigadeiro Affonso Costa – e tinha um grande prestígio na Aeronáutica, não sofreu maiores consequências por não ter aderido ao golpe militar de 1964, tendo sido "obrigado" a "se reformar" da Aeronáutica. Aos cinquenta anos de idade e em plena capacidade produtiva, prestou vestibular com sucesso e concluiu o curso de engenharia hidráulica na Faculdade Santa Úrsula.

Em 1977 eu também estava fora do país, morando na Europa, e minha irmã Cláudia se viu praticamente sozinha no Rio, já que nossa outra irmã, Thereza, morava em Petrópolis, onde tinha uma família com filhos. Sentindo-se desamparada e sem querer preocupar ninguém (principalmente nossos pais, que estavam tão longe), ela chegou a recorrer a psiquiatras para controlar os surtos de depressão e angústia. Naquela época os remédios já podiam, ao invés de minimizar, agravar repentinamente os sintomas clínicos. E foi o que aconteceu: em uma tarde de desespero total ela pegou o revólver que o marido tinha em casa e atirou na própria barriga. Foi socorrida por uma vizinha e levada para o hospital Miguel Couto. Thereza e meus pais foram imediatamente avisados e vieram para o Rio. Claudinha ficou alguns dias no CTI do hospital, mas com septicemia e agravamento do quadro, acabou falecendo.

Isso foi um trauma monstruoso para nossa família e nos jogou numa violenta crise emocional. Eu me lembro de ter chorado sem parar durante mais de um mês, uma dor sem remédio... No entanto, a partir deste fato, meu pai Affonso – que sempre manteve uma postura muito séria em relação à vida – se tornou muito mais sensível e preocupado com o que poderia acontecer comigo, Vivi e minha irmã Tetê. Daí a preocupação dele e de minha mãe Edmea em acompanhar de perto esse drama da minha insegurança ao lado do Raul. Porque, por mais que a situação parecesse favorável naquele momento, eles já pressentiam os riscos do que viria a acontecer no ano seguinte...

Três meses depois daquela internação no Rio (após a crise em Fortaleza) e pouco mais de um mês depois da compra do apartamento, em meados de novembro de 1983, Raul recuperou-se o suficiente para conseguir participar da recepção ao Papai Noel, a convite da Rede Globo, no Maracanã. Eu chamei minha mãe e fomos juntas com a Vivi, como convidadas especiais. As atrações desse evento anual eram voltadas para o público infantil, como Xuxa e grupos musicais como Trem da Alegria e a Turma do Balão Mágico, mas também participavam representantes do pop e rock, como Celly Campello, Roberto Carlos, Erasmo Carlos e o Barão Vermelho, que já haviam se apresentado em outras edições. O momento máximo era a descida do Papai Noel num helicóptero. Mas naquele ano as crianças esperavam também Raul Seixas e o Carimbador Maluco! Foi linda a explosão de alegria naquela festa, bem como no Brasil todo!

Nós nos sentamos nos lugares reservados na área *vip*. Quando o Raul apareceu, a Vivi ficou entusiasmadíssima, gritando "Papai, papai Raul, papai Raul!" E eu fiquei também muito orgulhosa ao observar as pessoas que estavam em volta nos reconhecendo como a esposa e filha daquele que estava no palco! Uma festa belíssima, um dos grandes momentos de nossas vidas!

RAUL SEIXAS – OITO DISCOS DE OURO E DOIS DE PLATINA EM TRINTA ANOS (1974 A 2004)

Para confirmar a produtividade dourada deste período, em consequência do sucesso do Plunct Plact Zuuum, a TV Bandeirantes pediu que Raul fizesse algumas músicas para o programa TV Tutti-Frutti. Nós compusemos *Chiquita Banana* e *Canção do Melâncio* (esta tem a mesma melodia e conotação infantil de *Peixuxa*, que havia saído no LP *Novo Aeon*, de 1975). Depois veio a *Canção do Vento*, para a trilha sonora do espetáculo infantil *A turma do Pererê* (criação do cartunista Ziraldo), exibido pela Rede Globo no dia 12 de outubro de 1983, para comemorar o dia da criança. A *Canção do Vento* entrou no LP *Metrô Linha 743*, de 1984. Em todas elas ele criava as músicas e eu ajudava nas letras.

É comum ouvir dizer, quando falam da trajetória de Raul, que os anos 1970 foram os "melhores e mais produtivos". Mas quando observamos a distribuição de seus oito discos de ouro e dois discos de platina, não parece ser bem assim... Nos anos 1970 ele ganhou um disco de ouro, com o *Gita*. Na década seguinte, anos 1980, teve quatro (com *Abre-te Sésamo, Plunct Plact Zuuum, Uah-Bap-Lu-Bap-Lah-Béin-Bum!* e *A Panela do Diabo*). Visto assim, a década de 1980 foi muito melhor.

No entanto, a soma da vendagem dos quatro de ouro dos anos 1980 dá 455 mil cópias, número menor do que as seiscentas mil cópias do Gita. Se somarmos à década de 1980 os posteriores *As Profecias* (ouro, cem mil), *Maluco Beleza* (platina, 250 mil) e *O Baú do Raul* (platina, 250 mil), teremos um total de 1,05 milhão de cópias vendidas. Podemos então dizer que a década de 1970 de Raul foi extraordinária pelas seiscentas mil cópias de um só disco, mas o que veio depois superou em muito este resultado. E no total da obra vendeu em torno de 1,65 milhão de discos somente nos períodos de lançamento dos ouros e platinas.

Sem considerar premiações, no período em que estivemos juntos (entre 1979 e 1984) lançamos três discos, entre edições e reedições (*Abre-te Sésamo*, CBS, 1980; *Raul Seixas*, Eldorado, 1983; *Raul Seixas ao Vivo, Único e Exclusivo*, Eldorado, 1984), além das participações em programas infantis, com *O Carimbador Maluco* e *Canção do Melâncio*. Depois que nos separamos vieram o *Metrô Linha 743* (Som Livre, 1984); e dois discos póstumos: *Eu, Raul Seixas* (Philips, 1991, gravado no show da Praia do Gonzaga, em 1982) e *Raul Vivo* (Eldorado, 1993, relançamento do *Único e Exclusivo*, de 1984). E ainda *O Baú do Raul* (Philips, 1992), *Se o Rádio Não Toca* (Eldorado, 1994) e *Raul Seixas Documento* (MZA, 1998, empresa do grande produtor Marco Mazzola).

Raul ressurgiu de seu *Baú* e está aí até hoje encantando todo mundo com seu legado. Veja maiores detalhes no Anexo 4, "Os 8 discos de ouro e os 2 discos de platina de Raul Seixas), no final deste livro. A seguir, a *Canção do Melâncio*, uma das brincadeiras que fizemos para a criançada.

Canção do Melâncio
Raul Seixas, Kika Seixas

Lá no meio da Hortolândia
Vive um cara muito engraçado
De chapéu de palha e listado
Seu nome é Melâncio
Tem jeito de gente
Mas é uma fruta
Fácil de enganar!!! Na na na na na

Sempre com um sorriso na boca
Dá bom-dia quando é de noite
Boa-noite quando é de dia
Mas se não é noite
E se não é dia
Melâncio amavelmente dá melancia

Tem fruta estranha na floresta encantada
Tal qual Melâncio, baixo, gordo e aguado
Verdura e fruta numa festa animada
Mas entre todos é o mais atrapalhado! Du du du

Apesar de ser tão querido
O coitado só dá mancada
Sempre com o amor-próprio ferido
Pois quanto aos negócios
Só faz confusão, no fim seu Melâncio
Dá com a cara no chão! Chão chão chão

Sempre com o sorriso na boca
Dá bom-dia quando é de noite
Boa-noite quando é de dia
Mas se não é noite
E se não é dia
Melâncio amavelmente dá melancia...

Eu sou apaixonado por você

Raul Flashback
"EU SOU APAIXONADO POR VOCÊ – Você não se penteia nem se pinta – eu sou apaixonado por você! Você futuca a cara de espinha – eu sou apaixonado por você! Você emagrece d'uma hora para a outra – eu sou apaixonado por você! Engorda quando come macarrão – eu sou apaixonado por você! Você é moça e tem bigode – eu sou apaixonado por você! Você me cobra caro o seu amor, e nem é do tipo que eu gosto – Eu sou apaixonado por você!" – 1983

Apesar de todas as coisas negativas que nos aconteceram, eu sempre tive a firme esperança de que aquilo era comum a todos os casais e que sempre haveria formas de superar as dificuldades e diferenças individuais. Principalmente porque havia entre a gente um amor muito grande e eu adorava o trabalho que fazíamos juntos. Nós éramos cúmplices em muitos aspectos. Eu gostava de produzir shows, organizar viagens, planejar roteiros e providenciar para que nada faltasse à equipe em termos de transporte, alojamento, alimentação, segurança e assim por diante. Aliás, é uma coisa que continuo fazendo e farei para sempre.

Vivi completava essa nossa ligação de maneira muito forte nesse período em que estava com dois ou três aninhos de idade, brincando o dia todo no apartamento. Raul era muito carinhoso e ficava inventando brincadeiras com ela. Uma das suas prediletas era esconder as bonecas dela dentro da geladeira. No dia seguinte ele contava uma história onde existia um personagem chamado "Maluquinho", que "teria escondido as bonecas da Vivi em algum lugar". E eles saíam procurando atrás do sofá, debaixo dos móveis e por todos os cantos da casa, até chegar na geladeira e descobrir que elas estavam lá dentro e Vivi dava gritos e gritos de alegria!

Outra brincadeira que Raul adorava era levá-la para dentro do estúdio às escuras, pegar uma lanterna e ficar brincando de procurar formigas nos rodapés das paredes. Eram brincadeiras diferentes, que aguçavam a curiosidade da menina e produziam uma ligação muito amorosa entre os dois. Certa vez, o pessoal da creche inventou de dar para cada criança um peixinho, que dali para a frente seria o "mascote da casa" e elas teriam que cuidar do bichinho com todo o carinho. Quando o novo inquilino chegou, imediatamente Raul e Vivian lhe batizaram de "Felipe". Mas Raul ficou preocupado com aquilo e me disse "Kika, esse negócio de peixinho dentro de casa não vai dar certo! É muito frágil, muito pequeno e vai acabar acontecendo alguma coisa!" Eu disse "Que nada, vai ser legal, é só um peixinho, deixa o Felipe aí!"

Quando levantei de manhã e fui dar bom dia ao novo inquilino, o Felipe tinha falecido! Com minha ignorância, eu não sabia que peixe de aquário não pode ser colocado em água com cloro! Quando eu mostrei para o Raul, ele disse: "Eu sabia, não falei?! E agora, o que a gente vai dizer pra Vivi? Ela vai sofrer demais e a culpa é sua! Eu queria evitar exatamente uma tragédia dessas!" E nós levamos o Felipe para ser sepultado na privada, mas dávamos descarga e ele ficava rodando, rodando sobre a água em movimento, e não descia de jeito nenhum! Parecia uma praga! Finalmente ele desapareceu para sempre no turbilhão que – segundo dizem – acabariam devolvendo suas cinzas ao grande oceano universal! Mas, e agora? O que dizer para a Vivian?

Raul teve uma ideia genial: quando ela acordou, começou a perguntar "Onde está o peixinho Felipe, mamãe? Ele estava aqui ontem! Onde ele está?" Ao que o pai respondeu: "Vivi, sabe o que aconteceu? A mamãe do Felipe ficou com muuuuita saudade dele e veio buscá-lo de volta! Ela não estava aguentando ficar sem ele! Como você estava dormindo, a gente deu autorização para ela levá-lo, porque a gente sabe que você também faria isso, não é verdade? A criança sempre tem que ficar com a mamãe dela, você não acha?" E ela, muito triste, respondia "Claro, né, papai, ela tem que ficar com o filhinho dela. Mas eu tinha gostado tanto dele!" E assim foi resolvido o problema do peixinho Felipe.

Além de ser extremamente carinhoso conosco, a gente sentia o quanto ele tinha prazer em ser o nosso provedor, como pai de família. Como eu havia dito antes, a partir da entrada do Dr. Lélio na administração das finanças, nós raramente tínhamos abundância total, mas nunca nos faltava o básico para uma vida confortável. Outro traço característico dele, quando não estava bêbado, era uma timidez e suavidade muito evidentes. Ele falava baixo e detestava brigas e discussões. Nunca se impunha pela força e agressividade, que só apareciam quando ele bebia ou estava no palco, defendendo suas músicas e ideias. Sempre identifiquei esse conflito entre o artista e o ser humano, esses dois lados que habitavam o Raul.

Uma vez, quando ele estava já internado há algum tempo e completamente limpo de bebida, nós estávamos conversando e eu expliquei a ele que eu via claramente essa "dupla identidade", com o agravante de que o artista estava sufocando cada vez mais o ser humano! Eu estava agora casada somente com o artista, que eu também gostava, mas eu precisava do pai da minha filha, o meu marido querido, esse pai de família maravilhoso que ele era, mas que saiu e não voltou mais... Ele conhecia profundamente essa relação de núcleo familiar, pois sempre amou seu irmão Plínio, a mãe Maria Eugênia e o Dr. Raul.

Nos meus arquivos encontrei este bilhete para ele, num momento em que me sentia triste e abandonada: "Hoje eu estou muito triste. 'One of these days'. Estou me sentindo fraca, angustiada, traída. Preciso muito de você. Preciso da sua pessoa por inteiro. Você não tem cumprido com sua palavra e isso me deixa muito insegura. Não sei o que você quer! Você está conseguindo de volta tudo o que desejava, mas não está cumprindo o que me prometeu. Por favor, seja forte. Eu preciso de sua fortaleza. Sua Angela".

Este é um momento também de relembrar (e agradecer!) o próprio Plínio, por ter vindo nos visitar por duas vezes durante esse período de conflito familiar para tentar fazer com que o irmão entendesse a importância do que tínhamos conseguido construir, e que ele estava botando a perder. Lembrou-lhe que ele já tinha perdido duas filhas com esse tipo de comportamento e que estava caminhando para a terceira. Em outra ocasião, os dois estavam num restaurante e, durante a conversa, Raul sempre se levantava para ir ao banheiro e voltava. Numa dessas vezes o Plínio foi atrás e descobriu que ele tinha combinado com o garçom para deixar copos de vodca na pia do reservado, à espera dele. O Plínio tomou o copo de sua mão, entornou na pia e, mesmo percebendo a inutilidade da conversa, continuou tentando mostrar-lhe o desastre que estava provocando.

Se eu te amo e tu me amas, e outro vem quando tu chamas, como poderei te condenar? O que é que eu quero se eu te privo, do que eu mais venero, que é a beleza de deitar!

Raul Seixas, Marcelo Motta e Paulo Coelho, *A Maçã*

Amor só dura em liberdade

Nos quatro anos e meio que vivi com Raul nunca senti ciúmes de fãs. Nós éramos um casal bem fiel e vivíamos inteiramente um para o outro. Havia, sim, principalmente nos shows, muito assédio feminino, ele recebia muitos bilhetes no camarim e em casa cartas de garotas apaixonadas, que faziam juras de amor e até diziam que "iriam abandonar tudo para viver com ele". Muitas dessas nós líamos juntos e como ríamos, pois éramos muito seguros do amor que sentíamos.

Mas aconteceram três fatos que passaram de um simples assédio ou bilhete. O primeiro já contei, que foi o caso da amiga da Sandrita, que felizmente surpreendi a tempo, pulando pela janela de nossa casa, para conhecer de perto o Raul Seixas dos seus sonhos. Em outra ocasião, um casal de conhecidos nos convidou para um churrasco. A festa começou lá pela hora do almoço e se prolongou pela tarde toda, com muito som, o Raul tocando e cantando junto com eles, tudo regado a muita bebida. No entanto, no final da tarde eu precisava voltar para casa, porque a babá da Vivian não dormia no emprego. Mas o Raul estava tão sonolento e embriagado que os próprios anfitriões acharam melhor que ele ficasse – e dormisse – por lá! Eu concordei e fui cuidar da nossa filha.

No dia seguinte ele chegou em casa de táxi, ainda de ressaca da bebedeira geral, mas muito nervoso e balbuciante, reclamando muito e eu sem entender direito do que se tratava! Mas, afinal, o que aconteceu, Raul? E ele só falava:

— Eu não sei de nada, eu não fiz nada... Foi ela, foi ela que veio... Eu estava dormindo!

Foi um custo para eu entender que ele havia dormido num quarto de hóspedes, de roupa e tudo, e acordado pela manhã com a esposa do anfitrião chupando gulosamente seu pau! A tal anfitriã estava muito entusiasmada com a paixão recíproca dele, uma consequência natural do tesão de mijo pela cervejada do dia anterior! Quando ele teve certeza de que não era um sonho, levou um susto tremendo, porque o marido dela era muito forte e agressivo! Imagina se o cara aparece ali, tapando a saída da porta e com um revólver na mão?! Com muito custo ele se desvencilhou da doida e saiu cambaleando e amarrando as calças pela rua, procurando um táxi! Afinal de contas, com uma presepada dessas, só me restava rir, não é verdade?

O terceiro caso foi quando eu tinha ido para o Rio matar a saudade da família, rever os amigos e estreitar a convivência da Vivi com meus pais. Eu gostava de passear de vez em quando na minha terra, porque me sentia muito solitária em São Paulo. Quando voltei dessa viagem, entrei pela porta com a Vivi no colo e ele nos recebeu carinhosamente. Mas quando se aproximou para me dar um beijo, estava com um forte cheiro de sexo na barba! Minha reação foi explosiva e dei-lhe um tapa na cara! Encerrado o assunto!

Com esses exemplos quero dizer que eu não me sentia propriamente enciumada, mas de certa forma desamparada, porque ele poderia ser mais responsável e pensar um pouquinho na nossa família. O assédio era realmente demais, com muitas mulheres o tempo todo querendo transar com ele. E havia também o assédio masculino que, por incrível que pareça, era maior do que o feminino! Havia muito mais homens do que mulheres querendo se aproximar dele, tocá-lo, trocar uma ideia, tirar fotos, para possivelmente dizer "estive com Raul Seixas" ou "sou amigo do Raul Seixas, veja aqui!". Até certo ponto, como todo artista, ele gostava desse carinho do público. Mas em diversas ocasiões deixou claro pra mim que não gostava de pessoas que o viam como uma espécie de guru ou até mesmo um santo, tentando tocá--lo para *absorver energias de cura* e coisas desse tipo. Eu entendia que tudo isso fazia parte do universo em que ele vivia, do mundo artístico, da fama e do rock'n'roll.

O AGRAVAMENTO DA SITUAÇÃO FAMILIAR EM 1983

Como sempre, eu me entregava completamente à carreira dele, enquanto Raul parecia não dar a menor importância a qualquer coisa que não fosse a bebida. A cada internação, os diagnósticos se tornavam piores. Ele já tinha retirado parte do pâncreas, tinha diabetes, hipertensão e com a continuidade do álcool, tudo era realmente muito preocupante! E nossas brigas mais sérias começaram! Mesmo assim, consegui convencê-lo a se internar numa clínica de reabilitação pela terceira vez. Mas era inútil, porque ele sempre quebrava as promessas de parar de beber! Além disso, tinha um ingrediente a mais, que era a insegurança dele em relação a mim, que transparece no *flashback* a seguir:

Raul Flashback

"A coisa mais terrível é quando a mulher que você finalmente achou para ser o seu tudo, de repente se encomoda com você. As palavras nem são necessárias para a realidade dolorosa. Você se sente horrível por sentir o progressivo afastamento, a distância se fazendo presente. É preciso que, a partir de agora mesmo, começar a se preparar, se educando para não sofrer quando a zorreta acontecer. Os elogios que ela começa a ouvir." – 1983

Nós conseguimos uma creche perto de casa, onde a Vivi pudesse passar a manhã brincando, enquanto nos dedicávamos à agenda de shows e compromissos. Quando ele ia levá-la, na volta parava nos bares e não voltava pra casa. Algumas vezes os próprios donos dos botecos iam lá me procurar pedindo que eu fosse buscá-lo, porque ele não tinha condições nem de andar. Então eu pegava a nossa filha na escolinha e depois vinha escorando-o, com porteiros, vizinhos e frequentadores dos bares assistindo aquele triste espetáculo na hora do almoço! Tudo isso piorava a cada dia, aumentando minha descrença em que ele pudesse mudar. Este texto que ele escreveu dentro de uma das clínicas de reabilitação neste período dá uma ideia de como ele não acreditava nesses tratamentos:

RAUL FLASHBACK

"Está sendo negativo para mim. Não aguento as palestras nem as psicoterapias. É tudo repetição da Reindal[10], do Bezerra da Vila Serena, os inventários, as regras, eu estou traumatizado. Tomei uma decisão justa a meu favor. Eu estou ficando sufocado. Quero o AA toda noite, mas jamais ser um 'hospitalite'[11]. Não estou assistindo mais a nenhuma palestra, invento uma dor e saio pro quarto.

"Não aguento mais, está me fazendo mal. Está virando o oposto. Estou me revoltando de ceder a líderes, de ser subalterno aos métodos e às sanções de enfermeiros com suas regras e orgulho idiota. Sempre 'sim, senhor', 'pois não', 'permissão para telefonar', selado, carimbado... etc. Eu quero é jamais voltar a isso. Quero poetizar, musicar, ficar no meu gabinete e trabalhar... arrumar até o final do ano, pois que esse ano foi uma barra pra mim. Se eu ficar lá, estarei brincando com a minha vida".

---

[10] Reindal: Sociedade de Recuperação Integral do Doente Alcoólico Ltda.

[11] Hospitalite: provavelmente um trocadilho com "socialite".

Assinatura do contrato do disco Metrô Linha 743 – Rio de Janeiro, janeiro de 1984. Em pé, da esquerda para a direita: Kika, João Araújo (Presidente da Som Livre), Max Pierre, Aretuza Garibaldi e Luiz Felipe Guimarães

CAPÍTULO V

CONTRATO COM A
SOM LIVRE E
A VIAGEM AOS
ESTADOS UNIDOS

Ele ia andando pela
rua meio apressado.
Ele sabia que estava
sendo vigiado.
Cheguei pra ele e disse:
Ei, amigo, você pode me
ceder um cigarro?
Ele disse: Eu dou, mas
vá fumar lá do outro lado.
Dois homens fumando junto
pode ser muito arriscado!

Raul Seixas, *Metrô Linha 743.*

Em janeiro de 1984 a Som Livre (gravadora da Rede Globo, com quem Raul havia feito recentemente o *Plunct Plact Zuuum*) nos chamou ao Rio para assinar um contrato por três anos. Imediatamente Raul e os produtores começaram a pré-produção do novo projeto, que viria a se chamar *Metrô Linha 743*. Os estúdios ficavam em Botafogo, no Rio, e eles nos hospedavam (incluindo a Vivi) no Hotel Sheraton. A nossa felicidade ressurgiu.

Aproveitando os bons ventos daquele momento, sugeri ao Raul que fizéssemos uma viagem aos Estados Unidos para visitar a segunda mulher dele, Gloria, e a filha Scarlet, em Columbus, na Georgia. Era importante reativar a relação dele com elas, para que não acontecesse o que havia acontecido com a Simone. Vivi estava com dois anos, tinha duas meias-irmãs e elas nem sequer se conheciam! Passaríamos alguns dias na Georgia e depois iríamos para Nova York, tentar lançar o disco *Gita* no mercado americano. Esse era um sonho dele desde o início de sua carreira. Para fazer uma festa de despedida no aeroporto de Congonhas, o Sylvio Passos levou um grupo de componentes do Raul Rock Club, no dia 29 de janeiro de 1984, e foi muito legal!

Sylvio Passos já acompanhava o Raul há três anos, desde junho de 1981. Quero abrir um parêntese para agradecê-lo por esses quarenta anos de dedicação. Eles se tornaram amigos e cada vez mais próximos à medida que a saúde do Raul piorava.

Sylvio participou da produção dos discos *Metrô Linha 743* (1984), *Raul Seixas Rock – Volume 2* (1986) e, no intervalo, lançou pelo *Raul Rock Club* o LP *Let Me Sing My Rock And Roll* (1985). Após a morte do Raul, fez os livros *Raul Seixas Por Ele Mesmo* (1990) e *Raul Seixas – Uma Antologia* (1992). Trabalhou na produção dos discos *O Baú do Raul* (1992) e *Se o Rádio Não Toca* (1994). Dona Maria Eugênia, mãe do Raul, deixou sob sua guarda parte do acervo do *Baú do Raul*. Assim Sylvio se tornou uma referência para fãs, estudantes, roteiristas, cineastas e qualquer pessoa que queira saber sobre a vida e obra de Raul Seixas. Costumo chamá-lo de *Enciclopédia Raulseixista*.

Apesar do Raul ser fluente em inglês, a versão do LP *Gita* para a língua de Shakespeare foi feita em parceria com Marcelo Ramos Motta[12] (extremamente culto, estudioso de inglês formal e arcaico, parceiro musical do Raul e seu mentor na *Ordo Templi Orientis – O.T.O.[13]*). Nosso vôo foi direto para Miami e por questões de custo pegamos um ônibus da empresa *Greyhound* (existente até hoje) e fomos para *Columbus*, onde ficamos hospe-

---

[12] Marcelo Ramos Motta (1931/1987): chefe da O.T.O. no Brasil, parceiro de Raul Seixas nas músicas A maçã, Eu sou egoísta, Novo aeon, Peixuxa e Tente outra vez. Publicou em 1976 a versão em português do Livro da lei, de Aleister Crowley (obra que fundamenta a Sociedade Alternativa de Raul e Paulo Coelho).

[13] Ordo Templi Orientis (O.T.O.): sociedade esotérica a que pertenceram Raul Seixas e Paulo Coelho. Foi reformulada por Aleister Crowley no início do século XX, tornando-se a maior ordem iniciática do movimento thelêmico mundial.

dados na casa da Gloria, que morava com o irmão Gay Vaquer e a filha Scarlet, agora com oito anos (Raul teve pouco contato com ela, pois Gloria voltou para os Estados Unidos quando a menina tinha menos de um ano). Fiquei feliz de ver o Raul se aproximar novamente da filha, porque ele já sofria muito com o distanciamento da primeira, Simone.

Nossa ida a Nova York não deu o resultado tão sonhado e nossos esforços para lançar um disco em inglês deram em nada. Ele tinha esse projeto desde quando compôs músicas como *How Could I Know* (1973), *Gita* (*I Am*, 1974), *Trem Das Sete* (*Morning Train*, 1974), *S.O.S.* (*Orange Juice*, 1974), *As Aventuras de Raul Seixas na Cidade de Thor* (*The Adventures of a Hillbilly in The Valley of Shadows*, 1974), *Sunseed* (1975) e *Love is Magick* (1976).

No entanto, durante nossa estada em Nova York, conhecemos a jornalista brasileira Cristina Ruiz e seu marido, o músico inglês Clive Stevens, que vieram a se tornar meus grandes amigos. Raul ficou tão impressionado com a bagagem musical dele (que era compositor, produtor, arranjador e saxofonista formado na Berklee College of Music, em Boston), que acabamos convidando-o para vir para o Brasil participar da gravação do *Metrô Linha 743*. Durante as gravações surgiu a ideia de, com a ajuda do Stevens, traduzir essas novas canções para o inglês, para um futuro lançamento no mercado americano.

A criação do novo trem: Metrô Linha 743

Este é o release que escrevi para a apresentação deste disco:

Raul e eu conversávamos numa daquelas noites de virada em São Paulo, novembro de 83. Raul começava a pensar sobre a concepção do seu novo LP pela Som Livre. Tínhamos apenas a música título: Metrô Linha 743.

Kika: – Nunca vi uma pessoa com uma vivência tão "preto e branco" como você!

Raul: – Mas eu nasci em preto e branco. Geração pós-guerra, daqueles filmes aonde o sangue é preto, tá entendendo? Pop Art, Sartre, Marlon Brando...

Kika: – Raul, por que você não faz esse disco só violão e voz? É a sua cara. Você sempre me falou nisso.

Raul passou a noite acordado, ouvindo Leonard Cohen, Paul Simon, Dylan. De manhã ele me diz:

Raul: – Já tenho a concepção do meu disco. Metrô Linha 743 vai ser preto e branco, essa minha música é um filme Black and White! Vamos ser eu e meu pedaço de árvore! Musicalmente, a concepção do que a gente vai ouvir é, igualmente, música preto e branco. Não vai haver o colorido condicionado dos clichês de violinos, de metais e nem de guitarras elétricas, além de simples violão acústico e a voz mais pra "flat". Eu vou juntar uma concepção musical à concepção visual nesse LP.

Kika: – Tipo dos filmes de Hitchcock? Mistério,

enigma, tcham, tcham, tcham, tcham!
Raul: – Claro, é isso mesmo. O colorido aprisiona a
imaginação. O preto e branco é mais forte, é livre
porque dá asas a cada um de projetar sua imagi-
nação; de criar o que você sente sem se prender ao
óbvio das cores impostas pelo colorido do mundo.
Kika: – Vamos viajar em black and white?
Raul: – Tá. Freira, Hitchcock, gestalt, urubu...
Kika: – Relógio de pêndulo...
Raul: – ...esse disco é preto e branco. Cada um,
como único que é, tem o direito de corrigí-lo como
quiser... telegrama, "semente de violência", "Jai-
lhouse rock"...
Kika: – Frasco de veneno com a caveira, Metrô Li-
nha 743, Raul Seixas...

Para compor a música *Metrô Linha 743*, Raul inspi-
rou-se mais uma vez em Bob Dylan, no disco *Highway 61*
Revisited. Principalmente a música da faixa título. Nessa época ele ouvia o disco constantemente. Uma seme-
lhança que parece evidente é que a música de Dylan fala
de várias situações em que a saída para os problemas é
sempre tomar a Autoestrada 61. O mesmo acontece com
Raul, quando o personagem passa por todas as situações
que indicam o Metrô Linha 743.

Messias Indeciso foi inspirada em um livro que li,
que contava a história de um homem que apenas queria ser uma pessoa normal, e não um "deus" ou um
"santo". Me lembrei que o Raul sempre se incomodava

com a idolatria exagerada de alguns fãs, principalmente na época do *Gita* (1974), que queriam beijar sua mão, como se ele fosse um messias. Sempre se lembrava também de que o próprio Lennon (assassinado em 1980) tinha sido vítima de um fã, que era, na verdade, um fanático! A gente nunca sabe o que se passa na cabeça dessas pessoas. Ele temia que a mesma coisa pudesse acontecer com ele enquanto estivesse exposto em cima de um palco.

Meu Piano é uma brincadeira entre Raul, Cláudio Roberto e eu, uma história sem pé nem cabeça, onde nós morríamos de rir compondo e gravando. *Quero Ser o Homem Que Sou* foi resultado de uma letra que o Raul ganhou de um rapaz chamado Adilson Simeone. Ele estava num bar, encontrou-se com esse fã, que pediu para mostrar-lhe a música, Raul deu uma trabalhada no original e depois ela foi editada como parceria entre nós três.

Como falei anteriormente, *Canção do Vento* foi criada para o musical infantil *A turma do Pererê*, do cartunista Ziraldo, para a TV Globo. A letra é quase toda minha, que estava inspirada nesse dia. Depois vem *Mamãe Eu Não Queria*, onde Raul desperta mais uma vez seu lado anarquista. Além de agnóstico, ele debochava de todas as instituições. Eu fiz essa voz esquisita da mãe, dizendo "larga dessa cantoria, menino, música não vai levar você a lugar nenhum!", enquanto ele emenda "Desculpe, vossa excelência, a falta de um pistolão, é que meu velho é soldado e minha mãe pertence ao Exército da Salvação!". Raul era realmente um gênio e eu tive o privilégio de conviver com toda essa criatividade e talento. Além de tudo, ele era muito divertido! Durante os trabalhos, o guitarrista Rick Ferreira trouxe a música *Mas I Love You*, inspirada na melodia de *Here Tonight*, de Gene Clark, vocalista do The Birds, que foi gravada como parceria dos dois. Rick participou de todos os discos da carreira do Raul, desde o álbum *Gita* (1974) até o *Panela do Diabo* (1989), ficando conhecido como seu *Fiel Escudeiro*. Nessa trajetória, atuou como arranjador, técnico de mixagem e multi-instrumentista, tocando guitarras, violões, teclados, banjo e pedal steel guitar. Em 1986 produziu o disco *Uáh-Bap-Luh-Bap-Láh-Béin-Bum*, com sucessos como *Cowboy Fora da Lei* e *Quando Acabar o Maluco Sou Eu*.

A letra que Raul fez pra *Mas I Love You* em português retrata claramente as divergências que estávamos tendo por causa do alcoolismo. Ele vinha para o Rio fazer gravações e não cumpria os compromissos, acabando nas emergências dos hospitais. O prazo de uma gravação leva em torno de quarenta dias, e nesse caso chegou a quatro meses, por causa das interrupções devido ao seu estado de saúde, mas também pelas divergências com o produtor musical, que insistia em colocar sintetizadores, que estavam em moda na época, enquanto Raul queria uma sonoridade simples, quase acústica, de acordo com seu conceito preto e branco.

No fundo da minha alma, eu realmente não acreditava mais nele e sentia que nossa relação estava caminhando para um final. E mais uma vez, agindo como um poeta romântico e completamente distante da realidade, ele fez a letra da linda canção *Mas I Love You*, cheia de promessas que jamais seriam cumpridas: "O que é que cê quer? Que eu largue isso aqui? É só me pedir! Eu paro de ser cantor, pra não morrer meu único amor! Deixo de ser coruja, para ser sua cotovia! E só viver de dia, pra você ser feliz!"

Abaixo uma anotação que dá indícios de que nossa relação estava terminando:

RAUL FLASHBACK
"NÃO ME ATRAPALHE TRABALHAR – Quando eu estiver trabalhando não me venha com reclamações de que eu não paro! Não posso parar. A energia tem que ser consumida, canalizada, esgotada. Quem se cansa é velho! Você ainda não se tocou de que você me impede de trabalhar? Você ocupa meu espaço mental, não espaço físico, de quarto para quarto, mas sim de sonho para sonho. De vida para ser vivida. De respiração a ser engolida. De não poder fazer barulho. Você já reparou quantas ideias grandiosas eu já tive e não pude registrar nas noites de "passo leve"? Pra não te acordar? Quantas, hein??? Ahhh, minhas omissões..." – 1984

RAUL SEIXAS E JOHN LENNON

A ligação de Raul com Lennon ia muito além do rock'n'roll. Os dois criaram no mesmo período suas concepções muito parecidas de sociedade: Raul com a *Sociedade Alternativa* e John com a *Nutopia* (aglutinação de *New Utopian*, ou *Nova Utopia*). Como provocação, John e Yoko lançaram a ideia em uma entrevista coletiva à imprensa, no *April Fool's Day* (Dia da Mentira, 1º de abril de 1973). Era uma brincadeira com seus problemas de imigração nos Estados Unidos. O país alternativo que haviam fundado era um lugar onde as pessoas viviam sem passaportes, sem leis e sem governos. No seu álbum *Mind games*, também de 1973, lançaram a "música" *Nuthopian Internacional Anthen* (Hino Internacional da Nutopia), resumida a três segundos de silêncio absoluto!

Raul e Paulo Coelho fundaram a Sociedade Alternativa em setembro de 1973 (seis meses depois do anúncio da *Nutopian*) e, segundo a lenda, a entidade foi "reconhecida mundialmente em 17 de fevereiro de 1974". Muitas músicas do Raul refletem a proposta e são muito parecidas com o *mundo sem cercas embandeiradas* que aparece em *Imagine* de Lennon, como as canções *Novo Aeon*, *De Cabeça pra Baixo* e *Geração da Luz*. Além disso, foi John quem introduziu na capa do disco *Sgt. Pepper's*, dos Beatles, o personagem Aleister Crowley.

Como Lennon morava com Yoko em Nova York (no maldito edifício Dakota), é inevitável que Raul sonhasse encontrá-lo, pois estava sempre por lá em 1973 e 1974. E numa dessas viagens, Raul topou com um repórter da *Revista Manchete*, com quem armou uma ida ao sinistro prédio, para tentar uma "entrevista" com Lennon. Mas não deu certo! O porteiro interfonou, Yoko atendeu e disse que o marido não estava e ela não poderia recebê-los. Foi isso.

Mas Raul transformou esse suposto encontro em uma de suas lendas prediletas (junto com as histórias do "terreno em Paraíba do Sul para construção da Cidade das Estrelas", "o reconhecimento mundial da Sociedade Alternativa" e os "contatos com discos voadores"), dando diferentes versões ao longo de sua vida. Como tudo era utopia, não importava muito se fosse realidade ou não... Mas muitas vezes os nossos sonhos são as coisas que mais amamos! Me recordo bem do choque terrível que ele teve quando Lennon foi assassinado. Nós estávamos juntos há pouco mais de um ano e ele ficou completamente transtornado, tanto pela crueldade do ato covarde quanto pelo fato de que ele mesmo temia ser morto no palco por algum maluco como Mark David Chapman!

O texto a seguir, cheio de desilusão e escrito provavelmente logo após a nossa separação, em 1984, lembra a música *God* (Deus), de John Lennon. A diferença está em que Lennon ainda tinha Yoko para acreditar num sonho em comum. Raul não tinha mais ninguém e este depoimento me traz lágrimas nos olhos até hoje:

Raul Flashback

"Estou sofrendo. Não compreendo nada. Nada me motiva. Tudo são repetições. Continuo bebendo. Estou infeliz. Preciso de alguém que acredite em mim. Não sei o que é ter fé. Ordem, autoridade ou verdade. Respostas – perguntas. Três esposas vi partir. Não gosto de mim. Não acredito em mim. Um vazio enorme. Inseguro. Solitário. Incapaz de lidar com o cotidiano. Cansado de ser. Autodestrutivo. Desesperado. Tendências suicidas. Odeio meu rock'n'roll. Penso em morrer..." – 1984.

Neste outro, numa das raras ocasiões de sobriedade noturna, sem conseguir dormir, ele lamenta com mais veemência nossas diferenças entre períodos de sono e vigília:

Rapaz respeitoso, ou, onze horas é sacanagem!

"São 11h30 da noite, cedo demais para você me deixar só como ontem em Brasília, longe de você. Acordei após o show... muito cedo, lá pelas 6:30, esperando o avião que ia sair ao meio dia, o avião que ia me levar para você em São Paulo... Você ontem e tudo que... depois foi dormir às 11:00, sabendo que eu queria você e você também me queria. Acho que após a parada da bebida eu tenho andado sem dormir por mudança de vida.

"Você ronca alto e eu estou nervoso, tão nervoso que não consigo mais dormir. Preciso fazer alguma coisa, ir ao médico, ando muito exitado; acho que se deve à consciência de uma vida nova, uma retomada repentina de equilíbrio. O mais engraçado é que uma coisa tão saudavelmente feliz tem do outro lado o chicote.

"Então está acertando o caminho? Hein? Vou lhe trazer outro problema, outra dificuldade: não poderás dormir – não sentirás sono embora morra de cansaço e solidão.

"É você, meu Deus? É você que está fazendo esse jogo? Por que me pune assim? Quem me ama me

abandona: minha saúde e minha mulher. Agora são 11h58 e daria tudo para você bater em minhas costas com sua presença aqui no gabinete onde escrevo o que sinto. Mas você não vem; quando você para de roncar eu sempre penso: 'Ela levantou, vem me ver'; ou mesmo quando você se mexe na cama e eu ouço do gabinete, aí eu penso a mesma coisa: 'Ela vem'. É meia noite agora. Meu Deus, a noite toda outra vez?"

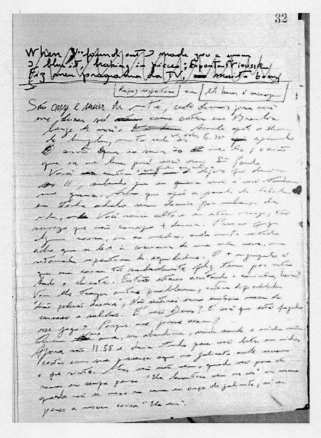

Dentro de casa, o veneno destrói tudo em 1984

Quando pensei que Raul tinha chegado ao fundo do poço, ele ainda afiou as unhas para cavar mais! Algumas vezes tive que ir dormir com a Vivi na casa de uma vizinha porque começou a cheirar éter, o que *empesteava* não só nosso apartamento, mas o prédio inteiro. Comprava litros e litros com facilidade no comércio (naquele tempo não havia nenhuma restrição para a venda dessa substância nas farmácias). Em desespero, eu cheguei a trancá-lo do lado de fora, mas ele ficava cheirando em algum canto da portaria!

Uma das providências que tive que tomar foi contatar algumas pessoas próximas, como sua mãe, seu irmão Plínio e também Sylvio Passos, que me deram declarações dizendo que me apoiavam em uma internação compulsória dele, devido ao risco de vida que estava correndo por uso de substâncias entorpecentes. Uma das manhãs em que estava voltando do bar, foi surpreendido por dois enfermeiros que o agarraram e colocaram dentro de uma ambulância, levando-o para o tratamento por *livre e espontânea obrigatoriedade*. No seu último disco, na música *Banquete de Lixo*, em 1989, viria a reclamar desse episódio, dizendo: "Fui levado na marra, pois enfermeiro quando agarra, é que nem ordem de prisão. A ambulância me esperava, e aí o que rolava era internamento e injeção".

Num dos depoimentos que deu após a nossa separação, declarou que eu "o internei compulsoriamente por dez vezes". Isso não é verdade! Na realidade foram três internações: a primeira foi com sua anuência e as outras duas realmente ele não queria, mas foi obrigado a ir! Da terceira em diante desisti de brigar, afinal nossas discussões chegaram a atingir um nível tão pesado que não era comum entre nós. Uma de minhas últimas cartadas foi pedir o apoio de meu pai, que pegou imediatamente a ponte aérea do Rio para São Paulo e apareceu, de surpresa, lá em casa.

Raul ficou muito espantado com a chegada do sogro Affonso, de terno e gravata, pedindo para termos uma conversa a três. Papai não estava ali para embromações e disse que eu já estava pensando na separação, que parecia iminente, e que me apoiava integralmente. Usou até um antigo ditado que diz "Quando um não quer, dois não brigam" (eu realmente não queria mais brigar, mas sim acabar com aquele inferno). Se Raul fosse realmente continuar tocando a vida daquela forma louca, irresponsável e inconsequente, ele me levaria, junto com a Vivi, para morar com eles no Rio.

E foi o que aconteceu, porque inclusive nossa filha estava assimilando toda a carga negativa daquelas brigas constantes, criando problemas com os coleguinhas na creche, e demonstrando um comportamento que nunca havia tido: deitava-se no chão e debatia-se sem motivos aparentes. Para entender como nossa relação tinha se desgastado, depois de uma discussão calorosa aquele Raul amável e respeitoso acabou perdendo o controle e me deu um tapa na cara, coisa que nunca tinha acontecido antes. Naquele dia as palavras tomaram forma de agressão física.

Mesmo assim, eu não rompi definitivamente com ele, mas fui para o Rio procurando um tempo para refletir se queria mesmo me separar. Nesse intervalo, ele pediu ajuda ao Sylvio Passos (que o acompanhava nas gravações do *Metrô Linha 743*), fechou o apartamento onde morávamos e foi para a Bahia tentar mais um período de desintoxicação em companhia da mãe. Através do Dr. Lélio, fiquei sabendo que ele havia sido internado mais uma vez no Hospital São Lucas e o plano de saúde Golden Cross tinha se recusado a cobrir os gastos porque ele era reincidente em uma doença autoprovocada pelo alcoolismo.[14] Com isso, suas despesas nessa área se tornaram muito maiores.

O vício de Raul provocou patologias como hipertensão, diabetes, pancreatite e periodontite, que é a infecção nas gengivas que o fez perder os dentes. Para ter um tratamento minimamente correto ele necessitaria de uma abstinência de pelo menos um ano e meio, mas não conseguia ficar sem beber nem algumas horas! Uma de suas tragédias era ser um gênio aprisionado no corpo de um dos seis milhões de alcoólatras deste país.

---

[14] Raul Seixas: um gênio entre seis milhões de alcoólatras. Segundo a psiquiatra Ana Cecília Marques, professora da Unifesp (Universidade Federal de São Paulo), existiam em 2013 cerca de 5,8 milhões (ou 3% da população) de alcoólatras no Brasil. O álcool é uma droga psicotrópica depressora e Raul a consumia desde a adolescência. Em 1984, trocou a cocaína pelo éter, associando duas substâncias altamente depressoras. Veja maiores detalhes no Anexo 5 deste livro.

Enquanto eu reunia documentos, me relembrando de momentos para contar esta história, encontrei esta carta do Dr. Lélio para o Raul, datada de 1º de setembro de 1984, onde diz: "Confirmo que a Golden Cross indeferiu a guia para a sua internação e o São Lucas está cobrando uma conta de Cr$ 1.908.904,00 de diárias, medicamentos e exames, mais Cr$ 400 mil de médicos.[16] Além de ser uma cobrança absurda, não temos condições de quitá-la tão cedo. Estou estudando a conveniência de levar o caso para a Justiça, pois o Dr. Odilon alega que o relatório final apresentado sobre seu estado de saúde prevalece sobre o diagnóstico inicial que falava em diabetes".

Mesmo assim, milagrosamente e com alguns meses de atraso, Raul conseguiu terminar a gravação do disco *Metrô Linha 743*, tendo o Sylvio Passos como companhia constante. Concluído o LP, ele foi para Salvador passar um período com sua mãe. Ela me escreveu uma sequência de cartas dando notícias do que estava acontecendo. Ela mesma estava fazendo tratamento psiquiátrico por causa dos problemas de saúde do filho, do marido e dela própria, com um médico apelidado de "Tampinha". Cada carta, cada frase, relata de forma muito sincera o drama e o desespero de uma mãe tentando de todas as

---

[16] O dólar custava Cr$ 2.130 em setembro 1984. Uma estimativa simples desses valores, em dólar, seriam: diárias do São Lucas, Cr$ 1.908.904,00 (ou 896 dólares), e para os médicos Cr$ 400 mil (ou pouco mais de 187 dólares).

formas recuperar o filho do vício para que ele pudesse ter uma vida normal e até sonhando em "devolvê-lo com saúde para Vivi e para mim". Nos relatos fica muito claro que Raul não tinha mais saúde e condições de dar conta de seus compromissos. Depois de uns quatro meses em Salvador ele conheceu a última companheira de sua vida, que tinha dois filhos e voltaria com ele para São Paulo (maiores detalhes nas dez cartas de Maria Eugênia, anexas no final deste livro).

O CIRCO VOADOR E O PRIMEIRO ROCK IN RIO, TEMPLOS DO ROCK NOS ANOS 1980

O Circo Voador, criado no Rio de Janeiro em janeiro de 1982 por uma associação de grupos de teatro liderados pelo Asdrúbal Trouxe o Trombone,[16] em 1985 tinha se transformado no "Templo do Rock" nacional, por ter lançado bandas como Barão Vermelho, Legião Urbana, Camisa de Vênus, Blitz, Os Paralamas do Sucesso, Capital Inicial, Lobão, Engenheiros do Hawaii e muitos outros. Apesar de Raul Seixas ter feito apenas uma participação num show do Camisa de Vênus no Circo Voador em 1983 (com presença de Lobão na bateria),

---

[16] Asdrúbal Trouxe o Trombone – grupo de teatro criado no Rio de Janeiro em 1974, que marcou profundamente a dramaturgia brasileira dos anos 1970 em diante. A troupe trouxe para o Circo Voador para espetáculos de circo, teatro, dança e todos os estilos musicais. No seu auge, em 1986, voaram para a Copa do Mundo de Futebol, no México, com mais de duzentos artistas de circo, rock, MPB, teatro e dança, levando de avião todo o equipamento de som, luz, cinema, vídeo e fotografia.

este espaço viria a ser decisivo para o sucesso dele depois de sua morte, a partir do primeiro *Baú do Raul*, em 1992. Falarei disso mais tarde.

Em janeiro de 1985 Raul ficou fora do Rock in Rio, maior evento de rock do Brasil, com infraestrutura para atender 1,5 milhão de pessoas. Muita gente se perguntava "por que Raul não está na programação?", mas o principal motivo era sua fama de furão. Estava cada vez mais afastado da efervescência do rock dos anos 1980, do qual poderia ser a maior estrela, principalmente por ter aberto a estrada para todos os artistas viscerais que surgiram nesta década, depois de trinta anos de uma atitude mais ingênua e romântica desde o rock dos anos 1950 (o Anexo 3, no final deste livro, traz um breve histórico dos principais nomes do rock entre os anos 1950 e 1980).

ROCK IN RIO · JANEIRO 85				
SEXTA-FEIRA	SÁBADO	DOMINGO	SEGUNDA-FEIRA	TERÇA-FEIRA
11	**12**	**13**	**14**	**15**
NEY MATOGROSSO ERASMO CARLOS PEPEU / BABY WHITESNAKE IRON MAIDEN QUEEN	IVAN LINS ELBA RAMALHO GILBERTO GIL AL JARREAU JAMES TAYLOR GEORGE BENSON	PARALAMAS DO SUCESSO LULU SANTOS BLITZ NINA HAGEN GOGO'S ROD STEWART	MORAES MOREIRA ALCEU VALENÇA JAMES TAYLOR GEORGE BENSON	KID ABELHA EDUARDO DUSEK BARÃO VERMELHO SCORPIONS AC / DC
QUARTA-FEIRA	QUINTA-FEIRA	SEXTA-FEIRA	SÁBADO	DOMINGO
16	**17**	**18**	**19**	**20**
PARALAMAS DO SUCESSO MORAES MOREIRA OZZY OSBOURNE ROD STEWART	ALCEU VALENÇA ELBA RAMALHO AL JARREAU YES	KID ABELHA EDUARDO DUSEK LULU SANTOS GOGO'S B-52'S QUEEN	PEPEU / BABY ERASMO CARLOS WHITESNAKE OZZY OSBOURNE SCORPIONS AC / DC	BARÃO VERMELHO GILBERTO GIL BLITZ NINA HAGEN B-52'S YES

Os portões serão abertos a partir das 12 horas.
Os shows começam às 18 horas, diariamente, e às 16 horas, aos domingos.

Programação do I Rock in Rio,
iniciado dia 11 de janeiro de 1985

Enquanto tudo isso rolava no Rio de Janeiro em 1985, Raul terminaria o ano fazendo três apresentações de forma precária e até mesmo perigosa! A primeira foi entre 26 e 28 de setembro, no Garimpo Marupá, na floresta amazônica. A aventura foi uma verdadeira expedição de redescobrimento do Brasil, produzida pelo empresário Gato Felix, o piloto de avião João Maconha e o secretário-geral Sylvio Passos. Foram recebidos com salvas de tiros pelos garimpeiros e hospedados num puteiro chamado Califórnia. A banda era formada pelos desbravadores Nelson Pavão (bateria), Lídio Benvenutti (Nenê, do grupo Os Incríveis, contrabaixo e vocal) e Tony Osanah (guitarra e vocais). Quando a esquadrilha decolava para ir de uma aldeia para outra, o João Maconha, por segurança, passava o comando do teco-teco para Raul Seixas!

Quem me contou essa história foi o Tony Osanah, um dos músicos mais dedicados que acompanhou Raul nesses shows até o final de sua vida. Quando estavam juntos no palco, ficava clara a sintonia musical dos dois e o quanto se divertiam naquela vida legitimamente sem destino, em espetáculos antológicos como o da Praia do Gonzaga, Saquarema, Festival de Iacanga, Teatro Castro Alves, São Caetano, Brasília e muitos outros. Quando Raul esquecia a letra ou ficava desorientado, lá estava ele assumindo seu posto com fúria e firmeza! Nunca se importava se havia ou não resultado financeiro no trabalho. Hoje mora fora do Brasil, mas sempre me liga para rirmos e chorarmos de saudades. E Tony diz: "Só uma vez nas nossas vidas temos a dádiva e o privilégio divino de encontrar no nosso caminho almas muito evoluídas, que têm como missão semear a Grande Sabedoria, como foi Raul Seixas. Nossa irmandade se estabeleceu nas Bases da Eternidade".

Voltando ao Raul, ele finalizaria o ano com suas duas últimas apresentações públicas, em dezembro de 1985.[17] A primeira aconteceu no dia 1º, no Estádio Lauro Gomes, em São Caetano do Sul (SP). A segunda foi uma desastrada gravação no programa *Mixto Quente*, da Rede Globo, dia 22 de dezembro, na Praia do Pepino, no Rio. A proposta da emissora era entrar na onda do sucesso do recente Rock in Rio, fortalecer os grupos já consagrados e dar oportunidade aos novos. Entre os veteranos, lá estavam Celso Blues Boy e Robertinho de Recife. O projeto foi ao ar várias vezes nas festas de final de ano, mas sem o show do Raul, que mais uma vez não tinha se apresentado bem...

O ALARME DEFINITIVO

Voltando ao fio da meada, meu grau de desespero pela impossibilidade de diálogo com ele era tão grande que comecei a ter episódios de espasmos na garganta, que se tornaram cada vez mais frequentes. De repente minha língua ficava dura e eu não conseguia falar! Minha boca ficava rígida, não conseguia engolir, não conse-

---

[17] Antes de juntar-se a Marcelo Nova em 1988, para a última turnê de sua vida.

guia me comunicar, começava a babar involuntariamente e a sensação era de impotência total! Era horrível e eu morria de vergonha, mas tinha certeza de que era um surto psicossomático por ver tudo indo pro buraco e não ter ninguém com quem pudesse desabafar e, quem sabe, me ajudar!

Quem me curou desse sintoma tão estranho foi mais uma vez a medicina alternativa. Por sorte me indicaram uma terapeuta reichiana, Dra. Nadja Ribeiro, que além do método terapêutico, trabalhou comigo com florais de Bach e técnicas de desbloqueio de couraças musculares.[18] Lembro que em uma das sessões de massagens meu espasmo na língua voltou e ela disse "calma, calma que vamos fazer com que isso desapareça para sempre". E daí a pouco aquela sensação foi sumindo, sumindo... e não voltou nunca mais! Fiquei eternamente grata a ela, que é minha amiga e terapeuta até hoje!

Esse problema de saúde foi o alarme que faltava! Eu tinha que me separar do Raul! Enquanto ele estava na Bahia, fui com a Vivi no apartamento de São Paulo, reti-

---

[18] Wilhelm Reich (1897-1957) foi um revolucionário psiquiatra austríaco, discípulo de Freud, que criou, entre outros, o conceito de "couraça muscular do caráter", em que o corpo reflete o que se passa na psique. Foi um dos primeiros cientistas modernos a buscar a "unidade corpo e mente". Nesta couraça existiriam sete "anéis" principais de reflexo das emoções: ocular, oral, cervical, torácico, diafragmático, abdominal e pélvico. Neste caso, toda minha tensão nervosa teria se manifestado nos anéis oral e cervical. Reich, perseguido pelo nazismo, foi morar nos Estados Unidos, onde, novamente importunado pela indústria médica (que o acusava de charlatanismo), foi preso e morreu, de infarto, na prisão. Seus seguidores são chamados de terapeutas reichianos.

rei alguns objetos e roupas, que cabiam em duas ou três malas, mais uma televisão. No meio desses pertences encontrei um tecido fino e delicado, de cor amarela, com o qual seria feito o vestido do nosso casamento. Sim, nós havíamos planejado nos casar no dia 8 de julho de 1984, na Bahia. Até mesmo a prova do convite já estava à espera de autorização na gráfica, para que fossem feitas trezentas cópias. Foi Maria Eugênia que sugeriu a Catedral Basílica de Salvador. Vivi seria a daminha de honra e levaria nossas alianças (Raul sempre usou aliança e me pedia para usá-la também). Ah, quantas ilusões!

Voltamos Vivi e eu num trem noturno, que saía da Estação da Luz à meia-noite e chegamos na Central do Brasil, no Rio, por volta das seis da manhã. Esta foi a bagagem que eu trouxe de volta e que meu pai, Affonso, de pé na estação, mais uma vez pronto a me amparar, me ajudou a colocar no carro. E assim começou a nova fase da minha vida, com a certeza de que não iria voltar para o Raul e pronta para enfrentar um luto que durou um ano.

Durante essa nova fase chorei de saudades dele diariamente. Além das mágoas recentes de uma relação destruída, havia a questão da pensão da Vivi, que era responsabilidade dele. Todas as despesas de colégio, roupas, plano de saúde e alimentação da criança estavam sendo pagas por meus pais. Se não fosse pelo apoio deles, eu não teria tido condição de voltar a trabalhar e reconstruir minha vida.

Arquivo Pessoal

Kika e Vivi nos Estados Unidos

CAPÍTULO VI

DE AGOSTO DE 1984 A
AGOSTO DE 1989 (CINCO
ANOS EM CAMINHOS
PARALELOS)

Todos os caminhos são iguais, o que leva à glória ou à perdição Há tantos caminhos, tantas portas, mas somente um tem coração!

Raul Seixas e Paulo Coelho,
Meu Amigo Pedro

Normalmente, entende-se por "sabático" aquele período em que a pessoa se retira voluntariamente de suas funções para reorganizar a vida e buscar novos caminhos. No meu caso isso foi compulsório e involuntário. Eu não sabia quanto tempo iria ficar sem trabalho de produção, ao qual havia me dedicado durante tantos anos, e com uma filha de três anos para criar. Outra diferença é que no sétimo dia, o sábado ("shabat", em hebraico), Deus descansou para contemplar a obra que havia criado. E o que eu tinha para contemplar era a destruição total da nossa obra em comum!

Enquanto escrevo estas memórias, relendo documentos arquivados durante anos, revivo angústias, dores e desabafos, tanto meus quanto do Raul. Como no flashback a seguir, que ele escreveu para mim e Vivi, em uma de suas muitas internações, em janeiro de 1984:

Raul Flashback

"MINHA FILHA VIVI 1/84
"Que bom! Já fiquei bom-bom. Estou fazendo muta e tudo! Hospital é chato! Não tem ninguém. E muito obrigado pela sua reza pra papai ficar bom; foi você quem fez papai ficar bom. Não fiquei muito sozinho pois o Capitão Garfo vinha me ver toda hora e como não tinha boneca por perto ele ficava meu amigo. O bonzinho e o maluquinho, sempre fazendo tudo errado. Eu no hospital deitado e ele pensou que ele é que era o doente e deitou em cima de mim, Já pensou? Esse maluco! Faz cada coisa engraçada.
Estou morrendo de saudades de você minha filhinha. Daqui a pouco

eu tô aí pra te ver. É que agora papai vai ter que fazer uma porção de "shows" prá ganhar um "bocadão" de dinheiro prá comprar coisas e surpresas e presentes prá você. Eu amo você e sua mãe. Fiquem direitinhas tá? Com todo carinho, papai Raul.
P.S.: nunca mais papai vai ficar doente. Eu tô comendo o prato todinho" – 1984

Continuação do flashback do Raul:

"Adorei seus dezenhos, são lindos todos os 4. O da gravata do papai. As duas menininhas. Os pedacinhos de papeis coloridos. O dos traços riscados que você inventou. Esse é pra você lembra dele? (DESENHO). Nunca mais papai vai ficar doente. Ele tá comendo o prato todinho!"

Em outubro de 1984, após nossa separação, ele me escreveu esta carta de Salvador, quando estava tentando se reorganizar com a ajuda da mãe, Maria Eugênia:

Minha Gatinha – 2ª feira (noite)
Você sabe que eu não sou de escrever cartas. Uma letra só vive numa batida de uma música ou numa dum coração. Prefiro ouvir sua voz no telefone. Estou bem de saúde mas como poderia negar a falta que você me faz. Hoje não aguentei e fui procurar a Som Livre daqui da Bahia para armar um esquema de trabalho que tenho na cabeça. É possível que eu faça meu vídeo clip aqui

Minha filha Vivi.   1/84

Que bom! Já fiquei bom - bom -
Estou fazendo muito, e tudo.
Hospital é chato! Não tem ninguém.
E muito obrigado por sua reza
prá papaĩ ficar bom; foi
você quem fêz papaĩ ficar bom
Não fiquei muito sozinho pois
Capitão garfo vinha me ver toda
hora e como não tinha boneca
por perto ele ficava meu amigo.
O bonzinho é o maluquinho,
sempre fazendo tudo errado
Eu estava no hospital deitado
e êle pensou que êle é que era
o doente e deitou encima de
mim, já pensou? Esse maluco!!!
Faz cada coisa engraçada.
Estou morrendo de saudades de você
minha filhinha. Daqui a pouco
eu tô aí prá te ver. É que
agora papaĩ vai ter que fazer
uma porção de "shows" prá ganhar
um "Bocadão" de dinheiro prá
comprar coisas e surpresas e
presentes prá você. Eu amo você
e sua mãe. Fiquem direitinhas
tá?
                Com todo carinho
                Papai Raul.

anexo II   —.

em preto e branco como queria. Me puz às ordens de Raimundo, chefe da divulgação, amigo antigo do tempo da Phonogram. Amanhã às 8 horas vou em rádios e Tv's, dentista, etc...

São 10 horas da noite e estou sentado ao telefone esperando você ligar. Seu pai me disse que você não ia demorar muito por isso resolvi esperar. Meu pai está lendo "Os irmãos Karamazovsky" (é assim que se escreve?). Minha mãe já "bodou". Tive um dia cheio. Autógrafos. Como está o apartamento (à venda?). Dê encima do Lélio. Vocês estão mais perto para comunicação. Vivi? O gato dela? Segurei Helena até 8:30 pra falar com você. Ela está um barato. Saímos às 7 horas pra fazer hora de ligar às 8 pra você, gracinha, comprei um caderno e pronto.

(TEMPO)

Já são 11 horas e acho que vou tomar meu remédio[19] pois amanhã às 8 da matina vou vizitar algumas rádios e 12:30 fazer uma TV. Acho que é TV Bandeirantes. Durma bem.

---

[19] É curioso que, apenas seis anos antes, em 1978, ele tenha gravado a música Tá na hora (parceria com Paulo Coelho, no disco Mata virgem), que finalizava dizendo: "Tá na hora da velhice, tá na hora de deitar. Tá na hora da cadeira de balanço, do pijama, do remédio pra tomar. Oh! Divina Providência: e a minha independência? E a minha vida, onde é que está?"

Minha gatinha   —   2ª feira (noite)

Você sabe que eu não sou de escrever cartas.
Uma letra só vive numa batida de uma
musica ou numa d'um coração.
Prefiro ouvir sua voz no Telefone.
Estou bem de saude mas como poderia
mejar a falta que você me faz.
Hoje não aguentei e por mim mesmo
fui procurar a Sout Livre daqui
da Bahia para por um
esquema de Trabalho que tenho
na cabeça. É possivel que eu
faça um Video-clip aqui em
preto e branco como quero.
Me puz às ordens de Raimundo
chefe da divulgação, amigo
antigo do Terço da phonogram.
Amanhã as 8 horas vou em
radios e TV's, dentista, etc...
São 10 horas da noite e estou
sentado ao telefone esperando
você ligar. Seu pai me disse
que você não ia demorar muito
por isso, resolvi esperar. Meu pai
está lendo "Os irmãos Karamazovky
(é assim que se escreve?), minha mãe
já "bodou". Tive um dia cheio. Autografo.
Como está o apartamento (a venda?)
Dê lembrança de Lelis. Vocês estão + perto
para comunicação. Viu? O gato?
Segurei Helena até 8.30 pra falar
com você. Ela está meio besta.
Saimos às 7 horas pra fazer hora
de ligar às 8 pra você, gracinha,

É a mais bonita

Adorei seus dezenhos, são lindos
Todos os 4.
O da gravata do papai
As duas menininhas
Os pedaçinhos de papéis coloridos
O dos traços riscados que você
inventou

Esse é
pra você

lembra dele?

PS — Nunca mais papai vai ficar doente
Ele tá comendo o prato todinho!

comprei esse caderno e pronto.

(Tempo)

Já são 11 horas e acho que vou tomar meu remédio pois amanhã às 8 da manhã vou visitar algumas rádios e 12.30 fazer uma TV. Acho que é TV Bandeirantes.

Durma bem.

Sua caixinha com seu coração está comigo.

Se lembre: Te amo muitíssimo.

Seu gato pardo Raulzinho.

PS = Fiz uma música linda, serve até para o título do novo LP. Chama-se Eu creio.
ou
Eu ainda acredito.
Fala dessa para fernalia de cadente discreta de tudo. Vou te mandar a letra quando eu terminar direito.
Nota 10 no seu gatinho está xuxubeleza

Sua caixinha com seu coração está comigo.
Se lembre: te amo muitíssimo.
Seu gato pardo Raulzinho.
PS = Fiz uma musica linda, serve até para o ti-
tulo do novo LP. Chama-se Eu creio ou Eu ain-
da acredito. Fala dessa parafernália decadente
discrente de tudo. Vou te mandar a letra quando
eu terminar direito. Nota 10 no seu gatinho está
xuxúbeleza.

Dentro do Baú encontrei também esta carta de Dona Maria Eugênia para Raul, de meados de agosto de 1984, exatamente no período em que nos separamos. O teor do documento deixa claro que ela estava ciente de tudo, mas ao mesmo tempo angustiada pela falta de notícias.

Salvador 12/8/1984
Meu querido filho

Estou muito triste e sofrendo porque lhe passei um
telegrama e um cartão e você não me telefonou.
Não me importa com quem você esteja ou esteja
fazendo, eu serei sempre sua mãe e aqui estarei
para lhe acolher e ajudar no que for preciso. Meu
amor por você é infinito. Eu só quero sua felicida-
de. Vivo rezando para que Deus lhe dê paz.
Espero que você saiba dar a volta por cima mais
uma vez. Me telefone por favor eu não tenho socego
enquanto não falar com você. Ligue nem que seja

Salvador 12/8/84

Meu querido filho.

Estou muito triste e sofrendo porque lhe passei um telegrama e um cartão e você nem me telefonou. Não me importa com quem você esteja ou esteja fazendo, eu serei sempre sua mãe e aqui estarei para lhe acolher e ajudar no que for preciso. Meu amor por você é infinito. Eu só quero sua felicidade. Vivo rezando para que Deus lhe dê paz.

Espero que você saiba dar a volta mais uma vez. Me telefone por favor eu não tenho socego enquanto não falar com você. Daqui nem eu deixa a cobrar. Dê uma palavra a sua mãe.

Não quero tomar seu tempo sei q você não tem paciencia de ler cartas. Por Deus confie em Tristão ele só quer o seu bem.

Cuide de sua saude em primeiro luga

Nada te perturbe   Beijos sua mãe
Nada te espante
Só Deus não muda,   Mª Eugenia
Tudo passa
A paciencia tudo alcança
Quem a Deus tem nada lhe falta
Só Deus basta.

Como vai seu S. Francisco? eu rezo sempre para ele tomar conta de você.

a cobrar. Dê uma palavra a sua mãe. Não quero tomar seu tempo, sei que você não tem pasciencia de ler cartas. Por Deus confie em Dr. Lélio, ele só quer o seu bem. Cuide de sua saúde em primeiro lugar. Nada te perturbe. Nada te espante. Só Deus não muda, tudo passa, a paciência tudo alcança. Quem a Deus tem nada lhe falta. Só Deus basta. Como vai seu S. Francisco? Eu rezo sempre para ele tomar conta de você.

Beijos sua mãe Maria Eugênia

RAUL SEIXAS NO PARQUE LAGE, EM 1985

No Rio, eu tinha, entre outras pessoas, o casal de amigos Maria Juçá e o cineasta Sérgio Péo. Além de administrar o Circo Voador, em 1985 a Juçá criou também um projeto musical no Parque Laje e convidou Raul para fazer dois shows. No primeiro parece que ele foi até bem e eu resolvi ir ver o segundo. Meu Deus, que decepção!

Lá estavam alguns amigos e a Juçá. Cheguei a fim de curtir a noite e fui direto procurá-lo no camarim. O *backstage* parecia uma câmara de gás de campo de concentração, de tanto éter impregnado no ambiente! Sua namorada naquele período se escondia pelos cantos e o Raul estava num estado tal que não dava nem mesmo para conversar com ele!

Percebi claramente que aquilo não iria dar certo e resolvi cair fora! O público já estava ficando indócil e, com a experiência que eu tinha nesse tipo de situação, em pouco tempo poderia ficar agressivo e repetir o episódio de Caieiras e outros lugares. Me despedi da Juçá e fui embora. Como previ, no dia seguinte fiquei sabendo que realmente ele não conseguiu fazer o show, o público ficou irritadíssimo, começou a jogar copos, latas e a festa teve que ser cancelada...

Nesse período ele voltou ao Rio e se internou novamente na Clínica Botafogo, no bairro de mesmo nome (ela não existe mais). Fui visitá-lo e infelizmente o encontro terminou numa discussão agressiva sobre a venda do apartamento em São Paulo. Raul não gostava de bate-boca, virou as costas e me deixou falando sozinha, no meio do pátio. Eu, com muita raiva, perdi o controle e acabei dando-lhe um empurrão. Ele se virou bruscamente e para minha total surpresa, me puxou com gentileza pelo braço e cantou no meu ouvido a música *You're My Sunshine*:[20]

"You are my sunshine, my only sunshine, You make me happy when skies are gray, You'll never know dear, how much I love you, please, don't take my sunshine away" ("Você é meu raio de sol, meu único raio de sol, você me faz feliz quando o céu está cinzento, você nunca saberá, querida, o quanto eu te amo, por favor não leve embora o meu raio de sol").

---

[20] You are my sunshine tem origem muito antiga e controversa, mas se tornou famosa na gravação de Jimmie Davis e Charles Mitchell, como country music, em 1939. Foi regravada ao longo das décadas seguintes por nomes como Doris Day (1951), Nat King Cole (1955), Ray Charles (1962), Tina Turner (1962), The Beach Boys (1979), Chuck Berry, Jerry Lee Lewis, Johnny Cash e Gene Vincent, entre muitos outros.

Entre meus achados nesta retrospectiva está esta matéria do jornal Folha de S. Paulo, falando sobre a nossa separação, que aconteceu em agosto de 1984.

FOLHA DE SÃO PAULO,
de 9 de outubro de 1984:

"DOR DE COTOVELO: conforme o colunista Ferreira Neto (na Folha da Tarde de ontem), o cantor e compositor Raul Seixas se encontra internado em estado de coma no Hospital Albert Einstein. O hospital nega a informação, e a gravadora de Seixas, a Som Livre – por onde ele lançou há poucos meses o ótimo "Metrô Linha 743" – também desmente a internação, embora admita que o artista não anda lá muito bem. Segundo a assessoria de imprensa da empresa, Raul está mesmo num tremendo "baixo astral", por causa da separação de sua mulher, Kika, ocorrida há cerca de um mês.

Desde então, informou a Som Livre, o artista anda deprimido e briguento: tanto que rompeu com o Mutica, uma espécie de empresário encarregado de programar seus shows, e também com o Boni, da Globo. Com o diretor-superintendente da "Aldeia Global" o mal-estar teria surgido na ocasião da gravação de um número para o "Fantástico". Por tudo isso o roqueiro, que ultimamente só admite a companhia de um miste-

rioso amigo, o Sílvio, decidiu viajar para o Rio, ontem, e dali seguir para Salvador, onde mora sua mãe."

Por mais difíceis que fossem as situações, sempre procurei a conciliação e a harmonia entre as famílias. E talvez por isso sempre encontrei pessoas sem as quais não sei o que seria de mim. Já citei meus pais e vários amigos, mas uma delas terá para sempre um lugar especial no meu coração, que é a dona Maria Eugênia, mãe do Raul. Sua postura sempre firme me orientava e servia de exemplo. E hoje, passados mais de 35 anos, as dez cartas que ela me escreveu entre 24 de setembro e 28 de novembro de 1984 (e que estão anexas no final deste livro) me dão a clara dimensão do tamanho do desafio que enfrentamos juntas e do nosso amor por Raul.

NUM TEMPO EM QUE SE FALAVA POR CARTAS

Era um tempo em que as pessoas se comunicavam por cartas, e dona Maria Eugênia as remetia do seu endereço, na avenida Euclides da Cunha 59, apto. 401, Bairro da Graça, em Salvador, para a rua Alberto de Faria 34, Leblon, Rio de Janeiro, onde eu residia com meus pais depois da separação. Hoje elas são um documento vivo desse período dramático. Através delas eu ficava sabendo das loucuras que ele estava fazendo em Salvador, suas dívidas cada vez maiores, o agravamento dos seus problemas de saúde e o diagnóstico de apenas mais dois anos de vida que os médicos lhe deram.

Maria Eugênia me contou sobre o uso abusivo de drogas, suas tentativas de levá-lo ao centro espírita de Edvaldo Franco (e o quanto ele ficou bravo por causa disso!), seu rompimento com os familiares, os "amigos" que o exploravam e o câncer do pai Raul Varella Seixas. Havia ainda o agravamento da depressão da Maria Eugênia, esmagada por tudo isso e ainda buscando soluções, a conciliação, o bem de todos e ainda sonhando em "devolvê-lo com saúde para mim"! Ela era realmente admirável! Tudo isso pode ser conferido no final deste livro. Eu mantive a grafia original dos textos dela por uma questão de autenticidade. A seguir duas cartas minhas para Raul, no ano seguinte, 1985, uma "rompendo definitivamente" (em março) e a outra reconciliando (em agosto).

Carta de Kika para Raul em 25 março 1985 (Revoltada e propondo rompimento definitivo)

Raul
Tenho ficado profundamente sentida com suas atitudes; tanto pelo fato de você ser injusto comigo, quanto por estar afetando a segurança de Vivian. Não entendo porque você quer nos prejudicar. Você já acertou sua vida com outra pessoa; você até já conseguiu que essa estranha interfira nos nossos problemas pessoais, decidindo por você, o que deve ou não ser feito em relação à

nossa filha (*Não pense que esses presentes que ela manda à Vivian fazem a minha cabeça. Não a reconheço como pessoa de nível para manter qualquer tipo de relacionamento*).

Se você quiser continuar a sustentar a Vivi, faça-o, senão problema seu. Apesar que isso não seja problema pra você; você não tem o hábito de manter compromissos nem mesmo afetivos com suas filhas... Cansei de ouvir mentiras e chantagens e decidi romper com nossas comunicações definitivamente. Não tenho necessidade de ouvir desaforos e injustiças. Daqui em diante a situação da pensão da Vivi (a qual você tem obrigação por lei de dar), será transada pelo juiz. Esses meses todos tentei evitar entrar com esse pedido na Justiça, mas agora está decidido. Não posso ficar na insegurança de quando você quer ou não dar o dinheiro do colégio, alimentação e médico de Vivian. Estou lhe avisando, pra depois você não dizer-se "injustiçado".

Realmente, Raul, você é muito covarde para ter uma vida melhor do que essa que você tem.

Kika

(*Espero que a sua companheira lhe entregue essa carta depois que passar pelas mãos dela. Eu sei que você é tão incompetente que nem abre suas correspondências*).

Março 25/85

Raul,

Tenho ficado profundamente sentida com suas atitudes; tanto pelo fato de você ser injusto comigo, quanto por estar afetando a segurança de Vivian. Não entendo porque você quer nos prejudicar. Você já acertou sua vida com outra pessoa; você até já conseguiu que essa estranha interfere nos nossos problemas pessoais, decidindo por você o que deve ou não ser feito em relação a nossa filha. (não pense que esses presentes que ela mande à Vivian faça a minha cabeça. Não a reconheço como pessoa de nível para manter qualquer tipo de relacionamento.)

Se você quiser continuar a sustentar a ViVi, faça-o, senão problema seu. Apesar que isso não seja problema prá você; você não tem o hábito de manter compromissos nem mesmo afetivos com suas filhas....

→

Carta de Kika para Raul dia 17 de junho de 1985 (marcando encontro no Rio ou em São Paulo)

Rio, 17 de junho de 1985

Meu amor

Estou escrevendo essa carta às pressas, pois estou no correio anciosa para lhe mandar estas fotos! São do aniversário da Vivian comemorado no Tivoli Park! Foi uma festa e, lógico, com a "dinda" e os "plimos"...

Paixão, tem sido difícil te falar pelo telefone! Daquela vez foi a maior sorte eles terem deixado; negócio é o seguinte: estamos roxas de saudades de você. Gostaria que você dissesse se prefere que nós te vejamos aqui ou se queres que a gente vá aí a Sampa?? Você é que diz. Quero que você diga com a maior sinceridade que que é melhor para você. A gente faz o que você quiser prá te ver logo. As saudades são imensas.

Love sua Kika

Rio 17 junho de 1885

Meu amor,

Estou escrevendo esse carte às pressas, pois estou no correio ansiosa para lhe mandar estas fotos!! São do aniversário de Vivian comemorato no Tivoli Park! Foi uma festa, é lógico, com a "dindé" e os "plimos"...

Paixão, tem sido difícil te falar pelo telefone! Daquela vez foi a maior sorte eles terem deixado; se gócio é o seguinte: estamos roxos de saudades de você. Gostaria que você dissesse se prefere que nós te veja mos aqui ou se quiser, que a gente vá aí à Tampa?? Você é que diz. Quero que você diga com a maior sinceridade que que é melhor pra você. A gente faz o que você quiser pra te ver logo. As saudades são imensas.

Love sue Kiki

**Carta de Kika para Raul dia
29 de agosto de 1985
(se reconciliando, após um encontro)**

Meu Preto

Gostei de te ver. Demais!! É verdade que me emociono demais quando estou contigo; é como se houvessem mil coisas a serem ditas, mas impossível em traduzir em palavras. Daí eu choro. Na realidade, gostaria de ter podido conversar mais intimamente contigo. Tantas coisas que queria te expor, trocar ideias, me aconselhar... Afinal de contas, você foi meu único amigo durante muitos anos e agora me encontro sem amigo nenhum (espero que cada vez mais a gente se entenda e se aproxime de novo).

Raul, essa situação de mesada da Vivian é ultra desgastante e degradante para mim!! Por favor, seja breve na resposta deste 2º (segundo) documento que está seguindo para você. Fico ultra insegura e todos os meus planos vão por água abaixo, pois eu também pretendo morar sozinha em breve, e cada vez que as coisas não se acertam, para mim é uma decepção também nas minhas tentativas de independência. Você sabe que eu não gosto de morar com meus pais, pois desde os dezessete anos que moro e trabalho sozinha. Meu trabalho está me rendendo bem, mas não o suficiente para vivi, pois como você sabe, só de colégio *são Cr\$ 1.100.000. Não sei se a Sican e a Sigen vão cobrir os Cr\$ 800.000 que estou lhe pedindo mensalmente (por isso estou pedindo 30% em vez dos 20%; se não for o suficiente, você terá que abrir mão das outras entidades).[21] Gostaria que você soubesse que estou aceitando a sua exigência de não ceder os direitos fonomecânicos, porque sei que sua situação está ultra delicada financeiramente. Na realidade (e pergunte isso a seu irmão ou qualquer advogado), se eu não entrasse na justiça, você seria obrigado a me dar até 40% de TUDO que é seu. Inclusive não entendo porque você reluta em dar à Vivian, que é sua filha! (e dá a duas crianças estranhas!!!) Em todo caso, ela será sua herdeira mesmo, e você às vezes é muito egoísta, mas eu já sei disso tudo!!!*

Bem, querido, então é isso: seja a nice guy and send me as soon as possible your signature (carta registrada). Da próxima vez que nos vermos, gostaria de ficar a sós com você. Existem assuntos que só interessam a nós dois, ou, no máximo, a nós três: você, Vivian e eu. Você mora no meu coração! Forever — Kika

---

[21] Em agosto de 1985, a cotação do dólar estava em 6,5 mil cruzeiros. Logo, os valores citados no texto correspondem a: "Só de colégio são Cr\$ 1.100.000" — correspondente a aproximadamente 169 dólares à época; "Não sei se a Sican e a Sizen vão cobrir os Cr\$ 800.000" —correspondente a 123 dólares à época".

29ª august 85   Meu pito,

                    Gotei de te ver. Demais!!
                    É verdade que me emociono
demais qdo estou contigo; é como se houvessem mil coisas a serem ditas, mas
impossível em traduzir em palavras. Daí
eu choro. Na realidade gostaria de ter
podido conversar mais intimamente contigo.
Tautas coisas que queria te expor, trocar
idéias, me aconselhar... afinal de contas,
você foi meu único amigo durante
muitos anos e agora me encontro sem
amigo nenhum. (espero que cada vez mais
a gente se entenda e se aproxime de nós)
                    Raul, essa situação de ossa
de de Viviau é ultra desgastante e
degradante para mim!! Por favor seja
breve na resposta deste 2º (segundo) documento que está seguindo p/ você.
Fico ultra insegura, e todos meus planos vão por água abaixo, pois eu também pretendo morar sòzinha em breve,
e cada vez que as coisas não se acertam, para mim é uma decepção também nas minhas tentativas de independência. Você sabe que eu não gosto
de morar com meus pais, pois desde
                              →

Eu vou à luta, que a
vida é curta, não vale
a pena sofrer em vão.
Pode crer, você pôs tudo
a perder, não podia
fazer o que fez.
E por mais que você
tente negar, me dê motivo!

Tim Maia (de Michael Sullivan e
Paulo Massadas), *Me dê Motivo*

MINHA VOLTA POR CIMA (1985 E 1986)

Foram tempos difíceis, mas minha filha Vivian foi quem me deu forças para superar tudo isso, e também, com certeza, meus pais e amigos como o arquiteto Hélio Pellegrino, que me chamou para trabalhar em seu escritório em meados de 1985 e no ano de 1986. A família Pellegrino me é muito querida, desde o pai do Hélio – o famoso psicanalista Hélio Pellegrino – até todos os outros filhos. Namorei o Helinho em 1976 e me envolvi com a família toda, a maioria jovens da minha idade, como a Maria Clara, Tereza e Clarice, o irmão mais velho, Pedro, e os dois mais novinhos, Dora e João (que hoje é músico). A casa da família deles vivia cheia de amigos, cheia de música e com muita gente bonita, numa época feliz e efervescente do Rio de Janeiro. Esta é uma oportunidade que tenho de relembrar esses momentos inesquecíveis. E ao Helinho, em especial, agradecer pela oportunidade de trabalho; hoje ele é um dos maiores arquitetos do Brasil.

Nessa minha retrospectiva com os amigos, me lembrei de outra história do meu querido Lennie, mais uma aventura que vivemos, dessa vez no Peru. Como já havia dito, ele voltou para os Estados Unidos porque havia contraído AIDS e lá, além do apoio da família, tinha tratamento gratuito fornecido pelo governo. A AIDS tinha sido identificada claramente cinco anos antes, em 1981, e quem a contraísse recebia praticamente uma "sentença de morte" (Cazuza morreu quatro anos depois, em 7 de julho de 1990. Lennie viria a falecer oito anos depois, em 9 de agosto de 1994, em Nova York, sua terra natal). O vírus havia sido isolado três anos antes, em 1983, e a oficialização do primeiro remédio, AZT, só foi feita no ano seguinte, 1987. Lennie fazia parte dos grupos de pessoas voluntárias para os testes para aprovação da medicação pela FDA (Food and Drugs Administration, responsável pela fiscalização de alimentos e drogas nos Estados Unidos).

Aos 53 anos, a carreira dele como bailarino já estava encerrada. O último trabalho que havia feito tinha sido como diretor e coreógrafo da Elba Ramalho, no antigo Teatro Scala, no Leblon (uma das maiores casas de shows do Rio, de propriedade do famoso empresário da noite, o espanhol Chico Recarey). Além da idade, Lennie estava muito abalado psicologicamente e não tinha mais forças para fazer o que mais gostava, que era dançar! Seu irmão, Frank, que morava em Nova York e tinha uma agência de aluguel de carros e limusines, convidou-o para trabalhar lá como *secretária*! Mas imaginem uma pessoa como ele, acostumado a ser completamente independente, rodar o mundo e fazer sucesso no Brasil, na Broadway e na França, sentado numa mesa de recepção de uma agência de aluguel de carros, fazendo atendimentos como *secretária*! Ele aceitou a oportunidade, mas evidentemente lutava para controlar seu Nureyev acorrentado dentro do peito![22]

Como éramos muito amigos, nos momentos de maior raiva ele me ligava dos Estados Unidos e dizia "Baby, I'm bored to death with all this crap! I need a joint!" ("Querida, estou puto com toda essa merda! Estou precisando fumar um baseado!"). E eu ficava tentando consolá-lo, dizendo que era importante que tivesse um bom relacionamento com a família, porque afinal, o que seria dele sem pessoas para ajudar? Naquela época ter uma doença contagiosa e mortal como a AIDS gerava medo e preconceito. Portanto, ter pessoas queridas ao lado era muito importante. E no Brasil ninguém sabia da situação dele. Então era melhor manter a discrição.

O irmão Frank, querendo se ver livre dele, sugeriu que Lennie tentasse um outro trabalho e propôs que fosse administrar um pequeno hotel que ele tinha em Lima, no Peru! O desesperado imediatamente respondeu: "OK, *brother*, eu vou, mas preciso de uma pessoa com experiência administrativa, porque eu não entendo porra nenhuma de gerenciar hotel! Essa pessoa é minha *manager* Kika, com quem trabalhei muitos anos, mas ela está lá no Brasil! Pague as despesas de viagens e nós dois iremos lá pra conhecer esse trabalho!"

---

[22] Rudolf Nureyev – nasceu na Rússia, em 17 de março de 1938. Morreu em Paris, dia 6 de janeiro de 1993, com 54 anos, de AIDS (como Lennie Dale no ano seguinte). Foi chamado de "O maior bailarino do mundo" em sua época.

Arquivo Pessoal

Lennie Dale e Kika em San Francisco, CA, 1/8/1986

    Na realidade, Lennie estava doido para sair debaixo das asas da mãe, Angela Regina La Ponzina, e do padrasto, também italiano, Vini, com quem estava morando em Nova York. Mas salivava também ao pensar no lado pastoril e espiritual do Peru, Machu Picchu, cogumelos sagrados, além da proximidade com a Bolívia, plantações a perder de vista, sem nenhum *mala* por perto, *mó* astral! E assim ele me convidou e fiquei triplamente feliz, porque teria a chance de revê-lo, estava sem emprego e ainda viver uma nova aventura!

    Profissionalmente, a experiência acabou não dando muito certo, porque para gerenciar hotel a pessoa tem que ter paciência e o dom para a coisa! Ficamos hospedados uma semana, observando o funcionamento e com o gerente explicando (em espanhol, com o Lennie fingindo entender) a rotina dos serviços. Constatamos que aquilo se resumia em encheção de saco o dia inteiro! Então pedimos o fim de semana para dar um rolé pelas termas de uma cidadezinha a cerca de uma hora de Lima. Ficamos dois dias num lugar delicioso e na volta ele ligou para o irmão e disse que não podia aceitar aquela oportunidade, porque fugia muito das expectativas e das atuais condições dele. Eu voltei para o Rio e ele para Nova York. Com isso acabaram-se as carreiras de *secretária* em Nova York e *gerente de hotel* no Peru. Mas a viagem foi um barato!

AIRTO MOREIRA E FLORA PURIN – SANTA BÁRBARA, CALIFÓRNIA – 1987

Foi Lennie Dale quem me apresentou o casal Airto Moreira e Flora Purin (brasileiros, ele percussionista e ela cantora), que moravam em Santa Bárbara, na Califórnia. Os dois eram mais conhecidos e consagrados fora do Brasil do que aqui. Ele é um dos músicos brasileiros mais conhecidos no exterior e Flora teve duas indicações ao Grammy por melhor performance feminina de jazz. Lennie os reencontrou nos Estados Unidos em 1986, quando fazia seu tratamento e soube que procuravam por uma secretária. Como sabia da minha experiência na Warner e como produtora de shows do Raul e dele próprio, sugeriu meu nome.

No começo de 1987, Flora, Airto e eu combinamos a minha ida para Santa Bárbara. Acertamos que eu pagaria a passagem de ida e eles pagariam a passagem de volta, quando nosso contrato se encerrasse. Eu teria um salário fixo e poderia morar com eles, o que foi ótimo, porque a casa era muito grande, ficava em cima de penhascos, de onde se via o mar e um trecho da *Pacific Coast Highway*, uma estrada enorme que margeia toda a Costa Oeste. Ela me explicou toda a rotina, com agenda de shows por todos os Estados Unidos e também fora de lá. Até hoje são muito conhecidos, muito requisitados e têm uma extensa biografia.

Airto e Flora viajavam quase todo fim de semana e eu ficava com sua filha Diana, a quem levava para o colégio, e acabei fazendo amizade também com seus amigos músicos, já que ela, desde pequena, sonhava em ser cantora como a mãe e cantava muito bem! Diana e seus amigos faziam festas, com fogueira à beira do penhasco, com uma vista maravilhosa, muita bebida (que eu liberava), e os adolescentes me adoravam.

Santa Bárbara é chamada de *Riviera Americana*. Situada a 144 quilômetros ao norte de Los Angeles, sempre foi o refúgio de astros e estrelas de cinema. Na minha época, Ronald Reagan tinha um rancho por lá e Jane Fonda mantinha sua famosa academia de exercícios no *Laurel Springs Ranch*, propriedade que havia adquirido em 1977 e manteve até o final dos anos 1990, aplicando sua filosofia de bem-estar e o programa de treinamento que havia criado.

A cidade tinha um alto astral, principalmente por causa do ambiente de estudantes universitários da *UCSB – University of California Santa Bárbara*. Durante todo o ano, diversos festivais movimentavam a cidade, com temas como pintura, teatro, música, cinema e culinária. No verão, no anfiteatro *Santa Bárbara Bowl*, que tem capacidade para 4,5 mil espectadores, se apresentavam nomes da música americana e internacional. Lá tive o privilégio de assistir aos shows do guitarrista Steve Ray Vaughan (que morreria em 1990) e da banda inglesa The Cure. Além desses dois, realizei o sonho de ver o show do David Bowie – Spider Tour, em Los Angeles, em 14 de outubro de 1987.

Um fato curioso aconteceu em outra apresentação, em um café-teatro, quando Al Di Meola, um dos maiores violonistas do mundo, se apresentou para apenas dez pessoas – eu era uma delas – quando o público esperado seria de até duzentas. Nessa oportunidade, eu o vi tocar com a mesma paixão como se o espaço estivesse lotado. Depois cumprimentou a cada uma de nós com o maior carinho. Percebi que, para o artista, o mais importante é transmitir sua arte, não importa se para dez ou mil pessoas. Além do mais, de tudo maravilhoso que aconteceu em Santa Bárbara, fumei o melhor *skunk* da minha vida, cultivado na própria região[23].

Apesar do Raul ter ficado queimado na gravadora

---

[23] Observação: hoje, 24 de novembro de 2019, enquanto estou redigindo este texto, assisto na televisão notícias de mais um incêndio, comuns na Califórnia nesta época do ano, destruindo tudo em Santa Bárbara. Apesar de acontecerem desde a época em que só indígenas habitavam a região (eles os chamavam de "serpentes de fogo"), têm aumentado seu poder de destruição ao longo dos anos, paralelamente à devastação do meio ambiente.

Som Livre, eu mantive um bom relacionamento com a empresa e, através dos meus contatos com o diretor Bruno Quaino, intermediei o lançamento do LP *Midnight Sun*, da Flora Purin, por um selo da Som Livre aqui no Brasil.

No início de maio de 1987, Flora e Airto permitiram que eu trouxesse a Vivi para Santa Bárbara. Foi a primeira vez que nos separamos por tanto tempo e ela tinha apenas seis anos de idade. Quando parti, eu olhei bem fundo nos olhinhos dela e disse: "Mamãe vai voltar, você vai ficar com vovô Affonso e com vovó Edmea, mas daqui um tempo eu venho te buscar, OK?" Eu percebi que ela havia entendido perfeitamente a situação, numa relação de confiança que conservamos até hoje.

Os avós ficaram de coração partido quando fui buscá-la, mas sabiam que seu lugar era ao meu lado. Vivi e eu fomos recebidas carinhosamente por Flora e Airto, que nos trataram com o mesmo carinho e amizade que tinham pelo Lennie (no final dos anos 1960, meu amigo tinha pago a passagem do Airto para os Estados Unidos, pois percebeu que ele faria muito mais sucesso lá do que nos bares de Copacabana. Na Califórnia ele conheceu a esposa, com quem está até hoje).

O colégio da Vivi em Santa Bárbara era maravilhoso, das 8h às 15h, mas eu consegui que ela ficasse em outras atividades até às 17h para que eu pudesse cumprir minha agenda de trabalhos com Flora e Airto. Eu a levava de bicicleta para a escola. No dia 28 de maio de 1987 ela fez seis anos de idade e fizemos uma festinha, que descrevo a seguir, no cartão para meus pais, no dia seguinte:

Meus queridos

Ontem foi aniversário da Vivi. Foi comemorado com bolinho no colégio e uma festinha na casa de amigos vizinhos nossos. Teve bolo de chocolate, cachorro quente, bolas, presentes e até uma bicicleta (tia Flora que deu). Vivi está quase aprendendo a andar sem rodinhas. Recebemos os presentes de vovô e vovó e ela está usando o vestidinho, que ficou lindo nela (tirei fotos, depois mando). Até o Raul ligou de São Paulo. O Lennie está chegando para passar uma semana conosco e irmos à Disneylândia.

Aqui está tudo muito bem, Vivi falando em inglês é demais? Nós duas estamos ultra-amigas. Eu a levo ao colégio todo dia, andando de bicicleta, vou buscar, e dou uma fugida na hora do almoço para vê-la. Faço de tudo para que ela se sinta bem protegida. Eu estou muito bem, paciente e trabalhadora. Às vezes saio para ver shows de rock e a Vivi fica com a Flora e o Airto. Depois escrevo com mais calma. Recebemos cartinhas da Mariana e das amigas da Vivi aí do Rio de Janeiro. Um beijo grande para vocês, meus pais queridos. Amor da Kika e da Vivi.

A estadia da Vivian comigo em Santa Bárbara foi maravilhosa, ela já falava inglês quase fluentemente e tê-la por perto era uma benção na minha vida. Porém, Flora e Airto precisavam que eu viajasse com eles para atuar diretamente no dia a dia dos espetáculos. Eu não podia deixar a minha filha sozinha e seria impossível contratar uma babá, que praticamente custava o salário que eu ganhava. Depois de um ano, decidi trazer a Vivi de volta para o Rio e depois passar um período em Nova York para estreitar ainda mais o relacionamento com o casal Clive Stevens e Cristina Ruiz (a jornalista brasileira que eu havia conhecido quando estive lá com o Raul, em fevereiro de 1984, na tentativa de lançar o disco Gita em inglês). Em todos os anos após nossa separação, nunca deixei de ter contato com o Raul, dar notícias de nossa filha Vivi, procurar manter um relacionamento o mais saudável possível entre os membros de suas "três famílias", e até incentivá-lo na sua carreira, da forma que me fosse possível. Ele também telefonava sempre (como ligou no aniversário da Vivi), para conversarmos e trocarmos ideias. Este cartão que lhe mandei no dia 1º de maio de 1987, de Santa Bárbara, fala disso tudo:

Santa Bárbara, Califórnia, 1º de maio de 1987
Raul querido,

Vivian picked up this card for you!! Ela que escolheu o mais bonito. Temos tentado te telefonar sempre, mas você nunca está e a última vez uma pessoa disse que estavas viajando. Queria te dar

notícias nossas! Antes de viajarmos comprei seu último disco, e cantamos sempre Baby, Baby. Penso muito em você aqui nos States. A gente deve ficar mais um pouco aqui. Aqui na Califórnia é o máximo, gosto mais que N.York!! Estive em N.York um dia desses; Flora Purin viaja os States todos, e nós com ela. Boa oportunidade, não? Vivian vai conhecer a Disneylândia no aniversário dela, 28 de maio!! Scarlet e Gloria nos escreveram. Será que as 3 irmãs vão se encontrar? Nosso adress: 2503 Medcliff Road – Santa Bárbara – 93109 – CA – USA
Te amo – Kika

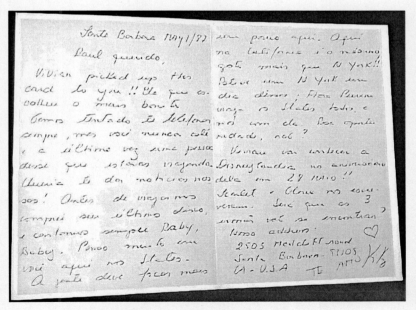

Cartão de Kika para Raul, 1º de maio de 1987,
de Santa Bárbara, na Califórnia.

Carta de Kika para Raul, de Santa Bárbara, CA, em 14 de novembro de 1987

Santa Bárbara, november 14/87
Hoje é domingo, missa e praia, céu de anil..." Aqui na Califórnia tem cada sol demais. Pensei em você olhando o pôr do sol. Coloquei o "Gita" a mil no meu headphone e mandei muito amor e força para você!! Cheguei a te ligar, falei com Helena, estou esperando sua telefonema nos próximos dias em Los Angeles (818) 9018603 ou Sta Bárbara (805) 9632660. O último mês fiquei todo em Los Angeles. O máximo. Estive em algumas gravadoras, tipo A&M Records, Gaffen Records, gravadoras de rock!! Tenho pensado em me mudar para L.A. Lá tem mais action and rock'n'roll!! Flora e Airto são pessoas lindas, e o som deles é correto, jazzístico, mas você sabe: "Eu sou do rock".
Eu tenho estado com editores de músicas importantes e pensei em trabalhar nas suas músicas aqui nos States!! Se você me permitir. Estou com material do Luis Melodia também, e nas semanas que entram estarei em Los Angeles, fazendo esses contatos. Posso tentar colocar suas músicas no mercado americano. Algo parecido com o que a gente tinha começado a fazer com Mr Robinson em NY!! Só que desta vez quero ir até o fim. For Raul Seixas sake and Vivi's sake, I want IMV Music all over the world, if God gives me the strenght

to carry on!! (I think he wants me too, 'cause I feel so secure and Strong. Deixa eu representar você, suas músicas aqui?!? Tudo passa por intermédio da Intersong, sua editora internacional; tudo legal e com autorização sua, de seu advogado; eu sou sua intermediária. Quando você me ligar, conversaremos sobre isso, quando você me ligar.

Sabe o que aconteceu agora? Acabei de assistir na TV, a um show com simplesmente: BB King, Eric Clapton, Ringo Starr, Elton John, Phil Collins, George Harrison, pensei que ia morrer de emoção quando cantaram "Here comes the sun", "I want somebody to love" (with a little help from my friends...). Ringo e George Playing togheter. Todos quarentões, tão cool! Quando Elton John apresentou: "Sem eles nós não estaríamos aqui, não teríamos começado. Com vocês: George Harrison and Ringo Starr" (cantando desafinados e tudo!) Chorei. Por todos nós; pelo trabalho lindo de todos os cantores e compositores do mundo, pelo sofrimento da Yoko, pela emoção do meu amor por você, com saudades do John, você e eu... Meu marido mais amado do mundo. Depois de você, só você, "my one and only one" (a Helena que me dê licença, for love's sake!!).

Estou procurando o LP do Elvis tocando piano!! É difícil de achar, só em lojas especializadas. Quando estiver em L.A. procuro na Tower Records; é que nem a Colony Records de New York, lembra-se??

Tenho falado com Gloria e Scarlet. Gloria me está mandando uma demo tape dela cantando!!! Morro de saudades de Vivi. O coração se arrebenta de saudades. Tenho até março para segurar. Se tudo der certo, ela volta para cá ou eu volto para o Brasil em março. Sem minha filha, minha vida não tem sentido.

Essas fotos tirei em agosto, quando Vivi ainda estava comigo. Engordei tanto aqui nos States. Agora já emagreci bastante. Continuo branquela. Não é muito minha cara ir à praia, etc, etc.

Bom, meu querido, hoje já é segunda feira e dia de trabalhar. Estou ansiosa por seu telefonema.

Te amo

Sua Kika

Foto Fernando Amorim /Acervo Jornal Correio

Sepultamento de Raul Seixas - Salvador, 22 de agosto de 1989

CAPÍTULO VII

O INVENTÁRIO DE
UMA VIDA E A MORTE
DE RAUL SEIXAS

Se hoje eu sou estrela,
amanhã já se apagou
Se hoje eu te odeio,
amanhã lhe tenho amor,
lhe tenho amor,
lhe tenho horror,
lhe faço amor,
eu sou um ator.

Raul Seixas, *Metamorfose Ambulante*

RAUL SEIXAS: LISTA DAS TENTATIVAS DE CONTROLAR SITUAÇÕES

"Vila Serena" é o nome de uma rede de centros de tratamento para dependência química que tem filiais em muitas cidades do Brasil. Enquanto eu estava na Califórnia em 1987, Raul continuava com suas tentativas de reabilitação e seus depoimentos escritos nessas clínicas, como parte do processo de tratamento, mostram como se tornava menos revoltado, mais lúcido e ao mesmo tempo tomado de profundos remorsos, sem a influência aguda do álcool e do éter. Além da Vila Serena, ele passou pelas Bezerra de Menezes, Tobias, Jabaquara e Alphaville. Felizmente os textos a seguir foram preservados:

Se eu não controlei o álcool, como poderia, embriagado por ele, controlar uma série de situações e pessoas? Tentei, por exemplo, controlar a venda dos meus discos me cercando de um cuidadoso contrato feito por um advogado de direitos autorais, mas as gravadoras sempre roubam a maior parte do real vendido. Somente através de espionagem poderia provar que eu não vendi 200 mil discos e sim 500 mil. Mas o fato é que até hoje a coisa ficou por isso mesmo, não consegui o controle real.

Tentei como bêbado desorganizado em casa

239

impor ordem e disciplina, desde a exatidão da lista de compras para a cozinha à educação e horários rígidos para as crianças (quando eu acordava de madrugada para esperar a padaria abrir). Claro que esse controle era ridículo. O controle dos cheques sempre foi meu maior desafio. A última vez que tive um talão na mão, apesar do esforço para o controle, mais uma vez me escapou. Dei um cheque numa padaria quando minha conta já havia encerrado. Resultado: eu não posso, por um bom tempo, ter talão de cheques do meu banco. Outra vez eu assinei um cheque de Lena. O talão era dela, tinha o nome dela e eu assinei e passei. Depois me devolveram o cheque.

Tentei controlar minha vida afinal e jamais obtive êxito. Resultado é que quando eu quero dinheiro tenho que pedir à Lena. Ela me dá somente o necessário para que eu não gaste tudo na primeira loja que eu passar.

Vila Serena – São Paulo, 3 de agosto de 1987

Vergonhas alcoólicas

Eu jamais poderia mostrar ao mundo circundante atitudes e episódios tão chocantes e alarmantes sabendo da delicadeza do meu trabalho como um cantor e compositor de nome. Para ser objetivo, várias foram as minhas 'vergonhas alcoólicas':

Em todas as excursões que fiz através do Brasil junto com meu conjunto e empresários, devido a sempre ser bem-sucedido nas apresentações, voltava na euforia da vitória e isso era, por certo, um bom motivo para beber. Ainda no palco, cantando, não via a hora de terminar meus 45 minutos para 'comemorar' no hotel com algumas fãs e colegas de trabalho. E era uma conversalhada danada, e como era de se esperar, entre fileiras e mais fileiras, entre esvaziar a geladeira e mandar o hotel repor as bebidas, eu atendia às expectativas dos fãs e de todo mundo, sendo como sempre o centro das atenções. Após a festa acabar e todos irem embora eu continuava bebendo e cheirando, sabendo que, pela manhã tinha que pegar o avião e ir para outro estado para outro show à noite. Bebia sozinho ou com alguém até o ponto de chegar a quebrar o hotel. Quebrava os espelhos da sala, cama, quebrava tudo e no outro dia a cidade que eu deixava estava com a notícia noticiando a minha façanha.

Uma outra vez, na cidade de Caieiras, no interior de São Paulo, estava tão bêbado que o público achou que não era eu que estava ali, pois eu esquecia as letras de minhas próprias músicas; era uma sequência de 'brancos' no palco. O público começou a ficar irritado e a gritar: 'fora, farsante'. Ainda por cima tive a audácia de me sentir indignado com a reação da plateia, vociferando para eles. Mandei chamar a polícia para me proteger de um linchamento. A polícia veio e me prendeu. Fui espancado pois não conseguia sequer provar minha identidade ante o delegado. Nunca andei com documentos, confiava no nome e esqueci de me lembrar de não confiar no álcool. Outra feita não compareci a um grande show na casa de espetáculos Adrenalina, onde o público quebrou a casa inteira, inclusive a aparelhagem de som, dando um prejuízo enorme e também pessoas foram pisoteadas e gravemente feridas. Utilizei uma menina de onze anos, filha de Lena, para comprar éter na farmácia, pois já não vendiam para mim.

Meu irmão, quatro anos mais novo do que eu, veio da Bahia para o Rio me visitar sabendo do meu problema. Eu sempre fui seu herói e professor, ele sempre me respeitou. Se hospedou lá em casa e me convidou para jantar fora. Minha exesposa não podia ir pois tinha algo a fazer. Como eu não podia beber em sua frente, no restaurante, e a compulsão aumentava insuportavelmente, eu fui ao balcão e segredei ao barman para botar uma dose dupla de vodca na pia do banheiro. Sentei e conversei nervosamente com meu irmão dando tempo necessário para a trama. Pedi licença para ir ao banheiro, andei rápido, abri a porta e... o copo estava servido lá. Mas, no momento que *pus as mãos em torno do copo, uma outra mão por detrás segurou a minha e tomou a bebida. Eu não ofereci resistência e a bebida foi despejada na pia. Era meu irmão, sério e determinado, que me olhava fazendo-me esboçar um sorriso tímido e amarelo, bem infantil. Nunca me senti tão mal; foi uma experiência terrível.*

Em 1974, abandonei minha primeira esposa e filha no meu primeiro apartamento, que comprei com esforço pela Caixa Econômica Federal. Abandonei as duas sem nenhum aviso, indo então para uma temporada em Brasília levando comigo a irmã do meu guitarrista americano. Seu nome era Gloria, que visitava o Brasil. Minha futura e segunda esposa. Minha família é que deu apoio moral e financeiro à Edith e à Simone, em Salvador; esta minha filha sou proibido de ver faz onze anos.

Fui internado por minha quarta esposa, mãe carioca da minha filha mais moça, pelo menos umas dez vezes. Enfermeiros fortes invadiam a minha casa no Brooklin e me jogavam na ambulância, sob os olhos de todos os vizinhos, e me levavam para hospitais psiquiátricos.

Devia dinheiro em tantos bares da redondeza que para achar um novo tinha que dar voltas homéricas para escapar de ser visto. Às vezes minha música estava tocando numa padaria que não queria me servir, mas por causa da minha

música que tocava na rádio era eu servido pelo cara que por certo achava que eu tinha alguma importância. Eu salvo pelo gongo. Ali naquele momento, com pose de artista, eu aproveitava e bebia enquanto o cara achava que eu era o Raul Seixas e não um bêbado.
Vila Serena – São Paulo, 31 de setembro de 1987

Raul Flashback
Aos 43 anos de idade tudo mudou para mim. Não faço nada com vontade; não tenho vontade de tocar, de escrever, só quero dormir, só sonhando sou mais feliz. Vivo só. Muito só – 1988

Este mesmo arrependimento e fragilidade ele mostra nesta cartinha para mim:

Desculpe – Quando eu estou 'down', bem mesmo 'yin'. Quando eu não sei o que estou fazendo. Me desculpa, me desculpe Kika. Enquanto tudo o que eu tinha que fazer era gritar por seu nome. Tudo o que eu tinha que fazer era só chamar seu nome. Quando eu te firo e te faço sofrer. Amor, juro que não vou mais fazer outra vez.
Oh! Me desculpe, amor. Por favor, me desculpe, Kika. É que é duro mesmo você sentir a sua própria dor. Tudo o que eu sei é somente o que você me diz. Tudo o que eu sei é só o que você me mostra.

Quando eu estou 'down', tipo 'sampaku'[24] e eu não sei o que fazer... me desculpe, amor, me desculpe, Kika. E tudo que eu tinha que fazer era chamar seu nome. Só o que deveria fazer era gritar seu nome. Desculpe, amor. Love you.

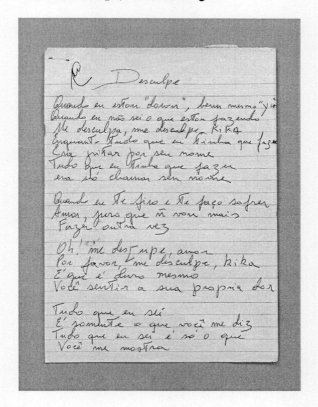

---

[24] Sampaku – termo japonês que significa "três partes expostas" e se refere ao "olhar de peixe morto", quando a pessoa expõe a parte branca do olho abaixo da íris. Como diagnóstico na medicina alternativa, significa que a pessoa está muito debilitada ou com péssima saúde. O termo se tornou popular com a divulgação da macrobiótica (de George Osawa) a partir dos anos 1960, dieta que foi muito popular entre os alternativos nos anos 1970 e 1980.

Às três horas da manhã,
numa cidade tão estranha,
Um palhaço teve a manha
de um banquete apresentar
E era um latão de lixo,
transbordando Nova York,
catchup e caviar

Raul Seixas e Marcelo Nova,
Banquete de Lixo.

New York, New York – 1987-1988

Eu tinha convicção de que minha ida para os Estados Unidos iria ser boa para minha carreira e iria me abrir portas também no Brasil, porque nosso país era *o país do futuro*, mas os Estados Unidos eram a *terra das oportunidades*. Em Nova York existe um ditado muito interessante, que diz "New York, New York, so good they named twice!" ("Nova York, Nova York, tão boa que lhe deram o nome duas vezes", porque a cidade tem o mesmo nome do estado). Entusiasmada pelas novas possibilidades, fui recebida pelos amigos Cristina Ruiz e Clive Stevens, em *Lower East Side* – o lugar mais alternativo e barato, mas também onde ficava a efervescente cena cultural da cidade, galerias de arte, gente cantando pelas ruas, braço da *Geração Beat*. Fiquei hospedada na casa deles.

Raul nunca saía da minha cabeça e eu sempre procurava ajudá-lo.[25] Sugeri então que Clive fizesse a versão para o inglês das músicas do LP *Metrô Linha 743*, do qual ele havia participado, como músico, três anos antes, no Brasil, em 1984. Vivendo com Cristina há cinco

---

[25] Em agosto de 2008, eu e Vivian enviamos uma solicitação ao Rock and Roll Hall of Fame, em Cleveland, Ohio, EUA, solicitando a inclusão do nome de Raul Seixas. O pedido foi endossado pelo então presidente internacional da gravadora Warner, André Midani, do também presidente da gravadora Universal, José Antônio Eboli, e por Caetano Veloso, entre outros. O curador Craig Inciardi recusou e respondeu que não havia "categoria para cantores latinos", apesar da apresentação impecável, em inglês, de Sérgio "Vid" Vidal (vocalista do Sangue da Cidade e advogado).

anos, ele conhecia alguma coisa de português, mas não o suficiente para ter fluência e entender as nuanças, ironias e regionalismos das letras do Raul. Mas, com meu apoio, tinha certeza que ele poderia fazer um trabalho brilhante. Um outro fator positivo– além da amizade – era a grande admiração que ele tinha pelo artista Raul Seixas. Com isso, ele fez as versões, com algumas sugestões minhas. O título do disco ficou sendo *Subway Line 743*. Foi planejado com doze músicas, seis de cada lado, com esta distribuição:

> Lado A: *How Could I Know?* (Como eu Poderia Saber?); *But I Love You* (Mas I Love You); *The Reluctant Messiah* (Messias Indeciso); *My Piano* (Meu Piano); *Generation of Light* (Geração da Luz) e *Orange Juice* (S.O.S.).
> Lado B: *Subway Line 743* (Metrô Linha 743); *Morning Train* (O Trem Das Sete); *Oh, Mommy, I Didn't Want To!* (Mamãe Eu Não Queria); *I Am An Egoist* (Eu Sou Egoísta); *I Am* (Gita) e *The Adventures of a Hillbilly In The Valley of Shadows* (As Aventuras de Raul Seixas na Cidade de Thor).

Vamos ver como ficaram alguns trechos de algumas delas:

But I Love You (do original *Mas I Love You*, de Raul e Rick Ferreira) começava mantendo quase integralmente o texto original: "What do you want, That I stop everything, you'll just have to ask me. A soldier, a banker, even chauffeur, I could be anything! Tell me what you want, and even what you don't want, I'll give up what I am, to save my last love" ("O que é que você quer, eu paro com tudo, você só tem que me pedir. Soldado, banqueiro e até mesmo chofer, eu posso ser qualquer coisa! Diga-me o que você quer, e até mesmo o que você não quer, eu vou desistir do que eu sou, para salvar meu único amor").

Na *The Reluctant Messiah* (*O Messias Indeciso*, do Raul comigo), o Messias responde à pergunta crucial feita pelo povo: "And while he was hard at work, toiling at his chosen task, The crowd gathered around him asking: 'What is the secret of life?' He answered in very simple words – 'Destiny is what each one do, create what you feel in your heart like the mind of the chosen few.'" ("E enquanto ele estava trabalhando, pelejando na sua tarefa escolhida, a multidão se aglomerava à sua volta perguntando: 'Qual o segredo da vida?'. Ele respondeu de forma muito simples: 'Destino é o que cada um faz, crie o que você sente no teu coração, como na alma dos poucos escolhidos'").

Generation of Light (*Geração da Luz*, também do Raul comigo) é uma das que eu mais gosto, por ser uma mensagem de esperança, que dizia: "Be careful when false prophets tell you lies, saying that our sun is going to die, even if it seems there's no more place to hide, you still have the time, you still have the time to climb inside your ship and cross the barrier of light!!!" ("Tome cuidado com as mentiras dos falsos profetas, que dizem que o nosso sol está morrendo, e mesmo que pareça que não há mais onde se esconder, você ainda tem tempo, você ainda tem tempo para pular dentro da nave e cruzar a barreira da luz"). Curioso é que a versão original em português dizia "vocês ainda têm a velocidade da luz pra alcançar", mas aqui ele resolveu ultrapassar até a barreira da luz, que é a maior velocidade existente no Universo, de 300 mil quilômetros por segundo!

Acredito que a que mais deu trabalho tenha sido a música título do álbum, *Subway Line 743* (*Metrô Linha 743*, feita só pelo Raul), devido à linguagem subjetiva e simbólica, cheia de referências ao ambiente sombrio do Brasil sob o Governo Militar. Começou assim: "He was walking in the street kind of in a hurry, and he knew he was beeing watched, and I went to him and said: 'Hey my friend, can you loan me a cigarette?' He said: 'Yeah but go smoke it on the other side of the street, cause two men smoking togheter might be very risky.'He also said:'The most expensive plate at the finest banquet is the one they eat the head of people that think, because we thinkers are dangerous together, I'm sorry about my haste, pretending I'm late, I work for the government but really I'm a writer, I lost my pen, don't even know what month will be, Subway Line 743!". ("Ele estava caminhando pela rua meio apressado e sabia que estava sendo vigiado. Aí eu cheguei pra ele e disse: 'Hey, amigo, você pode me ceder um cigarro?' Ele disse: 'Sim, mas vamos fumar do outro lado da rua, porque dois homens fumando juntos pode ser muito arriscado'. Ele também disse: 'O prato mais caro do melhor banquete é aquele em que eles comem cabeça de gente que pensa, porque nós que pensamos somos perigosos juntos. Sinto muito pela minha pressa, eu trabalho para o governo, mas na verdade eu sou escritor, perdi minha pena, nem sei qual foi o mês, Metrô Linha 743!").

Hey, Mommy, I Didn't Want To... (*Mamãe Eu Não Queria...* feita somente pelo Raul), foi certamente inspirada em *I Don't Wanna Be a Soldier, Mama* (*Eu Não Quero Ser um Soldado, Mamãe*, de John Lennon, lançada em 1971, no LP *Imagine*). E diz, entre outras coisas: "Oh, mommy, I didn't mant go to the army! I don't want to salute anybody, not for captains, lieutenants or sergeants, don't want to be a sentry, mommy, just like a dog barking at the gate, no, no, no!" (Oh, mamãe, eu não quero ir para o exército! Eu não quero ficar saudando ninguém, nem capitães, tenentes ou sargentos, não quero ser sentinela, mamãe, exatamente como um cachorro latindo no portão, não, não, não!).

Como Raul havia incluído neste álbum *I Am An Egoist* (*Eu Sou Egoísta*, do disco *Novo Aeon*, de 1975, de Raul em parceria com Marcelo Ramos Motta), começamos escrevendo: "If you think your a luckless person, if you worry about sickness and death, if you fear hell's flame and the endless game of God and Evil... I am a star in the abyss of space, and what I want is what I think and what I do, where I'm going, there is no deity, I go quickly passing through infinity my flaming rock, my shout, my sword is my guitar in my hand". ("Se você pensa que é uma pessoa sem sorte, está preocupado com a doença e a morte, se você teme o fogo do inferno e o interminável jogo entre Deus e o Diabo... Eu sou uma estrela no abismo do espaço, o que eu quero é o que eu penso e o que eu faço, para onde eu estou indo não existem divindades. Eu vou velozmente levando meu rock flamejante através do infinito, meu grito, minha espada é a guitarra na mão!").

trazer a Vivi para ficar comigo nos Estados Unidos. Ela já estava com quase sete aninhos e veio sozinha de avião! Meus pais tomaram as medidas legais junto à companhia aérea. Lembro-me perfeitamente dela caminhando no corredor de saída do aeroporto JFK (John F. Kennedy, no bairro Queens, o mais movimentado em voos internacionais dos EUA), com os olhinhos ansiosos procurando me encontrar, mas ao mesmo tempo muito corajosa (puxou a mãe)! Foi um dos abraços mais maravilhosos, que me emociona até hoje, ter minha filha de novo comigo!

Comecei a procurar apartamento, pois o ano letivo por lá começa em julho. Teríamos um bom tempo para fazer isso. E mais uma vez fui ajudada por anjos amigos! A Cristina havia me apresentado uma fotógrafa chamada Cláudia Thompson, que nos hospedou por algum tempo. Ela era uma profissional muito importante da cena cultural daquela época, principalmente do rock'n'roll, uma pessoa superquerida e com quem me dou bem até hoje! Claudinha começou a fotografar profissionalmente em 1984, fazendo um ensaio com Caetano Veloso, que foi parar no jornal alternativo *Village Voice*, um ícone da comunidade criativa novaiorquina. Depois dessa oportunidade, ela fez trabalhos com Prince, U2, Miles Davis, Tina Turner, Lou Reed e João Gilberto, entre outros. Algumas de suas fotos foram publicadas no *New York Times, Revista Rolling Stones* e na *Veja* brasileira (enfim, mais uma vez eu estava com as pessoas certas, na hora certa, no lugar certo). Um caso do qual nunca me esqueci, que mostra nossa afinidade e o quanto ela era generosa, foi quando a Vivi, nas nossas andanças procurando lugar para morar, encontrou um gatinho abandonado na rua, levou-o para casa e Cláudia concordou com a adoção!

Durante cerca de quatro semanas nós andamos muuuito pela cidade! Vivi fazia o possível para me acompanhar o tempo todo, de mãos dadas. Às vezes chegávamos de um longo dia de caminhadas e eu percebia bolhas nos seus pezinhos. Mas ela não reclamava! Apesar de ter apenas sete anos, era uma companheira incrível!

Finalmente, através de uma outra amiga querida, Sônia Thomé, que trabalhava no consulado do Brasil em Nova York, nós conseguimos um apartamento em *Uptown* (uma região mais cara, mas com uma vizinhança muito mais tranquila), no endereço 1570, 2nd Avenue, 6th floor, East Side (2ª Avenida, 1570, 6º andar, lado leste, perto do Rio Hudson), que pertencia a uma conhecida dela, com a condição de que pagássemos dois meses de aluguel adiantados como caução. Por sorte encontramos um colégio a duas quadras de distância, que a Vivian passou a frequentar. Naquela época, nos Estados Unidos, o colégio não exigia nada mais além do que a certidão de nascimento para matricular a criança, pois o mais importante para os americanos era que elas estudassem, se educassem, independentemente de quem fossem ou de onde viessem.

Depois de termos um lugar para morar, eu precisava conseguir outro emprego. Por indicação da Cristina Ruiz arranjei um trabalho de consultora de turismo na empresa *BACC (The Brazilian American Cultural Center)*, onde fiquei poucos meses porque exigiam o período integral, até às 17h, e eu tinha que pegar a Vivi no colégio às 15h! Então fui para a *CLC (Communication Leisure and Culture)*, trabalhar no setor de projetos especiais. Após alguns meses, na carta de recomendações que recebi e guardo até hoje, estava escrito: "Em todas as ocasiões Angela teve um desempenho exemplar, demonstrando entusiasmo e determinação. Vale citar que sua readmissão poderá ser feita quando desejada".

Vivi também trabalhou pela primeira vez na sua vida, fazendo parte do coro infantil na gravação da música *Cantei Oba*, do percussionista Naná Vasconcelos[26], no disco *Rain Dance*, gravado em 1988 e lançado em 1989 pela gravadora *Island Records (USA)*. Minha amiga e fotógrafa Eleonora Alberto registrou o momento nesta foto descontraída. Pela sua performance cantando

---

[26] Naná Vasconcelos – percussionista brasileiro (nasceu em 1944 e faleceu em 2016, em Recife, PE) eleito oito vezes o melhor do mundo pela revista americana *Down Beat* e ganhador de oito prêmios Grammy (sendo o brasileiro com o maior número dessa premiação). Era considerado uma autoridade mundial em percussão.

e dançando de sapatinho branco, Vivi ganhou cem dólares (e salvou o orçamento da semana!).

Mesmo estando ocupada, eu sempre encontrava um tempinho para curtir a Big Apple. Assisti, entre vários outros espetáculos, Frank Zappa no *Beacon Theater* (um dos melhores shows que já vi na minha vida). No grupo de amigos brasileiros reencontrei um que estava vivendo em Nova York há alguns anos. Além de excelente violonista, era muito bonito e fazia sexo maravilhosamente bem. Foi ele que me abriu de vez as portas do paraíso naquela cidade, me apresentando a *Senhora Heroína,* que é a melhor e mais perigosa de todas as drogas. Ainda bem que, apesar de ter experimentado todas elas, nunca criei dependência de nenhuma.

Arquivo Pessoal

Vivi ao centro, gravando com Naná Vasconcelos — NY, 1988.

Eu perdi o meu medo, o meu medo, o meu medo da chuva, Pois a chuva voltando pra terra traz coisas do ar...

Raul Seixas e Paulo Coelho, *Medo da Chuva*

A HORA DO ADEUS: O ÚLTIMO ENCONTRO COM RAUL SEIXAS, EM MEADOS DE 1989

No início de fevereiro de 1989 recebi de Raul a carta a seguir. O tom de arrependimento e o subentendido pedido de perdão me comoveram muito, mas eu não tinha mais esperanças de voltar a viver com ele.

São Paulo, 27 de janeiro de 1989
(postada no correio dia 31 de janeiro 1989)
Minha querida Kika,

Mais do que ninguém você sabe o quanto o destino tem me castigado. Felizmente estou em ótima fase de vida, trabalhando com muito entusiasmo e me preparando para um futuro que almejo. Nunca esqueci vocês, mesmo nos maus momentos, e hoje mais do que nunca lhe desejo. Confesso: chorei de saudades suas hoje ao ouvir as fitas de Elvis que você me mandou. A minha solidão ultimamente tem sido dolorosa, mas que jeito? Você está longe! Eu desejava estar com você e nossa filha. Estou me preparando para gravar um LP para WEA em fevereiro, logo após o carnaval. Assim que terminar esse trabalho irei até aí. Quem sabe se não voltarei com vocês? Isso é tudo que desejo. Sinto sua falta, sua companhia, seus carinhos. Desde setembro

deixei Lena. Estou sozinho. Não esqueço de você.
Vamos envelhecer juntos. Não me negue esse en-
canto de vida.

Quando eu chegar aí você verá a minha trans-
formação. Cansei daquela vida artificial e mi-
serável de drogas e álcool. Estou otimista com
meu futuro e vocês estão incluídas nele. Acredite
que não foi impensadamente que tomei a deci-
são de assumir vocês. Pensei muito e cheguei à
conclusão de que é o que quero. Eu te amo mui-
to. Perdoe-me as loucuras que fiz. Estou plena-
mente consciente das minhas responsabilida-
des para com vocês. Acredito que você ainda me
ama. Estou me cuidando, quero dizer, cuidando
da minha saúde. Agora mesmo, no dia 25 deste
mês, me submeti a uma cirurgia dentária para
melhorar o visual. Estou fazendo shows com
um amigo todas as semanas, você não imagi-
na o sucesso da minha volta! Os convites estão
chovendo a rodo, mas eu estou entrando de leve.
Acho que depois de tanto sofrimento e experiên-
cias de vida, já estou preparado para suportar o
grande (peso do) sucesso.

Pensei muito antes de lhe escrever; sei que será
difícil para você tomar uma decisão depois de
tudo que aconteceu. Vamos tentar outra vez,
acredito que o destino nos unirá novamente.

Dr. Lélio está aplicando quase tudo que ganho
para garantir um bom futuro para nós. Espero

breve poder comprar um apartamento para nós.

Talvez espere para você escolher comigo.

Tudo de bom para vocês.

Com amor

Raul

Independentemente da carta do Raul, eu estava decidida a voltar para o Brasil, porque mais uma vez constatei que sozinha não seria capaz de trabalhar e cuidar da minha filha nos Estados Unidos. Meu último compromisso em Nova York foi no início de 1989, trabalhando na equipe de produção (nos camarins dos músicos) da cantora Maria Bethânia, no show que ela apresentou no *Avery Fisher Hall* (teatro do *Lincoln Center*, com 2.740 lugares). Pouco tempo depois, nós embarcamos de volta para o porto seguro da casa dos meus pais. Logo nas primeiras semanas no Rio reencontrei o primeiro namorado de minha vida, João Paranaguá. A retomada da nossa relação aconteceu de forma muito natural. Agora mais maduros, nossa relação tinha um companheirismo e leveza que eu precisava muito naquele momento. Serei eternamente grata por ele ter me ajudado a criar minha filha Vivian com tanto carinho e dedicação.

Eu continuava falando com Raul por telefone e por carta, até que um dia ele nos convidou para visitá-lo em São Paulo. Fomos João Paranaguá, Vivi e eu, de ônibus. Chegamos em São Paulo pela manhã e João nos deixou no apart-hotel do Edifício Aliança, onde o Raul morava. Perto da hora do almoço Raul sugeriu que a gente fosse conhecer o Marcelo Nova e sua esposa Inêz. Estava eufórico e orgulhoso por nos apresentar ao casal.

E no caminho nos contou que eles estavam fazendo o próximo disco juntos e que o Marcelo era o responsável pelos contatos com a Warner e as negociações iam bem (pensei com meus botões que teria que ser mesmo outra pessoa, porque ele tinha saído brigado da Warner, inclusive com o diretor André Midani, em 1979, quando o conheci. E no nosso primeiro disco, *Abre-te Sésamo*, na música *Conversa Pra Boi Dormir*, tinha feito aquele desaforo com o ex-chefe, gravando "André *Sidani* só faz confusão, sonhei com ele e mijei no colchão!" No final de tudo, o Marcelo conseguiu superar toda essa pendenga de dez anos e fechar contrato com a WEA).

Raul explicou ainda que o novo parceiro já tinha a banda Camisa de Vênus e que era superfã do seu trabalho desde os tempos dos Panteras, na Bahia. E falou com grande entusiasmo dos shows que estavam fazendo, sempre lotados, e que esse trabalho estava dando uma renovada na carreira dele, depois de tanto tempo parado. Como sempre fazia com seus amigos, ele o apelidou de "Marceleza". E foi com essa introdução que eu fiquei conhecendo os dois novos membros da nossa *família*, Marcelo e Inêz Nova, que são nossos amigos até hoje! Marcelo é uma figura espetacular, um *gentleman*, e eu brinco que ele é "tio" da Vivi, de tanta afinidade que a gente tem! Nosso almoço foi num restaurante de um shopping de São Paulo, com o Raul muito envaidecido no papel de pai, dando-lhe até uma pequena repreensão quando ela fez uma leve má-criação. Desde esse dia eu sempre adorei trabalhar com o Marcelo, que também já fez vários shows com a Vivi pelo Brasil.

O estado de saúde do Raul me deixou muito preocupada. Contrastava violentamente com o quadro de recuperação e otimismo que ele havia pintado na sua última carta! O aspecto físico, sua dificuldade para se mover, seu caminhar cambaleante... Dava pra perceber que todo o seu entusiasmo vinha, acima de tudo, da presença do Marcelo Nova em sua vida. Fui mapeando sua situação e fiquei um pouco mais tranquila quando constatei que ele tinha, próximos, a empregada Dalva Borges, que cuidava dele, e o Miguel Cidras (seu velho amigo e maestro), que morava no andar de cima do mesmo apart-hotel, pronto para qualquer emergência. Além deles, alguns amigos continuavam por perto, como Sylvio Passos, José Roberto Abrahão e, claro, Marcelo Nova, que já estava fazendo com ele o trabalho que seria seu canto do cisne, o disco *A Panela do Diabo*. Marcelo o estimulava constantemente e ainda o protegia do assédio de pessoas que poderiam perturbá-lo ou sugar suas poucas energias.

Poucos anos mais tarde fiquei sabendo que o Toninho Buda, que me ajudou a contar neste livro minha história com Raul, também era um dos amigos que iam visitá-lo nos fins de semana e feriados (pois nos dias de semana trabalhava como engenheiro na Mendes Júnior de São Paulo). Uma de suas histórias, que eu gosto de contar, aconteceu numa visita que ele fez na terça-feira, feriado de 15 de novembro de 1988, data das eleições municipais na cidade. Os dois ficaram na sala, sentados, assistindo às comemorações da vitória da Luiza Erundina, do PT, sobre

Paulo Maluf. Como sempre, Raul ficava o tempo todo apático, olhando tristemente para a tela. De repente começou a bocejar e Toninho já sabia que era a senha para ele cair fora! Levantou-se e disse:

— Bem, Raul, tá na hora, vou embora, tenho que pegar no serviço amanhã cedinho, às sete!

Levantou-se e quando abriu a porta e ia se despedir, por coincidência ouviu a campainha avisando da chegada do elevador. Correu alguns metros para segurar a outra porta, enquanto o Raul gritava lá de trás:

— Toninho, toma um presente pra você!

E jogou um pacote amarelo, que ele apanhou no ar. Olhou e viu escrito "Varig", sem entender absolutamente nada! Olhou novamente para o Raul, tentando obter uma explicação, mas ele já estava fechando a porta do apartamento, dizendo com ar preocupado e indicador levantado:

— É pra você se proteger aí na rua! São Paulo está ficando cada vez mais perigosa!

E sumiu! Toninho entrou no elevador, apertou o térreo e enquanto descia leu com mais cuidado os dizeres do estranho objeto de nylon envolvido em plástico transparente: "Varig — colete salva-vidas — use em caso de emergência"!

Isso era a cara do Raul! Estava triste, caladão e de repente surgia com uma presepada! E aqui estávamos nós, poucos meses depois, no início de 1989, no mesmo apartamento. Passado algum tempo, Raul sugeriu que fôssemos à padaria fazer um lanche e logo pediu uma cerveja. Vivi, percebendo o verdadeiro estado do pai, começou a chorar e pedir para que ele parasse. Sabe aquela sensação de já ter visto aquilo antes e ter estado naquela situação infinitas vezes?

Quando veio a noite a legião de fantasmas se apresentou completa. Enquanto Vivian dormia no sofá da sala, nós fomos para o único quarto do apartamento, onde ele percebeu que nossas relações íntimas seriam impossíveis e eu lhe contei – com a clareza e firmeza que tínhamos apreendido ao longo dos anos – sobre o meu reencontro com o João, que estava me aguardando para voltarmos para o Rio. Consegui dormir quase em paz.

Pela última vez, implorei a ele que nosso café da manhã com a Vivi não tivesse álcool. Fui para a cozinha preparar a mesa e depois tentamos todos sorrir, disfarçando as lágrimas. Quando o porteiro avisou que João Paranaguá havia chegado para nos buscar, Raul desceu conosco, recebeu-o cordialmente e conversamos por pouco tempo. Não havia muito mais o que dizer. Ao abrir a porta do táxi que nos levaria à rodoviária, Raul virou-se para o João e pediu:

– Cuida da minha mulher e da minha filha!

De volta ao Rio, andando na rua com meu pai, encontramos um velho amigo dele que era diretor da APLA (Associação Petroquímica Latino-Americana). Na conversa, esse amigo me perguntou o que eu andava fazendo e expliquei que era produtora de shows, tinha trabalhado com diversos artistas no exterior, havia acabado de chegar ao Brasil e estava buscando trabalho. Ele disse que estava exatamente precisando de uma produtora, porque eles fariam uma convenção no próximo ano (1990), no Hotel Intercontinental, estavam pensando em ter um artista de renome para abrilhantar o encontro e perguntou se eu poderia providenciar isso. Eu disse: claro! Contratei a Fafá de Belém e foi um sucesso. No outro ano (1991), além de fazer toda a produção do evento, coloquei como estrela o Toquinho. E na festa de final de ano de 1992 convidei o MPB-4.

No início de 1990, o João Paranaguá me apresentou uma banda recém-formada por ex-integrantes da famosa A Cor do Som, com um cantor vindo dos Estados Unidos, chamado Lui Rocher, Gustavo Schroeter na bateria e os irmãos Maurício (Mu) e Dadi Carvalho nos teclados e baixo, respectivamente. A banda se chamaria A Nata Carioca. Trabalhei firme produzindo shows para apresentá-los à imprensa e também contratei muitas horas de estúdio para gravarmos uma fita demo para levar para as gravadoras. A primeira que me ocorreu foi a Warner, porque a banda A Cor do Som fazia muito sucesso com eles e o presidente era o meu grande amigo André Midani. Para nossa felicidade, a direção artística da empresa adorou o material e pretendiam contratá-la. Mas o Plano Collor foi implantado no dia 16 de março de 1990, bloqueando o dinheiro de todo mundo e todos os projetos da Warner foram cancelados. O João já tinha se revelado um excelente produtor de eventos e era um parceiro perfeito, além de me ajudar a cuidar da Vivi.

As últimas anotações de Raul Seixas no caderno de 1989

Hoje tenho certeza de que o Raul sabia que perderia muitos dos seus pertences pelo caminho, mas foi estratégico em manter cuidadosamente organizados dentro do baú os mais preciosos. Quando morreu, Marcelo Nova trancou o apartamento e levou a chave para sua mãe, que após o sepultamento foi a São Paulo e levou tudo para a Bahia, incluindo desde o pijama que ele usava até o copo da última cerveja. Na partilha de seus bens, quando colocou aos meus cuidados a parte mais nobre do acervo, ela foi muito clara ao descrever o que fez com a sua correspondência pessoal com o filho:

— Minhas cartas rasguei e joguei fora.[27]

Levei três décadas para ler atentamente suas últimas anotações, no caderno de 1989. E consigo sentir sua respiração enquanto rabisca seus diálogos consigo mesmo:

Uma anarquia só tem fundamento no seio de um povo integralmente culto e civilizado.

Eu não tenho saco de escrever nem isso mas alguma coisa me resta. Eu não tenho saco de assistir nenhum programa de televisão com os argumentos horríveis e medíocres que exis-

---

[27] A carta original de Maria Eugênia está no final deste livro.

tem. Só me resta dormir, tomar meu neozine e dormir.[28]

Tomar insulina é horrível e ouvir Buddy Holly cantando 'Bo Diddley' é insuportável.

Dalva chega às 8 horas prá fazer café. E eu continuo sem ninguém. Eu não suporto estar comigo mesmo. Eu não me aguento. Há tempos que ando muito sério e sem graça.

O que eu queria mesmo era ter uma mulher que me fizesse dar uma risada qualquer, rir de qualquer coisa banal. Alguém que me ligue, alguém que me faça companhia para eu poder viver, viver é compor. I'm back. In the darkness... Writing oh yess. Lonely. Took my two pills. Been convincent with 'Toninho Buda' he's lost.[29]

Aqui estou outra vez depois de ter apresentado Miguel com meu dentista Jerry Leiber. Ambos foram gentis. Maurício ficou acanhado, Miguel se mostrou bem à vontade. Tocou 'Do you miss N. Orleans', um jazz à moda antiga, eu liberei tudo cantando uma música típica de Elvis com Maurício, que eu sabia que Miguel não sabia e com Miguel uma que Maurí-

---

[28] *Neozine* é um medicamento que apresenta um vasto campo de aplicações terapêuticas. Está indicado nos casos em que haja necessidade de uma ação neuroléptica, sedativa em pacientes psicóticos e na terapia adjuvante para o alívio do delírio, agitação, inquietação, confusão, associados com a dor em pacientes terminais.

[29] Tradução livre — "Estou de volta. Na escuridão. Escrevendo, ah, sim. Sozinho. Tomei minhas duas pílulas. Estou convencido de que Toninho Buda está perdido".

cio ia admirar por ser Miguel um oldie jazz player...
Woke up at 2 went to buy a black shirt.[30]
Aqui em minha casa eu posso deixar um livro aberto sobre a mesa do jantar e ler no outro dia no café. Ele fica lá. Não tem ninguém pra mexer.
O que eu queria mesmo era ter uma mulher que me fizesse dar uma rizada qualquer.
A coisa mais gostosa que tem é falar alto sem ninguém para ouvir exeto eu mesmo. A minha voz ecoando nos aires da solidão entediada. Eu sei que amanhã (dia de show) vou rir do que escrevi. É que a vida é uma coleção de momentos.
Vou esquentar meu peixe, pois a TV tem som e imagem. Me capta mais que o gravador, que o rádio, que a radiola. Eu quero assistir televisão, mas estou pensando que não vou aguentar assistir até tarde. Vou ver o jogo.
Agora!!! Estou com a TV ligada, que me anuncia um show. Sofrendo uma crise de solidão. É horrível. Aí a TV me recomenda um filme Promessa de Sangue, entre as irmãs Galvão.
Eu boto um disco de New Orleans orquestrado e sento no fogão à espera da panela quente. E eu canto no fogão. Eu canto à beira do pantanal (do fogão). À espera do rango que eu tô cozinhando.
Eu também conheço o plano escovar dentes...

---

[30] Tradução livre – "Acordei às 2 e fui comprar uma camiseta preta" (certamente esse '2' corresponde ao horário '14 horas').

7

Uma anarquia só tem fundamento no seio de um povo integralmente culto e civilizado.

Eu não tenho paço de escrever por isso mas alguma coisa me resta.
Eu não tenho paço de assistir nenhum programa de televisão com os argumentos horríveis e medíocres que existem. Só me resta dormir
Tomar meu neozine e dormir.

Tomar insulina é possível e ouvir Buddy Holly cantando "Bo Diddley" é importante. Dela deixa os 8 horas prá fazer café. E eu continuo sem ninguém que não segredo está comigo mesmo.
Não me aguento.

Há tempos que eu ando muito sério e sem graça.
Oge eu queria mesmo
Era ter uma mulher
que me fizesse dar uma risada qualquer
Rir de qualquer coisa banal.
Alguém que me ligue
Alguém que me faça companhia
pra eu poder viver, viver é compor.

I'm back.
In the darkness ... writing oh yess
Lonely. Took my two pill. ...
Seen convinient with "Toriah Buda"
It's lost.

Ó morte, tu que és tão forte, que matas o gato, o rato e o homem, Vista-se com tua mais bela roupa quando vieres me buscar!

Raul Seixas e Paulo Coelho,
Canto Para Minha Morte.

21 DE AGOSTO DE 1989 – A MORTE DE RAUL SEIXAS

Algum tempo depois do nosso último encontro em São Paulo, Raul me convidou para assistir ao show que faria no Canecão, dia 21 de abril, com Marcelo Nova, mas eu havia ficado tão mal impressionada com seu estado de saúde na minha ida a Sampa que tinha certeza de que ele não conseguiria fazer o espetáculo. Vê-lo naquela decadência física seria demais pra mim! Um homem que tinha uma postura tão linda no palco, como na primeira vez que o vi no Teatro da Praia, em 1973, tão seguro de si, uma performance impecável e agora se apresentando de uma forma tão oposta e tão triste... Então decidi não ir. Na manhã do dia 21 de agosto de 1989, exatamente quatro meses depois do show do Canecão, eu cheguei em casa, meu pai estava me esperando na porta e disse:

– Kika, Maria Eugênia acabou de ligar: o Raul faleceu em São Paulo! Ela está precisando falar com você, por favor ligue para Salvador!

Eu liguei e Maria Eugênia me contou que a Dalva tinha, como sempre, chegado muito cedo no apartamento e o Raul ainda estava na cama, de pijama, mas sem sinais de vida. Ela então ligou para o José Roberto Abrahão e o Marcelo Nova, que providenciaram o médico para fornecer o atestado de óbito.

Mais uma vez dona Maria Eugênia me surpreendeu com sua fortaleza, dando as ordens para que o corpo do

Raul fosse enviado para a Bahia. Combinamos que eu pegaria um avião imediatamente para Salvador, enquanto Marcelo Nova, José Roberto Abrahão e a gravadora Warner acionavam funerária, acerto de despesas e horários para o translado para o aeroporto. O plano era que ele fosse sepultado no Cemitério Jardim da Saudade, na capital baiana, no dia seguinte.

Logo que a notícia saiu nas rádios e na TV, uma multidão de fãs e curiosos se formou em frente ao Edifício Aliança, onde ele morava, criando uma grande comoção e bloqueando o tráfego. Foi quando se percebeu que não seria possível simplesmente levar o corpo do Raul para Salvador sem que fosse prestada uma grande homenagem em São Paulo. Foi decidido que seria velado no Palácio das Convenções, no Anhembi, com todas as honras de uma celebridade do país. Uma fila enorme de fãs permaneceu até a noite do dia 21, cantando suas músicas e se despedindo. Dos artistas brasileiros de renome, apenas Kid Vinil, Kiko Zambianchi e Zé Geraldo passaram por lá. Mais uma vez São Paulo honrou seu ídolo, porque foram os fãs que exigiram que o corpo fosse escoltado e transportado até o aeroporto pelo Corpo de Bombeiros, novamente com honras de grande personalidade pública.

Embarquei com a Vivi para Salvador, mas ela pediu para não ver o pai morto. Como o Plínio – irmão do Raul – também tinha filhos pequenos nessa época, todas as crianças da família ficaram na casa dele e os adultos foram ao sepultamento. Nós sabíamos da comoção que sua morte estava provocando em todo o país e não tínhamos ideia do que aconteceria na sua terra natal. Enquanto isso, Marcelo Nova e Inêz decolavam no táxi aéreo, na manhã do dia 22 de agosto de 1989, levando o corpo do Raul para ser enterrado na Bahia.

Muitas mulheres eu amei
e com tantas me casei,
Mas agora é Raul Seixas
que Raul vai encarar.
Nem todo bem que
conquistei, nem todo
mal que eu causei, me
dá o direito de poder
lhe ensinar. Meu amigo
Marceleza já me disse com
certeza, não sou nenhuma
ficção. E assim torto de
verdade, com amor e com
maldade, um abraço
e até outra vez!

Raul Seixas e Marcelo Nova,
Banquete de Lixo.

A CORTINA FINAL: O ENTERRO DE RAUL SEIXAS EM SALVADOR

O corpo chegou em Salvador por volta de meio dia. Nesse intervalo, todas as emissoras de rádio e televisão do país só falavam de sua morte e relembravam sua vida e seus sucessos. Se em São Paulo o velório tinha sido uma comoção, em Salvador a multidão foi muito maior e o clima mais dramático. Seu pai estava debilitado por causa do câncer de próstata em estado avançado e teve que ficar isolado, numa salinha reservada. Maria Eugênia, Marcelo Nova, Inêz, as famílias do Plínio, outros parentes e eu ficamos na sala principal, com Raul. Com o passar do tempo, a quantidade de pessoas em volta da capela aumentava cada vez mais.

O Cemitério Jardim da Saudade é de estilo moderno e não tem mausoléus: todos os túmulos são na altura da grama, com apenas placas indicativas no chão. Visto de longe, é um imenso gramado. De repente eu fui dar uma olhada lá fora e me assustei, pois até onde a vista alcançava estava tudo coberto por um oceano de gente! E lááá no horizonte, bem longe, dava pra ver o toldo onde seria o sepultamento.

O tempo passou e na hora de transportar o caixão até o jazigo, chegou a notícia de que os funcionários do cemitério, responsáveis pelo trabalho, não conseguiam passar com o carrinho pela multidão. Naquela indecisão do que fazer, a Dona Maria Eugênia, vendo que os fãs já tinham começado a pegar nas alças da urna, disse com voz tranquila: "Deixa, deixa que os meninos levam o caixão!".

E o próprio povo o transportou até à cova, que ficava a uns 150 metros de distância! E de maneira também espontânea, a multidão abriu um corredor para que a mãe Maria Eugênia à frente e o resto dos familiares pudéssemos passar, num clima de total solenidade e reverência, enquanto todos cantavam suas músicas!

Voltamos para o Rio com um peso no peito muito grande, tanto pela morte quanto por tudo que se somou para a família dele naquele instante. O pai com câncer, a mãe lutando muito para dar conta de tudo e o próprio irmão, Plínio, que naquela mesma semana tinha tido um acidente horrível de carro, e ainda estava muito traumatizado. Meu Deus, não sei como puderam superar aquele momento!

Chegando no Rio um fato inesperado de certa forma me confortou: o enorme assédio da imprensa reconhecendo a grandeza e a importância da obra do Raul. Todos querendo saber detalhes de sua vida, se havia deixado alguma obra inédita, como tinha passado as últimas semanas e todo aquele interesse que sempre acontece quando morre uma grande personalidade. Eu, como mãe da filha brasileira, era a pessoa de referência no eixo Rio-São Paulo; daí me procurarem tanto! Confesso que achava um pouco estranho ser tratada como "viúva", mas ficava feliz por esclarecer dúvidas e falar dele. Era uma maneira de estarmos juntos. Além disso, mesmo separados, sempre mantivemos contato e eu tinha muitas histórias para contar.

Somado a tudo isso, havia ainda o último LP, feito com Marcelo Nova, que tinha ido para as lojas exatamente no dia da sua morte, 21 de agosto, e cujas vendagens estavam batendo recordes e lhes deram um disco de ouro em três meses! Os jornalistas queriam saber de todos os detalhes. Por exemplo: se eu estava separada há cinco anos, por que aparecia como parceira no último disco?

Ficou claro nas letras das músicas que esse último trabalho foi o epitáfio de sua vida! E foi um grande achado a parceria de dois dos maiores nomes da história do rock'n'roll brasileiro, Marcelo Nova e Raul Seixas, com seus acordes cheios de ironia e humor cáustico, como eles sempre foram! Por iniciativa do Raul, a música *Nuit*, que havíamos feito em 1981, entrou no repertório do LP *A panela do diabo*. Dessa forma, nós estávamos juntos no final. Termino este relato do seu sepultamento cantando nossa canção preferida:

Coisas do coração
Quando o navio finalmente alcançar a terra
E o mastro da nossa bandeira se enterrar no chão
Eu vou poder pegar em sua mão
Falar de coisas que eu não disse ainda não

Coisas do coração! Coisas do Coração!

Quando a gente se tornar rima perfeita
E assim virarmos de repente uma palavra só
Igual a um nó que nunca se desfaz
Famintos um do outro como canibais

Paixão e nada mais! Paixão e nada mais!

Somos a resposta exata do que a gente perguntou
Entregues num abraço que sufoca o próprio amor
Cada um de nós é o resultado da união
De duas mãos coladas numa mesma oração!

Coisas do coração! Coisas do coração!

Coisas do CORAÇÃO

Caderno de fotos

Fotos: Arquivo pessoal

Sítio da família de Raul Seixas em Dias D'Ávila

Raul e seus primos no aniversário de sua tia

Fotos: Arquivo pessoal

Minha mãe Edmea e amigos da família

Minha avó e meu avô

Coronel Affonso, meu pai

Fotos: Arquivo pessoal

Meu avô e família

Raul e Maria Eugênia, pais de Raul

Raul

Fotos: Arquivo pessoal

Eu, mamãe, papai e minha irmã

Eu e meu pai

Papai

Fotos: Arquivo pessoal

Eu, com os pais de Raul

Eu, com meus pais

Na minha formatura, entre meus pais e tia Dedé

Foto: Claudio Fortuna

No Rio de Janeiro, após um período na Europa

Em campeonato de Surf, no Arpoador

Em 1985

O baú do Raul

Foto: Paulo Severo

Eu, Mazzola, Luis Carlos Reis, Jotinha, Luis Cláudio, Rick Ferreira, Ivan Mamão, Paulo César Barros, José Roberto Bertrami, Sylvio Passos e Foguete, na gravação do CD/DVD Documento Raul Seixas

Com Toninho Buda e João Paranaguá, no Circo Voador em 1992

Acervo Rede Globo

Raul vestido de Carimbador Maluco

Foto: Cláudio Fortuna

Primeiro show do Raul, que assisti no Teatro Ipanema em 1973

Sylvio Passos, grande amigo e criador do primeiro fã clube, Raul Rock Club, no apartamento do Itaim Bibi em 1984

Nós na Chapada Diamantina

Foto: Mário Luiz Thompson

Raul, no 2º festival de Águas Claras, em 1981, com o guitarrista Tony Osanah

Raul com sua guitarra preferida, Guild, em show na Praia do Gonzaga, Santos, fevereiro de 1982

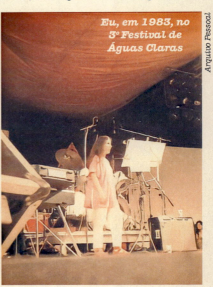

Eu, em 1983, no 3º Festival de Águas Claras

Foto: Inêz Nova

Raul, em 1988, no palco com Marcelo Nova, com quem fez mais de 50 apresentações até o último show antes de sua morte.

Foto: Arquivo pessoal

Essa é uma das fotos que mais gosto

Foto: Arquivo pessoal

Em São Paulo, próximo ao nascimento de Vivi

Fotos: Arquivo pessoal

Eu e Raul em dois momentos

Raul Seixas
e
Angela Costa

participam o seu casamento à ser realizado dia oito de julho de mil novecentos e oitenta e quatro, às vinte horas, na Catedral Basílica de Salvador, Bahia.

Rua Itacema, 129/13
Itaim Bibi - SP

Modelo do nosso convite de casamento

Foto: Frederico Mendes

Eu e Raul no ensaio fotográfico do LP "Abre-te Sésamo"

Foto: Arquivo pessoal

Na Chapada Diamantina

Kika faz Raul Seixas rir à toa

Apaixonado, rindo sozinho e andando nas nuvens. É assim que anda Raul Seixas, com o nascimento de sua terceira filha, Vivian Costa Seixas, de seu terceiro casamento com Ângela, mais conhecida por Kika. Com a vinda de Vivian, Raul passa a ser papai de três meninas: duas delas, Simone, de dez, e Scarlet, de cinco anos, moram nos Estados Unidos, com suas respectivas mães, anteriores mulheres do artista (ambas americanas).

Com muito amor, Vivian (a terceira filha do cantor) foi recebida por Raul Seixas e por Ângela (sua terceira mulher). Até a vovó paterna, Maria Eugênia, veio da Bahia para vê-la.

Reportagem de Sizio di Nardo • Fotos de Ruy de Campos

É à base de muito rock — Raul possui uma discoteca desse gênero pra ninguém botar defeito — e do carinho da mamãe Kika, do papai Raul e da vovó paterna Maria Eugênia (vinda especialmente da Bahia, para curtir o nascimento da nova neta), que Vivian está cumprindo seus primeiros dias de vida.

E enquanto o papai Raul, maravilhado com o nascimento da menina, curte sem parar o acontecimento, dona Maria Eugênia encarrega-se das atribulações normalmente destinadas à mamãe Kika. Esta, por sua vez, assumiu o papel de empresária do marido, acertando detalhes da temporada que Raul fará, de 1 a 3 de julho, no Teatro Pixinguinha.

E Raul Seixas desfila seu sorriso pelas dependências de sua nova casa no bairro do Brooklin, ao mesmo tempo em que confidencia os seus planos futuros.

"Acho que agora vou fechar a fábrica, embora sonhe em ser pai de um menino."

Argumento rapidamente rebatido por Kika, que se diz responsável pela fábrica que, segundo ela, tão cedo não será fechada.

"Nada disso. Eu quero ter mais filhos. E sei que, se depender do Raul, nós teremos muito mais filhos. A Vivian veio num momento muito bom. Pra nós e pra ela; é tudo novo, como esta casa, para onde nos mudamos uma semana antes de a menina nascer."

KIKA É A MULHER E A MAIOR FÃ

O nascimento de Vivian, além de trazer felicidade ao lar dos Seixas, veio alicerçar de vez uma união que começou há dois anos e meio, no Rio de Janeiro.

"Ela sempre foi gamada por mim. Inclusive, frequentava minha casa quando eu era casado. Mas eu nunca me toquei nela. Só depois de um tempo, quando já estava separado, foi que me liguei na Kika, a maior mulher da minha vida."

Kika (Ângela), carioca, reconhece que sempre foi apaixonada por Raul. Escrevia cartas, assistia a todos os **shows** que ele apresentava no Rio e em outros estados.

"Nunca dei descanso, não. Até que nos cruzamos na Warner, no Rio, começamos a namorar e estamos juntos até hoje."

E a união dos dois, conforme desejo de Kika, será oficializada ainda este ano, no civil e religioso.

"Este é um sonho nosso. O de casar, oficializar nossa feliz união."

Matéria publicada na Revista Amiga sobre o nascimento de Vivian

Foto: Arquivo pessoal

Vivian em seus primeiros dias

Acervo Revista Amiga

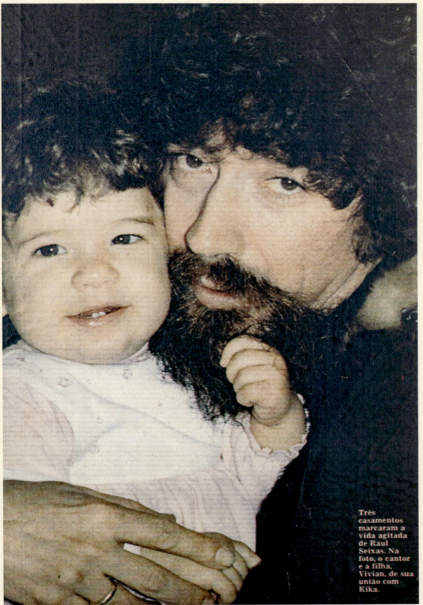

Três casamentos marcaram a vida agitada de Raul Seixas. Na foto, o cantor e a filha, Vivian, de sua união com Kika.

Raul e Vivian em foto publicada na Revista Amiga

Fotos: Arquivo pessoal

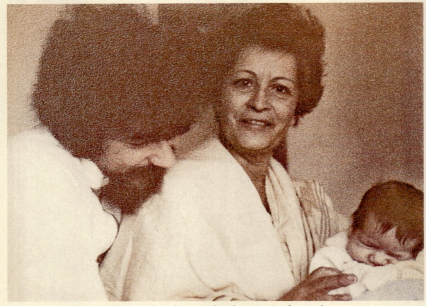

Vivi recebendo carinho do papai e da vovó

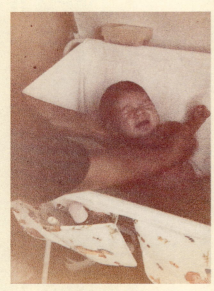

Primeiro banho, 03/06/81

Vivi com papai Raul depois do banho

Fotos: Arquivo pessoal

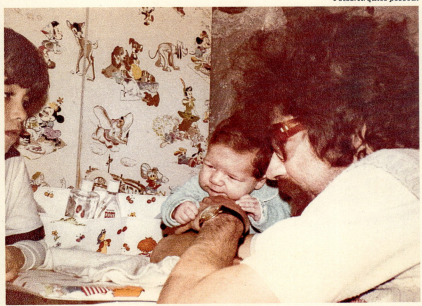

Primeiros dias de Vivian, SP, 03/06/1981

Vivian ensaiando os primeiros passinhos pela casa

Fotos: Arquivo pessoal

Vivi e vovó Edmea, minha mãe

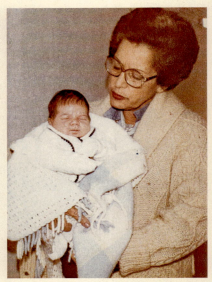

Vivi e vovó Maria Eugênia, mãe de Raul

Vivi recebendo o presente do papai Raul

Fotos: Arquivo pessoal

Raul e Vivian, Itaim Bibi, SP, 20/01/1984

Fotos: Arquivo pessoal

Momentos no apartamento de São Paulo

Foto: Arquivo pessoal

Eu e Vivi em ensaio fotográfico nos EUA

Foto: Paulo Vasconcelos

Raul

Eu e Vivi na Fundição Progresso, Rio de Janeiro, 2014

Foto: Kitty Paranaguá

O Baú do Raul

CAPÍTULO VIII

O INVENTÁRIO DOS
BENS DE RAUL SEIXAS

No fundo do oceano existe
um baú que guarda o
segredo Almejado desde
a aurora dos tempos por
gênios, sábios, alquimistas
e conquistadores
Eu conheci este baú num
estranho ritual reservado
a poucos.

Raul Seixas, Lena Coutinho,
José Roberto Abrahão,
A Pedra do Gênese

CARTA DE 14 DE OUTUBRO DE 1989, EM QUE MARIA EUGÊNIA FAZ A PARTILHA DOS BENS DO RAUL

A seguir, a carta que a Maria Eugênia me mandou dia 14 de outubro de 1989, detalhando como havia feito a partilha dos bens do filho que estavam sob seus cuidados, as grandes dificuldades que estava passando com o marido com câncer, bem como a relação completa dos pertences que estava colocando sob minha guarda. Já tinha enviado tudo pela Transportadora Fink. Seu marido viria a falecer em consequência da doença dois anos depois, em 5 de setembro de 1991. Maria Eugênia, treze anos depois, em 19 de abril de 2002. É muito importante cultuar a memória e ressaltar a grandeza dessa senhora extraordinária, que foi a mãe de Raul Seixas! Lembro mais uma vez que mantivemos a grafia original dos textos.

Salvador, 14 de outubro de 1989
Queridas Kika e Vivi

Graças a Deus eu tenho uma natureza pacata e sei perdoar. Embora você tenha me ofendido no telefone e tenha tomado uma atitude agressiva para comigo, tenho certeza que tudo isso passará. Você é explosiva mas tem um bom coração. Eu não creio que você continue com essas atitudes. Eu quero muito bem a você, não só por ser a mãe de minha netinha Vivian, mas também por ter sido muito amada por meu querido e saudoso filho Raulzito.

Quando você abandonou-o a 4 anos atraz e me chamou para tomar conta dele, ele chorava por você tê-lo deixado. Depois você providenciou a venda do apartamento que ele adorava, aí ele lhe odiou. Ele me disse que jamais lhe perdoaria por isso, mas o amor foi mais forte, ele lhe perdoou e lhe chamou de volta neste princípio do ano. Você não o assumiu, teve dúvidas (eu não lhe culpo) mas ele sofreu muito de "solidão". Deprimiu-se profundamente e se deixou morrer, sem cuidar da saúde que já era precaríssima. Na última vez que estive com ele 15 dias antes dele falecer, eu vi que ele estava péssimo. Cheguei a dizer a ele que só não o obrigava a vir para a Bahia comigo, porque o pai dele estava gravemente doente e eu não aguentaria com ele no estado em que estava. Foi uma pena você não ter ido passar o fim de semana com ele, ele havia me dito que você iria. "É o destino". Ele faleceu neste mesmo fim de semana. Vamos nos amar por amor dele. Ele era como eu, perdoava a todo mundo. Deus lhe abençoe.

Hontem, dia 13/10/1989 despachei 10 volumes pela Fink Transportadora para sua casa.

Paguei 2.000,00 cruzados novos.[31] *Tive que trocar alguns dólares para isto, pois não estava podendo com despesas extras. Raul continua com o problema do (câncer) e temos gasto muito dinheiro com remédios e médicos extras fora dos da Golden Cross, a pedido do Dr. Alberto Serravalle. Recomendo que você procure telefonar para a Fink Transportadora aí do Rio, procure um gerente e apresse a entrega das encomendas vindas de Salvador. Foi o que eu fiz aqui, senão eles deixam no barracão e aí poderá ser perigoso perder alguma coisa ou bulirem. Como já lhe disse, tive um trabalho insano e doloroso revisando honestamente tudo de Raulzito; papéis, discos, K7, álbuns, etc. Tirei o que pertencia a Gloria, Lena, Tania Menna Barreto, Edith, Simone, Plininho, Zé Walter e meu. Havia muita coisa antiga, até bilhete de minha mãe para ele. Ele guardava tudo. Minhas cartas rasguei e joguei fora. Você tem aí um belo acervo artístico e muitas coisas pessoais dele. Mandei pelo filho de Dr. Lélio, algumas coisas, suas e de Gloria, porque*

---

[31] Observação: em outubro de 1989 a moeda brasileira (no Plano Verão I) se chamava cruzado novo; ela passara a vigorar a partir de 16 de janeiro daquele ano. Como o dólar valia 4,34 cruzados novos, o valor de 2 mil cruzados novos correspondia a 461 dólares (ou aproximadamente 2 mil reais nos dias de hoje, considerando dezembro de 2019, quando estou escrevendo esta nota. Uma rara coincidência: 2 mil cruzeiros e 2 mil reais!).

*Dr. Lelio me disse que ela vem ao Rio. Acho que
fiz minha obrigação, repartindo o que era de
quem, se errei a seu vêr, me perdoe. Aguardo
notícias ou telefonema. Beijos para Vivi
Sua Amiga, Maria Eugênia Seixas
Visitas a seu pai e abraços a sua mãe*

Anexo a esta carta estava o relatório da Transportadora Fink, com a relação dos bens transportados e assinado por Maria Eugênia Seixas:

Nº DA PEÇA	DESCRIÇÃO DA PEÇA
1	01 Caixa pequena com discos
2	01 Caixa pequena com 1 retrato a óleo
3	01 Caixa pequena com cadernos
4	01 Caixa grande com 1 baú com acertos artísticos
5	01 Caixa pequena com livros
6	01 Caixa pequena com cadernos e livros
7	01 Embrulho com um violão
8	01 Caixa média com quadros, discos e fitas
9	01 Caixa pequena com discos e quadros
10	01 Embrulho com dois entalhes de madeira
	Inventário completo 13/10/1989

Salvador 19/10/89.
                    Queridas Rika e Vivi

Graças a Deus eu tenho uma natureza pacata
e sei perdoar. Embora você tenha me ofendido no telefone e tenha tomado uma
atitude agressiva para comigo, tenho certeza
que tudo isso passará. Você é explosiva mas
tem um bom coração. Eu não creio que
você continue com estas atitudes. Eu
quero muito bem a você, não só por ser
a mãe de minha netinha Vivian, mas
também por ter sido muito amada por
meu querido e saudoso filho Paulzito.
Quando você abandonou-o a 4 anos atrás
e me chamou p/ tomar conta dele, ele
chorava por você tê-lo deixado. Depois você
providenciou a venda do Apt que ele adorava, aí ele lhe odiou. Ele me disse
que jamais lhe perdoaria por isso, mas
o amor foi mais forte, ele lhe perdoou
e lhe chamou de volta neste princípio
do ano. Você não o assumiu, teve dúvidas, (eu não lhe culpo) mas ele sofreu
muito di'solidão. Deprimiu-se profunda
mente e se deixou morrer, sem cuidar
da saúde que já era precaríssima. Na última

vez que estive c/ele 15 dias antes dele
falecer, eu vi que ele estava péssimo. Cheguei a dizer a ele que, só não o obrigava
a vir p/ a Bahia comigo, porque o pai dele
estava gravemente doente e eu não aguentaria com ele no estado que estava.
Foi uma pena você não ter ido passar
o fim de semana c/ele, ele havia me dito
q/ você iria "é o destino". Ele faleceu neste
mesmo fim de semana. Vamos nos amar
por amor dele. Ele era como eu perdoava
a todo mundo. Deus lhe abençoe.
Hontem dia 13/10/89 despachei 10 volumes
pela Fink transportadora para sua casa.
Paguei 2.000.00 cruzados novos. Tive que
trocar alguns dolares para isto, pois não estou
podendo com despezas extras. Raul continua
com o problema do (cancer) e temos gasto
muito dinheiro c/remedios e medicas extras
fora dos da Golden Cross, a pedido do Dr.
Alberto Serravalle.
Recomendo que você procure telefonas para
a Fink transportadora ai do Rio, procure um
gerente e apresse a entrega das encomendas
vindas de Salvador. Foi o que eu fiz aqui,
senão elas deixam no barracão e ai poderá
ser perigoso perder alguma coisa ou Entirem.

Como já lhe disse, tive um trabalho insano e doloroso revisando honestamente tudo de Paulzito; papeis, discos, KF, albuns e etc... Tirei o que pertencia a Gloria, Lena, Tania, Menana Barreto, Edith, Simone, Florinha, Zé Walter e meu. Havia muita coisa antiga, até bilhete de minha mãe p ele. Ele guardava tudo. Minhas cartas rasguei e joguei fora. Você tem aí um belo acervo artístico e muitas coisas pessoais dele. Mandei pelo filho do Dr. Lelio, algumas coisas suas e de Gloria, porque Dr. Lelio me disse q ela vem ao Rio.

Acho que fiz minha obrigação, repartindo o que era de quem, se errei a seu vêr, me perdoe.

Aguardo notícias ou telefonema.
Beijos para Vivi.
Sua amiga
M. Eugenia
Beckar

Visitas a seu pai e abraços a sua mãe.

FINK

SERVIÇO N: _____ DATA _____ LOTE/DESP. 45/17-19
MARIA EUGENIA S SEIXAS EDSON
PROCEDÊNCIA: SALVADOR/BA DESTINO: RIO DE JANEIRO

2ª VIA ENTREGAR AO CLIENTE QUANDO DA APANHA DOS BENS NA ORIGEM

RECOMENDAÇÕES AO CLIENTE: PEDIMOS O OBSÉQUIO DE CONFERIR O NÚMERO E O ESTADO DOS BENS CONSTANTES NESTE INVENTÁRIO NA APANHA E NA ENTREGA, OBSERVANDO AS DISPOSIÇÕES DO CONTRATO DE TRANSPORTE.

N. DA PEÇA	CONFERÊNCIA				DESCRIÇÃO DA PEÇA	O ESTADO EM QUE SE ENCONTRA	LIFT N
01					1 CAIXA PEQ. C/ DISCOS		
02					1 CAIXA PEQ. C/ 1 RETRATO A'ÓLEO		
03					1 CAIXA PEQ. C/ CADERNOS		
04					1 CAIXA GRANDE C/ 1 BAÚ C/ACERTOS ARTÍSTICOS		
05					1 CAIXA PEQ. C/ LIVROS		
06					1 CAIXA PEQ. C/ CADERNOS E LIVROS		
07					1 EMBRULHO C/ 1 VIOLÃO		
08					1 CAIXA MEDIA C/ QUADROS, DISCOS E FITAS		
09					1 CAIXA PEQ. C/ DISCOS E QUADROS		
10					1 EMBRULHO C/ 2 ENTHAIDES DE MADEIRA		
					INVENTÁRIO COMPLETO. 13-10-89		

NOMENCLATURA DOS SÍMBOLOS

Amassado	D	Enferrujado - RU	Quebrado - BR
Arranhado	SC	Empenado - WR	Queimado - BU
Bichado	W	Lascado - CH	Rachado - C
Com traços	MO	Manchado - SO	Rasgado - T
Conteúdo desconhecido	CU	Mofado - MI	Roçado - R
Desbotado	F	Molhado - MI	Solto - L
Embalado p/ proprietário	PBO	Molhado - WF	

SÍMBOLOS DE LOCALIZAÇÃO - Locations Symb.

no braço	1 arm	na perna	4 leg
embaixo	2 bottom	atrás	7 rear
no canto	3 corner	à direita	6 right
na frente	4 front	do lado	8 side
à esquerda	5 left	em cima	9 top

NA ORIGEM: CONFIRMO QUE ESTA É A RELAÇÃO COMPLETA E CORRETA DOS BENS ENTREGUES À TRANSPORTES FINK

NO DESTINO: CONFIRMO QUE TODOS OS BENS SUPRA RELACIONADOS FORAM ENTREGUES EM BOA ORDEM

Maria Eugenia S Seixas
DATA E ASSINATURA DO CLIENTE

DATA E ASSINATURA DO CLIENTE

Quando recebi da Maria Eugênia, pela Transportadora Fink, as malas, pacotes, caixas e quadros vindos de Salvador, liguei para o meu amigo e jornalista Nelson Motta e disse:

— Nelsinho, o que eu faço com isso? Recebi um monte de caixas com coisas do Raul, LPs, fotografias, livros, compactos, roupas e um baú que parece um sarcófago!

Ele, rindo muito, respondeu:

— Kika, abre a porta e deixa entrar! Você acaba de receber o *baú do Raul!*

Assim foi batizada a herança do acervo que se tornaria o maior projeto relacionado com Raul Seixas depois de sua morte: *O baú do Raul!*

O INVENTÁRIO DOS BENS DE RAUL SEIXAS

Chegou a hora de fazer o inventário. Raul tinha três filhas: Simone (nascida em 19 de novembro de 1970) estava com 19 anos e Scarlet (nascida em 16 de junho de 1976) com 13; ambas moravam nos Estados Unidos, com as mães Edith e Gloria, respectivamente. A Vivian (nascida em 28 de maio de 1981), aqui no Brasil, tinha apenas oito anos. Quem cuidou do processo foi o Dr. Lélio, que sempre foi o advogado de confiança de todos nós — Raul, sua mãe Maria Eugênia e eu. Como eu era a única mãe brasileira, ele me designou como inventariante do espólio. Eu não entendia nada de leis e principalmente de heranças, mas confiava nele.

Normalmente, um inventário leva até três anos para ser concluído no Brasil, principalmente nessa situação, quando existem filhos menores de idade. O juiz do caso, Dr. Franklin Roosevelt dos Santos, expediu notificações para que as gravadoras e editoras depositassem os direitos autorais do Raul em juízo até que o processo estivesse concluído. Depois da conclusão, cada herdeira iria constituir um representante legal.

No decorrer de quatro anos procurei entender cada vez mais a história profissional do Raul, direitos artísticos, autorais e conexos. Não era uma coisa fácil de administrar, porque ele havia passado por pelo menos seis gravadoras (EMI/Odeon, Polygram/Universal, CBS/Sony, Eldorado, Copacabana e Warner) e tinha sua obra registrada em diferentes editoras, desde a época em que era produtor da CBS, em 1970. Havia uma grande quantidade de entidades que precisavam ser oficialmente notificadas de sua morte e acertar a rotina de como seriam feitos os pagamentos dos seus direitos. Eu precisava estar preparada para gerenciar tudo isso, na parte que cabia à Vivian. E estava disposta a aprender.

Com a conclusão do inventário, por sugestão da avó Maria Eugênia, a Edith, mãe da Simone, constituiu um advogado do conhecimento delas. Gloria, mãe da Scarlet, também decidiu deixar os direitos autorais da filha sendo administrados pelo mesmo escritório (que, na verdade, já há muitos anos encaminhava para ela a parte que lhes cabia, quando o Raul estava vivo). Eu pessoalmente cuidava dos interesses da minha filha.

A arrecadação da obra do Raul aumentou muito a partir de sua morte e do disco *Panela do Diabo*, que vendeu 100 mil cópias e ganhou disco de ouro em apenas três meses! Vale relembrar que em 1993 (ano seguinte ao término do inventário), a compilação chamada *Maluco Beleza*, do selo Globo/Polydor, vendeu 250 mil cópias, ganhando disco de platina (quantidade que apenas Roberto Carlos vendia na época. Disco de platina é mais valioso que o disco de ouro).

Concluído o inventário, em 1992 os advogados comunicaram que havia uma soma equivalente a aproximadamente 1,5 milhão de reais (em valores de hoje, dezembro de 2019, algo em torno de 365 mil dólares). Eu estimo que o valor seja esse, porque com o um terço que cabia à Vivian consegui comprar, em nome dela, um pequeno apartamento conjugado, no bairro Leblon, que vale atualmente em torno de 500 mil. Isso aprendi com meus pais: a melhor forma de investir dinheiro é em imóveis, que te dão segurança (no caso de precisar morar neles) ou rentabilidade (no caso de alugá-los).

As duas filhas americanas receberam, cada uma, por intermédio de seus advogados, o mesmo valor em dólares. Eles eram as únicas pessoas que tinham acesso às transações bancárias de suas clientes. Foi uma enorme e grata surpresa para todo mundo! Aquilo era resultado do movimento dos fãs e o impulso do próprio mercado, onde todas as gravadoras que mencionei, que até então menosprezavam o valor de sua obra, começaram a relançar seus títulos e novas coletâneas. A "marca" Raul Seixas recuperou seu alto valor comercial, cultural e intelectual, como motivo de discos, livros, eventos, shows e pesquisas acadêmicas.

Passado o luto, associado à enorme curiosidade do público e da imprensa com relação à sua vida, fui abrir o baú que Maria Eugênia havia me enviado (e me colocado como cuidadora) no dia 14 de outubro de 1989. Quando vivíamos juntos, sempre via o Raul revirando aqueles documentos e objetos, mas achava que era, acima de tudo, uma distração para ele. Só o ajudei um pouco na tarefa de selecionar os documentos que fariam parte do seu livro *As Aventuras de Raul Seixas na Cidade de Thor*, lançado em 1983, pela Editora Shogun, de Paulo Coelho e Cristina Oiticica. No mais, o velho baú ficou no seu canto, até eu voltar a abrí-lo.

E para *surpresíssima* minha, comecei a tirar dali livros, filmes super-8[32] que a Edith tinha feito na viagem à Disneylandia e *Graceland* (a mansão do Elvis Presley), imagens domésticas com a filha Simone ainda bebê, o fantástico show da Phono 73, um monte de fitas cassete[33] com todo tipo de gravação, cadernos

---

[32] Filmes super-8 – esta técnica cinematográfica (a mesma dos filmes de cinema, que é uma sequência de fotogramas) foi lançada pela Kodak em 1965. A bitola cinematográfica tem 35 mm e a super-8 (doméstica) tem oito. Ficaram muito populares nos anos 1970. Os filmes tinham que ser revelados em laboratórios (como as fotografias) e cada rolo filmava três minutos e vinte segundos. Eram diferentes das posteriores câmeras de vídeo, que utilizavam fitas magnéticas, permitiam horas de gravação e decretaram o fim da tecnologia super-8, em meados dos anos 1990.

[33] Fitas cassete (ou K-7) — foram lançadas pela Philips em 1963 e eram portáteis. Foram utilizadas por Raul Seixas no "gravador de fitas cassete" (mencionados no título "A explosão de alegria do Carimbador Maluco"), para gravar suas "fitas demo" (ou "demo tape") para apresentar às gravadoras ou mesmo fazer registros domésticos. Normalmente se gravava meia hora de cada um dos dois lados. Entre a década de 1970 e meados dos anos 1990 se tornaram tão populares quanto os discos de vinil. Perderam espaço, junto com os vinis, para os CDs, a partir de meados da década de 1990.

em espiral com histórias em quadrinhos que ele tinha feito para o irmão mais novo; reconheci as roupas que ele havia usado no Programa do Chacrinha, a boina do *Gita*, cadernos de capa dura que registravam suas atividades desde os tempos em que ele era produtor da CBS, um acervo e uma organização que me deixaram maravilhada! Como é que uma pessoa que tinha levado uma vida tão tumultuada, com tantas mulheres e tantas confusões, podia ser tão organizada e metódica em suas coisas mais íntimas?! Comecei a juntar os pontos e concluí que ele sempre teve a noção exata de que aquilo seria importante no futuro e que, se o baú sobrevivesse, ele sobreviveria junto! Por isso, por pior que fossem as situações, sempre se preocupava com o destino daquele material. E reafirmo uma frase que sempre me dizia e eu nunca havia dado muita importância:

— Eu não tenho medo de morrer. O que eu não quero é ser esquecido!

Então, por conta dessa lembrança e daquele acervo que eu havia finalmente descoberto, além do fato de ser uma grande admiradora, ele ser o meu grande amor e nunca ter guardado nenhum rancor, pensei comigo: "Esse material não vai ficar mais guardado aqui! Vou fazer alguma coisa com isso!"

Comecei a selecionar por períodos, analisando tudo que estava ali dentro. Fiquei de quatro a seis meses fazendo isso e cada vez tendo uma surpresa maior!

Cartaz da primeira festa do Baú do Raul, no Circo Voador, Rio de Janeiro, 1992

CAPÍTULO IX

RAUL 4EVER

Aqui é Raulzito falando baby: This is Rock and Roll, and this is the real one!

Raul Seixas e Marcelo Nova, *Rock And Roll*

Tendo organizado razoavelmente o acervo do Baú, peguei algumas coisas que achei interessantes e, como tinha um amigo que fazia parte da direção da Editora Globo, levei pra ele dar uma olhada. A imagem do Raul ainda permanecia um tanto irrelevante pra algumas pessoas e ele não mostrou muito interesse, justificando que o material estava fora da linha editorial que eles tinham adotado naquele momento. Por sorte, o chefe dele ouviu nossa conversa e disse:

— Isso aí é sobre a obra do Raul Seixas? Queremos sim! Vou olhar direito esse material. Isso pode revolucionar o nosso acervo!

Assim, em 1992 publicamos, o jornalista Tárik de Souza e eu, pela Editora Globo, o primeiro livro *O Baú do Raul*, que até hoje teve 23 edições e é um best-seller da empresa. A partir daí, com a comoção espontânea dos fãs por esse imenso país, realizamos uma grande diversidade de trabalhos que continuam até hoje. Tudo isso sempre em comum acordo e sob o olhar atento dos advogados e representantes das herdeiras americanas.

Logo em seguida, no mesmo ano, produzi o primeiro show *O Baú do Raul*, junto com a Maria Juçá, nos dias 21 e 22 de agosto de 1992, no Circo Voador, no Rio. Neste evento, o cineasta Tadeu Knudsen lançou seu curta-metragem (com 19 minutos, em 35 mm) chamado *Tanta Estrela Por Aí*, contando a história da prisão do Raul em Caieiras, com Rita Lee representando Raul Seixas, Otávio Augusto no papel do delegado daquela cidade e Marisa Orth como Kika Seixas.

333

A galera não se decepcionou com o programa oferecido na festa: diversos shows — como Erasmo Carlos, Rick Ferreira, Roberto Frejat, Celso Blues Boy, Carinha da Gaita, Vera Negri (que, com a banda Comando Negri, havia gravado uma versão de *Eu Nasci Há Dez Mil Anos Atrás*) — acompanhados pela banda-base Metamorfose Ambulante. Baiuzito e os Rock Boys, com Maurício Baia, nasceu naquele momento; o lançamento do livro e do disco *O Baú do Raul*, com material inédito, e o livro *Raul Seixas — Uma Antologia*, de Sylvio Passos e Toninho Buda, que é até hoje um glossário de referências para pessoas que querem conhecer a vida e obra do Maluco Beleza (contendo inclusive todas as 160 músicas que ele assinou e gravou).

Sempre tive a preocupação de convidar para os eventos artistas que tivessem afinidade com a obra do Raul e, de preferência, que tivessem tocado com ele e conhecessem seu estilo. Assim estaria dando legitimidade e transformando o encontro não apenas numa homenagem, mas também numa festa de confraternização entre amigos e ex-parceiros. E não poderia me descuidar do fato que os fãs do Raul sempre foram muito exigentes e não iriam tolerar nenhum tipo de "intruso".

Selecionei Rick Ferreira, seu guitarrista preferido; Erasmo Carlos, o amigo de fé; Celso Blues Boy, *the bluesman*; Paulo César Barros, baixista preferido e chamado carinhosamente de "do baixo leitoso"; Ivan Mamão, baterista do Azimuth; Arnaldo Brandão, do grupo A Bolha; Marcelo Nova, do Camisa de Vênus; e tentei trazer o maestro Miguel Cidras, grande arranjador das músicas do Raul durante toda sua carreira, mas ele estava sempre doente e não podia comparecer (viria a falecer no dia 20 de março de 2008, aos 71 anos, em São Paulo). O parceiro de Raulzito no disco *Sociedade da Grã-Ordem Kavernista*, Edy Star, participou da gravação do DVD *O baú do Raul*, em 19 de agosto de 2014. Claro que nunca me esquecia de outros grandes, como Zé Geraldo (que tocou conosco no Kazebre Rock Club, em São Paulo) e Zé Ramalho, que fez em 2001 o lindo trabalho *Zé Ramalho Canta Raul Seixas* para saudar a Entrada do III Milênio ("Era de Aquarius" ou "Novo Aeon"). No dia 20 de janeiro daquele mesmo ano, Zé Ramalho abriu seu show cantando *Eu Nasci Há Dez Mil Anos Atrás*, no III Rock in Rio.

Posso ter errado ao ser muito exigente nas escolhas, porque outros artistas queriam participar e reverenciá-lo, mas eu nem sempre aceitava. Vários eram nomes importantes do cenário da música brasileira e até mesmo do rock, mas quando ele era vivo eles nem se lembravam da sua existência. Outros não tinham absolutamente nada a ver com ele, como sertanejos e axés, que, sem dúvida, levariam sonoras vaias do público *raulseixista*. Alguns devem ter ficado putos comigo, mas o que estava acontecendo é que o Raul tinha virado uma unanimidade, como nessa manifestação espontânea que existe até hoje, de gritarem "Toca Raul!" em todos os lugares. Me lembro que no ano 2000 eu estava com meu companheiro atual, Arnaldo Brandão, no *Free Jazz Festival*, no Rio, e no momento mais solene do espetáculo, em que Sean — o filho de John Lennon — ia começar a cantar com Arnaldo Batista — dos Mutantes — e alguém gritou "Toca Rauuuuul"! Quase morri de rir!

Quanto a outros artistas que não tiveram tanta convivência com ele, eu procurava aqueles com mais atitude rock'n'roll, como Roberto Frejat e o baterista Guto Goffi, ambos do Barão Vermelho; Nasi e Edgard Scandurra, do Ira!; o fabuloso guitarrista Luiz Carlini e também representantes da grande diversidade de outros ritmos que o Raul também explorou, como o rapper BNegão (que cantou *É Fim de Mês*), Zeca Baleiro (com o samba *Aos Trancos e Barrancos*); Gabriel, o Pensador (*Rockixe*); e o talentoso Maurício Baia (na antológica interpretação de *Ouro de Tolo*). Ana Cañas, CPM-22, Comando Negri, Detonautas, todos eles sob o olhar atento do baixista Arnaldo Brandão, que foi o diretor musical da maioria desses eventos.

OS TRINTA RITMOS QUE RAUL SEIXAS EXPLOROU NA SUA CARREIRA

Para ficar mais clara a grande diversidade de ritmos que o Raul experimentou, vamos dar uma olhada no estudo feito pelo Toninho Buda em 16 de julho de 1992 (com apoio de três músicos da Banda Realce, de Juiz de Fora, MG), onde foram identificados pelo menos trinta ritmos nas 160 músicas que ele compôs e gravou. Outras pessoas provavelmente farão listas diferentes, mas esta é só uma ilustração, com algumas músicas de exemplo (maiores detalhes podem ser encontrados no Anexo 8, "Os trinta ritmos que Raul Seixas explorou", no final deste livro). Em ordem alfabética:

> **Baião-forró** *(Os Números)*, **balada, blues, bolero** *(Sessão das Dez)*, **caipira, cantiga, country** *(Cowboy Fora da Lei)*, **hino, jazz, moda de viola** *(Lua Cheia)*, **prelúdio, rap** *(É Fim de Mês)*, **reggae, repente, rock'n'roll** *[dentro do ritmo rock'n'roll temos as fusões que ele fazia, cantando "Blue Moon" de Elvis com "Asa Branca" de Luiz Gonzaga:* **rock-balada, rockabilly** *(Rock das Aranha)*, **rock-baião, rock-samba** *(Eu Vou Botar Prá Ferver)*, **rock-soul, rock-country** *(Eu Também Vou Reclamar)*, **rock-macumba** *(Mosca na Sopa)*, **rock-folk e rock-maxixe]**, **samba** *(Aos Trancos e Barrancos)*, **spiritual, tango** *(Canto Para Minha Morte)*, **toada, valsa** *(Mata Virgem)* e **valsa-caipira** *(À Beira do Pantanal)*.

Para nós, aquela primeira celebração no Circo Voador dias 21 e 22 de agosto de 1992 (feita com poucos recursos, pois pagar jornais era caro, não existia internet e nossa maior "mídia" eram os lambe-lambe nos muros), foi uma enorme surpresa de público: 2 mil pessoas debaixo da lona (pendurados até na estrutura do teto!) e 2 mil pessoas do lado de fora, querendo entrar! Daí pra frente o sucesso só foi aumentando, até que entrou para a história do rock'n'roll: Bruce Springsteen explodiu a plateia, abrindo seu show no V Rock in Rio, dia 22 de setembro de 2013, cantando *Sociedade Alternativa*. Num comentário deste show no Youtube, um rapaz chamado Pérola Rock contou o seguinte:

Pouco antes de começar o show do Bruce, um cara meio chapado gritou o famigerado 'Toca Raul'. Instantaneamente eu e outros ao lado começamos a rir. Daí Bruce Springsteen inicia o show com Sociedade Alternativa!!! Todos ficamos surpresos e, de imediato, olhamos para o camarada que tinha gritado... Ele estava em prantos! Que coisa fabulosa esse show, o melhor que vi na minha vida!

Naquele momento, todos nós, fãs do Raul, chorávamos junto com este amigo da plateia, pois aquela multidão enlouquecida estava celebrando, na maior festa do rock do planeta, o reconhecimento mundial do maior roqueiro brasileiro, que tinha sido completamente desprezado 35 anos antes, em janeiro de 1985, no primeiro Rock in Rio!

UMA VITÓRIA HISTÓRICA CONTRA O MONOPÓLIO DAS GRAVADORAS

Estamos em 1995. Administrar o acervo do Raul dentro das editoras significava gerenciar mais de 250 contratos, sobre os quais me debrucei atentamente. Incoerências nos demonstrativos contábeis das gravadoras me mostraram que nós também tínhamos sido atingidas pelo tsunami chamado *Compact Disc (CD[34])*, que havia se expandido no Brasil a partir de 1987 e então, nove anos depois, estava levando o disco de vinil (LP) à total extinção. A venda de CDs no país já estava atingindo a cifra de cem milhões de cópias anuais. As gravadoras vendiam os CDs, que eram mais caros, e repassavam aos artistas o valor equivalente ao preço dos LPs, que constavam nos contratos de 1973 e eram muito mais baratos. E faziam essa *contabilidade criativa* na cara de pau!

Os LPs só eram encontrados em sebos e até nas ruas, sendo vendidos por centavos e ninguém queria saber deles. Foi quando eu dispensei o escritório que me ajudava na arrecadação dos direitos da Vivian, pois não era especializado em direitos autorais, e procurei o jovem advogado e profundo conhecedor da matéria, chamado Nehemias Gueiros Júnior.[35] Indignada, mostrei pra ele os contratos, dizendo:

— Aqui tem muita coisa errada! Eles estão vendendo CDs e nos pagando o valor de LPs!

Ele foi objetivo e respondeu:

---

[34] Breve história do CD — O CD foi desenvolvido paralelamente pela Philips e Sony, no Japão e na Europa, entre 1974 e 1979, e lançado no mercado mundial em 1982. No Brasil, foi gravado o primeiro CD em 1986 e em 1987 começou sua expansão no país. Dez anos depois (1997, de acordo com a Associação Brasileira de Produtores de Discos — ABPD), os CDs atingiram a marca de 106,8 milhões de cópias vendidas, enquanto o LP caiu praticamente a zero.

[35] Dr. Nehemias Gueiros Júnior, advogado, nasceu em 1958. É especialista em direito autoral desde 1985, quando ingressou na antiga gravadora Discos CBS. Trabalhou também na BMG Ariola, antiga RCA Victor. Fundou seu escritório Gueiros & Associados, no Rio, em 1992.

— Vamos enviar imediatamente uma notificação para apurar e corrigir isso!

Com a concordância total dos advogados das outras duas herdeiras americanas, começamos uma luta que durou cinco anos! Processos judiciais normalmente demoram muito e neste caso tinha o agravante de ser um assunto relativamente novo na área jurídica.[36] No ano 2000 tivemos ganho de causa contra uma grande gravadora internacional e as herdeiras receberam uma pequena fortuna, que estimo, em valores de hoje, em torno de oitocentos mil reais divididos entre as três.

Esse processo foi pioneiro e abriu as portas para outros cantores que não tinham coragem de ir contra as multinacionais. Me lembro apenas do movimento que o Lobão fez mais tarde, publicamente e por vários anos, até conseguir que fosse aprovada no Congresso Nacional a Lei de Numeração dos CDs e DVDs em 23 de abril de 2003. Com isso os cantores poderiam também fiscalizar quantas cópias eram prensadas e vendidas. O Jornal do Brasil, na edição de 24 de março de 1995, falou sobre o início da nossa ação, destacando:

---

[36] No livro *O direito autoral no show business* (Editora Gryphus, 1999), à pag. 591, Nehemias Gueiros cita a importância da aprovação da Lei 9.610 de 1998, que substituiu a Lei 5.988 de 1973 (feita numa época em que ainda não existia o videocassete e outras tecnologias), a partir da última Assembleia Nacional Constituinte, criando a possibilidade dos autores e criadores intelectuais fiscalizarem suas obras e uma melhor definição da utilização dessas obras por terceiros.

DISPUTA PELO BAÚ DE OURO

Viúva de Raul Seixas diz que gravadora não repassa valor correto de 'royalties' — por Marcelo Ambrósio

O trabalho do cantor e compositor Raul Seixas, morto há seis anos, nunca rendeu tanto comercialmente. E o fato começa a gerar atritos entre Kika Seixas e a gravadora PolyGram, em torno do pagamento de royalties pela execução, vendagem de discos e direitos conexos (exibições de vídeo, gravações de terceiros, etc) da obra de Raul. Para ela, a empresa estaria deixando de repassar o valor trimestral justo referente a esse retorno comercial. Segundo o advogado de Kika, Nehemias Gueiros, 'existe uma cláusula draconiana nos contratos que permite às gravadoras reduzir para 50% os royalties pagos por lançamento de versões populares ou dos discos normais a partir de cinco anos após a morte', descreve.

Os dois outros advogados das herdeiras se sentiram melindrados por eu ter demonstrado o quanto eles eram incompetentes para lidar com o assunto. Afinal, só arrecadavam o dinheiro depositado pelas gravadoras e editoras, sem nunca investigar se os valores estavam corretos (evidentemente só estavam interessados nas comissões que eles próprios recebiam). A partir daí a relação com eles começou a azedar cada vez mais, mas fico muito feliz porque com a nossa vitória em 2000 muitos artistas brasileiros passaram a ser mais respeitados pela indústria da música.

NEM TUDO SÃO FLORES NA PRODUÇÃO DE ESPETÁCULOS

Fazendo hoje um balanço dos eventos que ajudei a produzir entre 1992 e 2014 (22 anos, sendo o período mais produtivo entre 1992 e 2009, que compreende os primeiros 17 anos), foram vinte shows, cinco CDs ou DVDs, quatro livros e três exposições, em que participaram inúmeros artistas profissionais e amadores. Em apenas uma das gravações do *O Baú do Raul* se apresentaram vinte cantores, 13 músicos e *backing vocals*. A lista completa está no Anexo 7, no final deste livro.

Nem sempre essas empreitadas davam lucro. Na parceria com as casas de shows o resultado da bilheteria era dividido em 50% para a casa e 50% para mim; raramente eu conseguia um percentual de 60%. Com 50% tinha que pagar todas as despesas dos artistas contratados: ensaios, transporte, alimentação, bebidas no camarim etc. Para reduzir os custos, contratava uma "banda base", que acompanhava todos os artistas. Se cada um deles fosse trazer sua própria banda, além da perda de tempo trocando equipamentos, ficaria inviável pagar tanta gente. Além das despesas acima tinha o percentual fixo entre 12% a 15% para as três herdeiras.

Resumindo, eu tinha de 35% a 37% para pagar todas as despesas sob minha responsabilidade, enquanto a casa levava com relativa tranquilidade sua metade da bilheteria.

Em 19 espetáculos que produzi, quatro deles deram prejuízo. O primeiro foi do Kazebre Rock Bar, dia 14 de novembro de 2005, na Zona Leste de São Paulo. Eu não sabia que era um clube de motociclistas, onde os sócios, a grande maioria, não pagavam ingressos! Na hora de fechar a contabilidade faltou dinheiro e tive que completar do meu bolso!

O outro foi no *Metropolitan*, na Barra da Tijuca, no Rio, dia 19 de agosto de 1999. Faltando vinte dias para o evento, marcado para uma sexta-feira (uma data ótima, com público muito maior), a administração da casa resolveu antecipar o espetáculo para o dia anterior, quinta-feira! Já estávamos com a quase totalidade dos contratos fechados, passagens de avião compradas e a divulgação já iniciada! Isso pegou todo mundo de surpresa, principalmente o público, que costuma sair à noite nos fins de semana. Entre os artistas eu tinha contratado Raulzito e os Panteras (banda do Raul nos anos 1960, em Salvador) e o cantor Falcão (o poeta dos cornos, direto de Fortaleza), arcando com passagens de avião, alimentação, hospedagem e cachê pra todo mundo. Esperávamos quatro mil pessoas e apareceu a metade. Meu prejuízo equivalia a quase dois carros populares zero km.[37]

---

[37] Na prestação de contas que apresentei aos advogados no dia 14 de setembro de 1999, relativa ao show do Metropolitan, os números principais eram os seguintes: Total arrecadado R$ 43.566,00 (com 2.186 pagantes e o ingresso a vinte reais). O líquido da arrecadação foi de R$ 35.309,40. Os meus 50% deram R$ 17.654,70. O total das minhas despesas foi de R$ 43.534,80, ficando então um saldo negativo de R$ 25.880,10. Como o dólar nesta data valia R$ 1,89, o saldo negativo de R$ 25.880,10 equivalia a US 13.693,17, que seriam equivalentes hoje (dezembro de 2019) a aproximadamente R$ 55.594,27.

O prejuízo se repetiu em Divinópolis, cidade com mais de 230 mil habitantes, a 120 quilômetros de Belo Horizonte, onde a temperatura no inverno pode facilmente cair abaixo de 10 °C. Fechamos com o empresário local fazer o show no Parque de Exposições, com estrutura de palco e cobrança de ingressos, início marcado para as 22h, dia 8 de julho de 2005. Foram contratados 13 artistas: Tianastácia, Marcelo Nova, Bauxita, Sandra de Sá, Kapone, Rick Ferreira, Belchior, Barbra Zinger, Baia, Raimundos, Código B, Arnaldo Brandão e Frejat.

Esperávamos uma noite belíssima, mas em Minas Gerais, quando o céu fica vermelho ao entardecer, quem tem fogão de lenha se apressa a acendê-lo, pois lá vem friagem! A temperatura caiu rapidamente à medida que escurecia. Além de grande parte das pessoas ter desistido, algumas que estavam congelando na praça, esperando a festa começar, me pediram para entrar nos camarins, pois o termômetro estava despencando, embalado numa suave e cortante brisa noturna! Na hora de começar a festa não tínhamos o público esperado. Nem tudo são flores na produção de espetáculos.

No próximo encontro para a prestação de contas com os advogados, eles me perguntaram pela percentagem do show em Divinópolis. Eu expliquei que tinha sido um grande prejuízo e não tinha como repassar nada. Um deles me respondeu que "eu fiz porque quis e que o risco do produtor faz parte do negócio"! Argumentei que não era justo que as herdeiras só participassem quando os resultados fossem positivos. Seria mais correto que en-

344

trassem junto comigo também na hora do prejuízo (na verdade, não precisavam me ajudar a cobrir o *deficit*, mas pelo menos não precisavam aumentar a carga sobre minhas costas). Além do mais, em qualquer espetáculo, o ECAD (Escritório Central de Arrecadação e Distribuição) sempre recolhe e distribui o dinheiro relativo aos direitos autorais. Mas os advogados mantiveram a postura e aquilo foi um tapa na minha cara!

Eu estava trabalhando e me dedicando para produzir esses eventos da mesma forma que fazia quando o Raul estava vivo. Sempre me esforcei ao máximo para a divulgação e continuidade da sua obra, de seu nome e de seu acervo. E estava sendo tratada por advogados como uma empresária qualquer, uma desconhecida e até mesmo uma "aproveitadora". Eu não fazia aquilo por vaidade, mas sim por amor ao Raul, à minha filha e a um trabalho que a partir de 1979 sempre tinha sido a ocupação da minha vida. Além disso tinha uma legitimidade pública e sempre fui reconhecida como a pessoa responsável pelo seu acervo. Fui convidada para dar depoimentos em programas importantes da TV brasileira, como o Altas Horas, do Serginho Groisman, Jô Soares, Marília Gabriela e também os principais jornais e revistas do país.

Nunca tive nenhum esnobismo com relação a essa exposição na mídia, mas a postura dos advogados ao não investirem nada junto comigo e só ficarem na expectativa de recolhimento de percentuais me fazia muito mal! Além de tudo havia o processo judicial do Dr. Nehemias Gueiros contra a gravadora, no ano 2000, onde além de recuperarmos cerca de R$ 800.000,00 para as herdeiras, tinha modificado para muito melhor os parâmetros da arrecadação dos direitos artísticos, numa ação até então inédita no ambiente musical brasileiro. Esses próprios advogados agora estavam usufruindo desse meu esforço, pois a partir disso eles próprios passaram a ganhar muito mais! Sei dizer que nossa relação piorou! Isso sem contar a dança das cadeiras, porque outros problemas paralelos forçaram Simone e Scarlet a trocarem de advogados.

Trabalhando sozinha e sendo tratada durante anos como usurpadora por representantes legais, numa explosão de indignação resolvi responder no "campo jurídico" e cometi um grave erro, abrindo um processo contra o espólio de Raul Seixas. Me arrependi sinceramente quando percebi que destruiria para sempre uma possível harmonia entre as filhas. Com essa decisão, o processo foi arquivado.

O QUE REALMENTE IMPORTA NESTA VIDA

Passei por situações degradantes, pois todos sabem que mentiras repetidas mil vezes se transformam em verdades. Virou uma espécie de consenso me rotular de aproveitadora. Para ficar em apenas dois exemplos: um cineasta veio me entrevistar para um documentário e, dentro da minha casa, me perguntou "se eu engravidei do Raul pra amarrar ele", e um famoso jornalista disse que após sua morte "eu fui lá em Salvador me apropriar das coisas que ele tinha deixado". Documentos originais aqui apresentados mostram o quanto há de calúnia em comentários dessa natureza.

O que me deixa mais triste é ver amigos nossos, que sempre apoiaram o Raul enquanto ele estava vivo e que continuam defendendo sua memória, também serem agredidos como espertalhões e aproveitadores, como fazem com Sylvio Passos e Marcelo Nova, ou prejudicados como foi Zé Ramalho no seu belíssimo trabalho musical em homenagem a ele em 2001.

Uma enfermeira australiana chamada Bronnie Ware fez enorme sucesso ao publicar, em 2012, o livro *The Top Five Regrets of The Dying* ("Os Cinco Principais Arrependimentos dos Pacientes Terminais"). Eu gostaria de dar uma olhada nesses arrependimentos, pois eles contêm uma sabedoria que brota na hora da maior verdade de nossas vidas, que é a morte. Vamos ver?

1. Gostaria de ter tido coragem de viver uma vida fiel a mim mesma, e não a vida que os outros esperavam de mim. Acho maravilhoso constatar que fiz isso ao abandonar a carreira de arquiteta e confirmar, dividindo minha vida com Raul Seixas, que eu estava certa! *Vê se me entende, olha o meu sapato novo, minha calça colorida, o meu novo way-of-life! Long live rock'n'roll!*

2. Gostaria de não ter trabalhado tanto. Ah! Eu sempre adorei trabalhar e ao mesmo tempo me divirto muito! E repito com a cantora e pintora chilena *Violeta*

Parra, falecida em 1967: *"Gracias a la vida que me ha dado tanto, Me dio dos luceros, que cuando los abro, perfecto distingo lo negro del blanco, Y en el alto cielo su fondo estrelado, Y en las multitudes el hombre que yo amo!"*[38]

3. Queria ter tido coragem de expressar meus sentimentos. Nunca fui santa, mas sempre procurei ser sincera. Quando amordaçada, também senti o desespero dos humilhados e massacrados, sem chance de defesa ou retaliação. Mas quero sepultar de vez qualquer ressentimento.

4. Gostaria de ter mantido contato com meus amigos. Se um dia me desesperei por não ter quem me ouvisse ou com quem conversar, nestas últimas décadas lidando com a obra do Raul o que eu mais consegui foi fazer novos amigos e sempre reunir, em grandes festas, as pessoas que o amam e reverenciam. Nos momentos mais terríveis sempre contei com verdadeiros amigos, como meus pais e a família do Raul. Eles foram meus grandes guias e mestres nas noites escuras da alma.

5. Gostaria de ter me permitido ser mais feliz. Por mais que tentemos fugir do sofrimento, ele faz parte da vida. O meu maior exemplo foi o paradoxo Raul Seixas,

---

[38] "Obrigada à vida, que me deu tanto. Me deu duas estrelas, que quando as abro, distingo perfeitamente o negro do branco, lá no alto do céu seu fundo estrelado, e nas multidões o homem que eu amo!"

sempre na corda bamba entre a genialidade e a destruição, um ser maravilhoso cruelmente destruído por uma doença corrosiva como o alcoolismo. Sim, eu me permiti ser feliz e encerro dizendo que a intenção deste livro foi contar para minha filha a história de sua origem, para que ela possa ter parâmetros verdadeiros para construir sua própria trajetória. Meu maior orgulho é que, escrevendo torto por linhas tortas, todo o meu trabalho de forma direta ou indireta se reverte para as três famílias que Raul criou, como lembra dona Maria Eugênia na carta a seguir. *Gracias a la vida!*

Arquivo Pessoal

Maria Eugênia e Raul Varella Seixas - pais de Raul Seixas

EPÍLOGO

A CARTA DE SETEMBRO DE 1995, EM QUE MARIA EUGÊNIA CONVOCA A CONCILIAÇÃO

Para encerrar esta narrativa da minha vida com Raul Seixas, quero apresentar a carta que sua mãe me enviou seis anos após sua morte, onde ressalta o tom de conciliação, perdão e integração que ela sempre procurou promover entre todas as pessoas que estiveram ou estavam envolvidas na obra do filho, inclusive os fãs e fãs-clubes.

Espero que tenham gostado! Um abraço e até outra vez!

Salvador, setembro 1995
Querida Kika e Vivinha

Como estão vocês, bem? Recebi sua ultima carta, já faz algum tempo, mas só agora passo a respondê-la. Soube que vocês foram a São Paulo receber uma homenagem prestada a meu filho pela MTV. Mande-me o recorte de jornal que saiu com a foto de vocês, gostaria de tê-la na minha coleção. Espero que tenha gostado das fitas de vídeo e dos álbuns de fotos que lhe mandei emprestado. Só mandei porque confio em você, e tenho certeza que você me devolverá. Já tenho provas disso com outras coisas, eu lhe emprestei para seus trabalhos e você me devolveu.

Felizmente meu filho só se envolveu em sua intensa vida amorosa, com moças de bôa família e todas com caráter. Tenho um grande carinho por todas vocês, que me ajudaram a "suportar" as es-

tripolias dele. Serei eternamente grata, em especial a você, que sendo a única mãe brasileira de uma das 3 filhas dele, tem tido a oportunidade de trabalhar para manter a memória dele viva. Acho natural que (sem prejudicar as meninas) o seu trabalho seja recompensado com uma percentagem. Você é uma proficional em promoções.

Todos os artistas, fãs clubes e alguns fãs, ganham em tudo que fazem no nome dele. Sei que você trabalha por uma filha, mas é tudo dividido com as outras duas. Você tem trabalhado intensamente, você tem despesas com estes trabalhos, por isto acho normal que você ganhe a sua parte. Eu como não sou "fã", sou sua mãe, tenho colaborado com a divulgação das obras dele. Não me passa nem de longe pela cabeça, ganhar dinheiro em cima do que faço. Eu faço por puro amor, já ganho o orgulho, a vaidade de ser a mãe de um mito!!! É extremamente gratificante para mim todos me reverenciarem e me chamarem de "mãe baiana", "mãe de meu ídolo". Chega de confetis...

Seguem alguns recortes e fanzines para você. Estarei aguardando a foto que saiu no jornal, as fitas de vídeo e os álbuns que lhe emprestei. Um beijo grande para você e a Vivinha

Da vó e amiga — Maria Eugênia Seixas.

Salvador 109/95

Querida Rika e Vivinha.

Como estão vocês, bem?

Recebi sua ultima carta, já faz algum tempo, mas só agora passo a responde-la.

Soube que vocês foram a São Paulo receber uma homenagem prestada a meu filho pela MTV. Mande-me o recorte do jornal que saiu com a foto de vocês, gostaria de te-la na minha coleção. Espero que você tenha gostado das fitas de video e dos albuns de fotos que lhe mandei emprestado Só mandei por que confio em você, e tenho certeza q você me devolverá. Já tenho provas disso com outras coisas, que lhe emprestei para seus trabalhos e você me devolveu Felizmente meu filho só se envolveu em sua intensa vida amorosa, com moças de bôa família e todas com caratés. Tenho um grande carinho por todas vocês, que me ajudaram a "importar" as estripolias dele. Serei eternamente grata, em especial a você, que sendo a unica mãe brasileira de uma das 3 filhas dele, tem tido a oportunidade de trabalhar para manter a memoria dele viva. Acho natural que (sem prejudicar as meninas) o seu trabalho seja recompensado c/uma porcentagem. Você é uma proficional em promoções Todos os artistas, Fãs Clubs e alguns fãs, ganham em tudo que fazem no nome dele. Sei que você

355

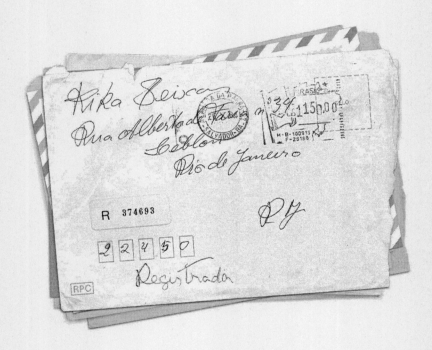

ANEXO I

Textos originais
das dez cartas de
Maria Eugênia para
Kika, após a
separação de Raul

ÍNDICE

CARTA 1 – 23 de setembro de 1984
Após separar-se de Kika, Raul faz mil loucuras em Salvador

CARTA 2 – 15 de outubro de 1984
Raul trata os dentes. A mãe quer "devolvê-lo sadio para Kika".

CARTA 3 – 23 de outubro de 1984
Raul tem diagnóstico de apenas mais dois anos de vida.

CARTA 4 – 26 de outubro de 1984
Raul, na farra, pensa lançar Metrô Linha 743 no T. Castro Alves.

CARTA 5 – 29 de outubro de 1984
Maria Eugênia quer levar Raul no Centro Espírita.

CARTA 6 – 06 de novembro de 1984
Raul sendo explorado e roubado no "rendevou".

CARTA 7 – 19 de novembro de 1984
Maria Eugênia fala sobre Edith e "outro pai" para Simone.

CARTA 8 – 20 de novembro de 1984
Maria Eugênia descreve dívidas e médicos do Raul.

CARTA 9 – 22 de novembro de 1984
Raul devendo em todos os lugares e enchendo a cara.

CARTA 10 – 28 de novembro de 1984
Maria Eugênia quer que Kika e Vivi passem o Natal em Salvador.

Carta 1 — 23 de setembro de 1984
Após separar-se de Kika, Raul faz mil loucuras em Salvador

Salvador 23/9/84 Queridas filhas Kika e Vivi

Você bem pode imaginar o que estou passando, tive que voltar aos braços do "tampinha" Pois estava muito nervosa, horas agitada, horas depressiva sempre suando frio e sentindo angústias. Agora já estou melhor a base de Anafranil e tomei 3 vezes por dia. Você sabe o meu desespero ao ver meu filho querido sozinho fazendo todas as loucuras que quer. Não sei dele a mais de 10 dias. Para ele falar comigo no telefone foi preciso passar um telegrama pedindo notícias urgentes. Quando ele falou parecia estar normal mas muito triste sentindo sua falta e a de Vivinha mas ao mesmo tempo dizendo que você traiu ele, o mesmo se disse a Plininho. Diz não ter sorte com mulher que todas largam ele só, depois dele dar tudo a elas, amor carinho dedicação. Não precisa você se justificar, eu sei quando ele não está normal, mete isto na cabeça, depois fica sofrendo as dúvidas do que ele próprio criou. Mesmo que o destino me afaste de vocês (o q não desejo) como fez com Edith, eu jamais esquecerei a proteção o amor e o carinho que você deu a ele. Deus lhe

Queridas filhas Kika e Vivi

Você bem pode imaginar o que estou passando, tive que voltar às mãos do "tampinha", pois estava muito nervosa, horas agitada, horas depressiva, sempre suando frio e sentindo angústias. Agora já estou melhor, à base de Anafranil[39] e Lorax[40], duas vezes por dia. Você sabe o meu desespero ao ver meu filho querido sozinho, fazendo todas as loucuras que quer. Não sei dele a mais de dez dias. Para ele falar comigo no telefone foi precizo passar um telegrama pedindo notícias urgentes. Quando ele falou parecia estar normal mas muito triste, sentindo sua falta e a de Vivinha. Mas ao mesmo tempo dizendo que você traiu ele, o mesmo ele disse a Plininho. Diz não ter sorte com mulher, que todas largam ele só, depois dele dar tudo a elas, amor, carinho, dedicação.

Não precisa você se justificar, eu sei que quando ele não está normal, mete isto na cabeça, depois fica sofrendo as dúvidas do que ele próprio criou. Mesmo que o destino me afaste de vocês (o que não desejo) como fez com Edith, eu jamais esquecerei a proteção, o amor e o carinho que você deu a ele. Deus lhe abençoe por tudo que foi feito por ele.

Embora com o coração partido devido a estes últimos acontecimentos, o que jamais pensei que viesse a acontecer, eu fiz a minha Missa de Ação de Graças, no domingo, dia 16/9. Foi linda e muito concorrida. Toda a família estava lá, só faltaram vocês.

---

[39] Anafril – antidepressivo usado para depressão, pânico, fobias, dor crônica.

[40] Lorax – ansiolítico (remédio para ansiedade).

Estou radiante com a notícia de que você vem com Vivi passar as férias aqui em janeiro, pois só em janeiro estarei em Dias D'Ávilla. Eu sempre passo o Natal aqui na cidade. Janeiro passo lá e fevereiro vou e volto todo fim de semana, pois Raul só tem um mês de férias, janeiro.

Vou mandar suas cartas para ele ler para ver se ele vai acabando com esta ideia de que você o traiu. Ele me disse que tem vergonha até dos porteiros do prédio. Diz que está sozinho, que tão cedo não quer saber de mulher, que lhe ama muito e por isto está sofrendo.

Beijos para Vivinha. Dia 5 vou lhe telefonar à noite. É seu aniversário, não é?

Beijos para todos
Sua amiga
Maria Eugênia

Carta 2 — 15 de outubro de 1984
Raul trata os dentes. A mãe quer "devolvê-lo sadio
para Kika".

no sabado e domingo, ele teve uma
dormideira braba, pois estes remedios
q ele toma, com o pouco de cerveja
q tomou, deu sono. Ele ficou todo
chateado, chegou a brigar comigo, mas
já aqui em casa. Eu como o tenho
certeza que foi efeito da cerveja com
os remedios não me importei. Levei
ele na 5ª feira dia 11 ao dentista, ele vai
começar o tratamento hoje e levei tambem a Jussé, ele achou ele bem de saúde
embora tenha pedido uns exames
de sangue para hoje as 7 1/2 da manhã.
Dr. Americo vem me ver e conversar
com ele hoje a noite, pelo telefone
ele já me disse q não aprova o Gardenal
q ele está tomando, vai trocar por outro.
Espero em Deus que não me ajude a trata-lo
para q eu possa devolve-lo são e
salvo para você. Ele te ama muito,
não larga seu nome da boca, sente
muito sua falta. Prometo q farei tudo
o q puder, para devolve-lo lindo como
ele é quando está são.

Beijos para Vivi sua mãe e seu pai.
Agradeça a eles a acolhida q nos deu.
Beijos de sua eterna amiga
Maria Eugenia

363

Queridas filhas Kika e Vivi

Fizemos uma viagem ótima de avião, viemos conversando o tempo todo. Na hora do lanche, ele tomou 2 dedos de Wisck com 1 copo de Coca-Cola. Beto, Raul e Janaína estavam nos esperando. Em casa estavam minha irmã Lygia, a filha e Nadir. Ele não saiu. Jantamos e fomos dormir. Ele tem tomado os remédios regularmente, mas às escondidas estava tomando Reativan, por conta própria, sei que isto corta o efeito dos remédios, mas tenho que ir devagar com ele, para que ele me obedeça.

Telefonamos para você na 5ª feira à noite, e na 6ª feira às 6 ½ e ninguém atendeu, era para avisar que íamos para Araripe, a casa de praia de Plininho. Passamos os feriados lá, ele se comportou muito bem, tomou sol, passeou de lancha, comeu muita lambreta e dormiu muito, foi tudo bem, embora tenha tomado um pouco de cerveja, o que não deveria, devido aos remédios, mas Plininho, Raul e o amigo do Plininho que estava lá, tomaram muito. Foi tudo bem, pois ele tinha Reativan.[41] Depois que acabou, no sábado e domingo ele teve uma dormideira braba, pois estes remédios que ele toma, com o pouco de cerveja que tomou, deu sono.

Ele ficou todo chateado, chegou a brigar comigo, mas já aqui em casa. Eu, como tenho certeza que foi efeito da cerveja com os remédios, não me importei. Levei ele na 5ª feira, dia 11 ao dentista, ele vai começar o tratamento hoje e levei também a Jessé, ele achou ele bem

---

[41] Reativam — complemento vitamínico natural (mas deve haver alguma coisa a mais no fato de ser usado pelo Raul, pois Zé Ramalho disse, em entrevista, que, em 1984, Raul sugeriu que os dois o tomassem com cuba-libre, para "dar barato". Zé tomou com ele porque "naquela época topava tudo e estava mesmo pegando um bronzeado no inferno!").

de saúde, embora tenha pedido uns exames de sangue para hoje às 7 ½ da manhã. Dr. Américo vem me ver e conversar com ele hoje à noite. Pelo telefone ele já me disse que não aprova o Gardenal que ele está tomando, vai trocar por outro.[42]

Espero em Deus que Raul me ajude a tratá-lo, para que eu possa devolvê-lo são e salvo para você. Ele te ama muito, não larga seu nome da boca, sente muito sua falta. Prometo que farei tudo o que puder para devolvê-lo lindo como ele é quando está são.

Beijos para Vivi, sua mãe, seu pai. Agradeça a eles a acolhida que nos deu.

Beijos de sua eterna amiga
Maria Eugênia

A seguir, o bilhete que o próprio Raul acrescentou a esta carta de Dona Maria Eugênia:

Minha gracinha – Tenho sentido muito sua falta. Gostei do "relatório" de minha mãe. Não telefonei pois os dentes e médicos e tudo ficam muito caro. Te amo. Diga a Vivi "o cachorro" que estou muito bem. Juro!! Juro que estou moreno. Minha mãe já quer fechar a carta dela. Tenho que correr

No verso:

Detesto papel de carta sem lista. Vou ligar Lélio. Depois vou para os exames. Nunca mais tive + na glicofita. Te escrevo com + calma. Xô indo. Você é a paixão da minha vida.

---

[42] Gardenal — remédio para prevenção de convulsões (como epilepsia) e sedativo (age no sistema nervoso central). Contra-indicado em alcoólatras (provavelmente por isso o médico era contra Raul tomá-lo).

Carta 3 — 23 de outubro de 1984
Raul tem diagnóstico de apenas mais
dois anos de vida.

Salvador 23/10/84

Minha querido filha Nika.

Fui ontem a Dr. America o tarde. Ele não cobrou a visita q fez aqui em casa, observando Raulzito, mais me pediu p. eu ir ao consultorio que ele queria conversar comigo sozinha. Fui ontem repetir mais ou menos o q eu já sabia dito por ele, em outras ocasiões e por Dr Jecé. Me explicou q ele não é diabetico, é muito diferente ser diabetico por mal funcionamento do pancreas e ter o pancreas operado e o q resta em decomposição pois alem da insulina que ele não fabrica, tem mais uma dezena de coisas q deixou de fabricar, q são mas rarissimas ao organismo humano. Vai afetar todos os orgãos, desde o cerebro até o pé. Todos os orgãos dele estão sentindo a falta destes produtos não fabricados, mais pelo pancreas. Ele poderá ter repentinamente uma emorragia interna com a ruptura do pancrea, ou ir sentindo o enfraquecimento dos outros orgãos desde a memoria. Acredita ele q tecnicamente no maximo ele poderá viver 2anos. Quem sabe? Quanto aos problemas psicologicos

Minha querida filha Kika

Fui ontem a Dr. Américo à tarde. Ele não cobrou a visita que fez aqui em casa, observando Raulzito, mais me pediu para eu ir ao consultório que ele queria conversar comigo sozinha. Fui ontem. Repetiu mais ou menos o que eu já sabia dito por ele, em outras ocasiões, e por Dr. Jecé. Me explicou que ele não é diabético, é muito diferente ser diabético por mal funcionamento do pâncreas e ter o pâncreas operado e o que resta em decomposição, pois além da insulina que ele não fabrica, tem mais uma dezena de coisas que deixou de fabricar, que são necessaríssimas ao organismo humano.

Vai afetar todos os órgãos, desde o cérebro até o pé. Todos os órgãos dele estão sentindo a falta destes produtos não fabricados, mais pelo pâncreas. Ele poderá ter repentinamente uma emorragia interna com a rutura do pâncreas, ou ir sentindo o enfraquecimento dos outros órgãos desde a memória. Acredita ele que, tecnicamente, no máximo ele poderá viver 2 anos. Quem sabe?

Quanto aos problemas psicológicos, acha ele que Raulzito traz problemas que o marcaram muito na infância e ainda não conseguiu cortar o cordão umbilical que o liga a mim. Pelo motivo de Raul meu marido ser uma pessoa distante e reservada, não se ter envolvido na educação e controle dos filhos acha Dr. Américo que eu sempre tive total domínio sobre ele. Daí ele em criança me adorar e ter até ciúmes de mim. Razão por que ele ainda não se fixou em uma esposa. Ele precisa de uma esposa mãe "like me" como ele me via pequeno, bonita, atraente, envolvente, e ao mesmo tempo dominante ao lidar com os filhos e todos que me rodeavam.

O excesso de ciúmes que ele tem de você, advém da fraqueza sexual que ele deve estar sentindo pelo uso prolongado do álcool e drogas. Na opinião dele os traumas que ele sofreu de 72 para cá são facilmente superáveis, os problemas de infância são os mais difíceis.

Uma psiquiatra "dura" seria o ideal para ele, mas aqui na Bahia ele não conhece nenhuma. Em São Paulo e Rio tem ótimas. Ele acha que se o Raul vai ficar aqui até dezembro deve se fazer o máximo para ele aceitar um psiquiatra, ele indicou 2 nomes. O caso de Raulzito é excepcional, o psiquiatra deve ser além de medico dele, amigo, e participar da vida dele. O que no comum não é indicado.

A estada dele aqui sem esposa está beneficiando ele. Dr. Américo também acha que ele se identifica totalmente com Elvis Presley o que faz com que ele esteja praticando o suicídio a longo prazo, se autodestruindo. Diz ele que é comum os artistas sensíveis e problemáticos como o Raul ter um modelo em outro astro célebre. Ele continua numa vida normal sem me dar maiores preocupações ou problemas. Continua disposto comendo muito se movimentando o dia todo, num entra e sai incrível e com boa aparência física. Com muita disposição para o trabalho e encantado com o dentista. O tratamento dele vai ser caríssimo, mas acredito que vai ficar excelente.

Mandei uma carta ao Dr. Lélio apressando a venda do apartamento de S. Paulo para que ele tenha dinheiro aplicado para qualquer emergência que surja na saúde dele e p. os dentes. Depois que ele chegou aqui Dr. Lélio mandou pela conta do Raul pai 688/2 um total de 250.000,00. Eu e Raul estávamos controlando pagamos daí 62.000,00 de exames, 40.000,00 do Jecé + 70.000,00 que Raul deu a ele e ele gastou na rua com almoços de peixadas, mariscos, um retrato seu com ele, que mandou botar no quadro e naturalmente cerveja, acarajé e etc...

Hoje ele vai ao Dr. Cláudio Dias especialista em diabete e pâncreas vai pagar mais 40.000,00 pela consulta, portanto dos 250 mil ele já gastou 210.000,00 só restam 40.000,00. Ele não estava gostando de ser controlado, ontem saiu e abriu uma conta própria no Itaú. Já avisou a Dr. Lélio ontem a noite p. fazer as remessas direta-

mente para ele. Raul pai acha isto certo, pois tira isto da cabeça dele, controle e prestação de contas. Ele pediu a Raul para ensiná-lo a lidar com cheques. Dr. Américo recomendou muita compreensão carinho e assistência a ele da parte de nós todos, incluindo vocês, mas acha que você não deve vir tão cedo é melhor para ele.

Saiu na revista "Contigo" que tem os "Menudos" na capa uma matéria horrível, sobre ele é de lamentar que seja tudo ou quase tudo verdade. Creio, não sei porque, que a Monica deu aquelas dicas. Ela estava uma fera quando cortou seu casado de Chenily. E a Shirley que ficou danada por nós não recebermos ela. Na Veja tem uma matéria pequena porem boazinha, feita aqui. Cortaram muito do que ele fez.

Lembra-se de minha oração de São Francisco, a predileta de Santa Terezinha? Isto é que me dá muita força. Nada te perturbe nada te espante tudo passa. Só Deus não muda. A paciência tudo alcança. Quem a Deus tem nada lhe falta. Só Deus basta!

Beijos de sua
Maria Eugênia
P.S.: Tomou dinheiro a Beto pra abrir conta no Itau

Observação: em outubro de 1984 o dólar estava cotado a 2.449 cruzeiros. Apenas para termos um valor ilustrativo para comparar com os valores de hoje, as contas citadas acima, em dólares, ficariam:

250 mil depositados na conta (ou 102 dólares)

62 mil de exames (ou 25,30 dólares)

40 mil do Jecé (ou 16,30 dólares)

70 mil que Raul deu a ele (ou 28,60 dólares)

40 mil pela consulta (ou 16,30 dólares)

250 mil; ele já gastou 210 mil (ou 85,74 dólares) e só restam 40 mil (ou 16,30 dólares)

Carta 4 — 26 de outubro de 1984
Raul, na farra, pensa lançar Metrô Linha 743 no T.
Castro Alves.

Salvador 26/10/84 Querido filho Kika —
Paulzito continua aparentemente bem, nunca
chegou aqui bebado ou cheirando a éter, ele
ele toma um pouco de cerveja, ele me
diz, mas, tem 3 dias q̃ não dorme
aqui em casa, alega q̃ tem encontros
com o pessoal da Publivendas (do caso
de propaganda das 7 he radias) e com o pessoal
al q̃ quer fazer o Video Clip. estes encontros
diz ele são marcados para depois do
expediente de cada um, q̃ 10 h da
noite. o q̃ o deixa impedido de entrar
em casa, pois o nosso predio, está
provisoriamente sem o único porteiro
q̃ possui e dai to cindico, desliga os ele
vadores e fecha as portas as 10 h em ponto.
Eu já mandei fazer uma chave para
ele, vem hoje, eu não tinha chave
do fundo, q̃ dá acesso a escada,
porque nós não saimos a noite.
Soube q̃ ele está dormindo no Hotel
Ondina Praia, e lá é q̃ tem encontros
com os homens de negocio. Ele chega
em casa 8½ 9h da manhã ou
as vezes p. almoçar. Eu não pergun

Querida filha Kika

Raulzito continua aparentemente bem, nunca chegou aqui bêbado ou cheirando a éter. Se ele toma um pouco de cerveja, ele me diz, mas, tem 3 dias que não dorme aqui em casa, alega que tem encontros com o pessoal da Publivendas (do caso da propaganda das TVs e rádios) e com o pessoal que quer fazer o vídeo clip. Estes encontros diz ele são marcados para depois do expediente de cada um, 9 e 10h da noite, o que o deixa impedido de entrar em casa, pois o nosso prédio, está provisoriamente sem o único porteiro que possui e daí o cíndico, desliga os elevadores e feixa as portas as 10h em ponto. Eu já mandei fazer uma chave para ele, vem hoje, eu não tinha chave do fundo, que dá acesso a escada porque nós não saímos a noite.

Ele abriu uma conta pessoal no Itaú graça ao Dr. Hélio mandou 250.000,00. Soube que ele está dormindo no Hotel Ondina Praia, e lá é que tem encontros com os homens de negócio. Ele chega em casa 8 ½ 9h da manhã ou as vezes para almoçar. Eu não pergunto aonde ele esteve ou o que fez, não acho que deva controla-lo, ele é homem, dono do seu nariz, certo ou errado, é independente. Telefona para cá desde 5 ½ da manhã, ou a toda hora, que não vem almoçar ou jantar. O importante é que toma o remédio do açúcar o Daonil[43], vai ao dentista religiosamente e trabalha muito, atendendo o pessoal de rádio e TV e Som Livre, que ligam para cá o dia todo.

Já disse a ele que vou pedir um cachê de secretária para Bruno.

---

[43] Daonil — antidiabético (reduz o açúcar no sangue, mas normalmente é utilizado em diabéticos tipo II e que não usam insulina. É possível que os médicos o receitassem porque Raul detestava injeções de insulina e não as usasse...)

Segue a última reportagem que ele deu aqui em casa. Todas as revistas desta semana deram notícias dele, algumas ruins, mas outras boas, tudo vale. Ele ficou uma "fera" com a revista Capricho e o que mais reclamava é que eu e você e Sílvio, éramos os culpados, principalmente eu, que causei o escândalo de interna-lo o que ele não perdôa. Ele não sabe que eu sei que ele está hospedado no hotel em Ondina. Todas as coisas dele inclusive documentos e roupas estão aqui em casa, ele vem diariamente aqui, as vezes almoça, troca de roupa, escreve, toca violão por instantes, aguardando telefonemas e sai, sai sempre de dia com Beto, que o está acessorando nos negócios, pois ele mesmo diz que não entende desta parte.

Até agora tudo bem. Dr. Lélio sabe que ele está a 3 dias neste hotel, como sempre reclama, que a despesa vai ser pesada, mas na minha opinião se ele não causar problemas nem escândalo tudo bem. Deixe ele aproveitar o resto de vida que tem a seu bel prazer, mesmo que esteja bebendo a noite, o que eu não sei dizer. Raul e Plininho não sabem de nada, só Dr. Américo que também concorda comigo e está me orientando. Qualquer coisa que aconteça o esquema está pronto para interná-lo espero que não precise. Até agora tudo ótimo. Ele vai trabalhar no resto das rádios e TV na próxima semana. Provavelmente o vídeo clip começará a ser gravado em princípio de novembro e no fim do mês ele pretende lançar o LP aqui provavelmente no Teatro Castro Alves. Deus o proteja.

Hoje ele vai cantar no "Clarice Drinks", pequena boate do Beto.

Leve tudo dele para o Rio, guarde com cuidado.

Sua Maria Eugênia

Carta 5 - 29 de outubro de 1984

Maria Eugênia quer levar Raul no Centro Espírita.

Salvador 29/10/84 Queridas filhas Kika Vivinha como não lhe escondo nada, q se passa aqui tenho a lhe dizer q continuo satisfeita com o procedimento do meu filho. Embora ele tenha se mudado para o Hotel Ondina Praia (perto de Helena) Ele foi supido, não levou nada, nem roupas nem documentos, nem remedios, A principio vinha aqui a toda hora, depois passou a telefonar, dizendo q estava em casa de um amigo, eu desconfiei. Ache isso pra acha natural (não falando na despeza) é muito dificil para um homem independente q já saiu de casa a 20 anos, ficar sujeito aos habitos de 2 velhos q dormem cedo e tem horario de comer. Dei a ele a chave da casa, mas mesmo assim dava proble mas para ele entrar tarde. Fiz a chave do portão, mas ele não chegou a usar, já estava no hotel. Ele está sempre em contacto conosco e telefona, muito. Agora ele já sabe q eu sei q ele está no Hotel, Aqui é pequeno e algumas pessoas já o viram entrar lá, acompanhado com mocinhas, uma loura, uma morena e com homens q vão tratar de negocios com ele. Beto Tambem vai lá. O q ele faz a noite, não sei, nem quero saber, só tenho pena q soube q ele toma Whisk, diz Beto q toma

Queridos filhos kika Vivinha

Como não lhe escondo nada, que se passa aqui, tenho a lhe dizer que continuo satisfeita com o procedimento do meu filho. Embora ele tenha se mudado para o hotel Ondina Praia (perto de Helena) ele foi fugido; não levou nada, nem roupa, nem documentos, nem remédios. A princípio vinha aqui a toda hora, depois passou a telefonar, dizendo que estava em casa de um amigo, eu desconfiei. Lhe juro, achei natural (não falando na despeza) é muito difícil para um homem independente que já saiu de casa a 20 anos, ficar sujeito aos hábitos de 2 velhos que dormem cedo e tem horário de comer. Dei a ele a chave da casa, mas mesmo assim dava problemas para ele entrar tarde. Fiz a chave do portão, mas ele não chegou a usar, já estava no hotel.

Ele está sempre em contato conosco e telefona muito. Agora ele já sabe que eu sei que ele está no hotel, Aqui é pequeno e algumas pessoas já o viram entrar lá, acompanhado com mocinhas, uma loura, uma morena e com homens que vão tratar de negócios com ele. Beto também vai lá. O que ele faz a noite, não sei, nem quero saber, só tenho pena que soube que ele toma whisk, diz Beto que toma muito pouco. Na noite do show, no "Clarisse's Drink" de propriedade de Beto, Helena viu ele tomando wisck. Beto diz que foi pouco, Helena disse que ele estava alegre mas normal.

O principal é que não tem faltado ao dentista nem aos médicos e exames. Diz ele que está tomando o Taonil os outros remédios do pisiquiatra do Aché, ficaram aqui em casa, não tomou mais, desde 6ª feira dia 26/10, dia 9 ficou definitivamente no hotel e só vem aqui de relance. Trocou roupa para o show aqui em casa, 10 ½ da noite. Ele já me lembrou que tem dentista as 9h da manhã hoje. Depois encontro com Beto, para tratar do caso das TVs e rádios da Publivendas. O pessoal está amarrando. Ele pediu 5 milhões ou o vídeo clip pronto.

O show de lançamento do LP é para novembro, estão em entendimentos com um empresário chamado Clarivaldo, que empresaria Ney Matogrosso e Roberto Carlos aqui. Foi sucesso. Ele compra o show e paga adiantado ao artista, o resto ele faz. Em geral no Baiano de Tênis que é o maior lugar e mais chic. Ele vai com o Beto 6ª feira passar o fim de semana em Piritiba, acho uma bôa. Embora Beto beba, mas ele depois que casou e teve uma filha, está mais moderado e ajuizado e o próprio Raulzito está bebendo pouco, ainda não o vimos bêbado. Ele está feliz.

Telefonou para mim hontem a tarde 3h, hora que acordou, estava "lindo" e perguntou como sempre por vocês se havia telefonado, disse que vai lhe ligar quando vier aqui para não gastar tanto dinheiro no hotel ele diz que está fazendo contenção de despesas. Só retirou 100mil dos 250.000,00 que Dr. Lélio mandou para a conta pessoal dele no Itaú da Graça. Eu telefonei escondido a Zezé a subgerente que é amiga de Nadir, para ela não adiantar dinheiro a ele. Segue a prestação de contas dos 250.000,00 que Dr. Lélio mandou para a conta 688/2 do Bradesco no nome de Raul meu marido.

Mandei também para Dr. Lélio junto com os recibos, que recebi e Raulzito assinou o recibo de 70mil que Raul deu a ele para despesas pessoais. Estou lavando a roupa dele em casa pagando extra a lavadeira não vou cobrar nada disto. Plininho só esteve com ele no dia que ele chegou. Durante a semana veio aqui para vê-lo, infelizmente as 3 vezes que veio não o encontrou. Convidou-o para almoçar com ele no 1º domingo que ele passou aqui, ele já estava comprometido com Beto e não foi. No meio da semana precisamente 5ª feira dia 25/10 Plininho soube que ele estava no Ondina Hotel e foi com Miquele visita-lo, lá pelas 9 ½ da noite. Ele estava dormindo, Plininho insistiu no telefone do hotel, ele não sei porque (ficou retado) e despachou

Plininho, depois logo a seguir, telefonou para Cicélia e disse o diabo a ela, chamou de "puta", ela é claro revidou.

Lá pelas 11 ½ da noite me acordou para se queixar e dizer leras, nesta noite ele ainda não sabia que eu estava sabendo que ele estava no hotel. Creio que ele danou com Plininho, porque descobriu. Disse que havia cortado relações com a família, incluindo eu. Mas durou pouco, no dia seguinte me ligou como se nada tivesse acontecido. Separou uma mesa para mim e Plininho no show de Beto mas "só Helena" foi com o marido. Eu disse a ele que eu e Raul não saímos mais a noite, principalmente para bar-boate. Plininho estava em Araripe. Eu conversei com ele e Cicélia eles disseram que não vão levar em conta, pois ele devia estar cheio de wisck. Só não conseguimos leva-lo a um pisiquiatra. Hoje mesmo vou a "tampinha", ele diz que tem que ter paciência, já arranjou um medico Dr. Jordan Guedes que é da idade de Raulzito, bem "Yate" e pode fazer amizade com ele e sem que ele saiba, fazer a terapia de orientação.

Já me comuniquei com ele. Caso surja uma emergência (o que não desejamos) tudo está pronto para interna-lo na Clínica pisiquiátrica Salvador na Barra. É uma clínica pequena, mas só de viciados é só para desintoxicar e sair não é para ficar lá. Deus está nos protegendo. Paciência filha paciência. Estou providenciando a visita dele a Edvaldo Franco o espírita.

Recomendações ao Brigadeiro
Beijos para Edméia
Beijos da sua amiga de sempre
Maria Eugênia

A seguir, o bilhete que a própria Dona Maria Eugênia anexou a esta carta, numa folha de cadernetinha pequena:

Kika – prestei contas a Dr. Lélio dos 250.000,00 que ele remeteu para Raulzito atravez da conta de Raul 688/2 Bradesco, mandei os recibos de médicos e exames:

62.000,00	1° exame
40.000,00	médico Cláudio
40.000,00	médico Jecê
30.500,00	2° exame de sangue
70.000,00	gasto pessoal
242.500,00	**total**

250.000,00 – 242.500,00 = 7.500,00 dei a ele

Maria Eugênia

Observação: em outubro de 1984 o dólar estava cotado a 2.449 cruzeiros. Apenas para termos um valor ilustrativo para comparar com os valores de hoje, as contas citadas acima, em dólares, ficariam:

62 mil	1° exame	25,32 dólares
40 mil	médico Cláudio	16,33 dólares
40 mil	médico Jecê	16,33 dólares
30,5 mil	2° exame de sangue	12,45 dólares
70 mil	gasto pessoal	28,58 dólares
242,5 mil	total	99,00 dólares

250 mil — 242.500,00 = 7,5 mil; dei a ele 3,06 dólares

Carta 6 — 06 de novembro de 1984
Raul sendo explorado e roubado no "rendevou".

Salvador 6/11/84 Querida filha Kika.
Acredito q você compreenda q após 10 anos
de vícios, o nosso querido, ~~——~~ se deixa
levar por outros de vêz em quando. Na
semana passada de 22/10 a 5/11 Ele foi
para o Ondina Hotel, Concordei, pois
sei o gosto dele pelas mordomias de
um hotel, Como ele me visitava e
telefonava desde 5½ da manhã, não
reclamei, só reclamava de ele não
vir as horas certas de tomar os
remédios. Beto, Waldir estavam
sempre em contacto com ele, e
comigo. Tanto q no sabado retrazado
ele cantou na Boate de Beto e.
veio aqui trocar de roupa a noite.
Saía com Waldir de dia, p ir as radios
e as TVs, e com Beto p tratar do caso
da Publivendas e do Video casete, mas
depois do Show, no domingo retraza
do, Beto, Waldir e Nicolau (um rapaz
q ele conheceu aqui, uma otima pessoa)
se queixaram a mim q ele estava
andando com uma turma de

Querida filha Kika

Acredito que você compreenda que após 10 anos de vícios, o nosso querido se deixe levar por outros de vez em quando. Na semana passada de 22/10 a 5/11 ele foi para o Ondina hotel. Concordei, pois sei o gosto dele pelas mordomias de um hotel. Como ele me visitava e telefonava desde 5 ½ da manhã, não reclamei, só reclamava de ele não vir as horas certas de tomar os remédios. Beto e Waldir estavam sempre em contato com ele, e comigo. Tanto que no sábado retrazado ele cantou na boate de Beto e veio aqui trocar de roupa a noite.

Saía com Waldir de dia, para ir as rádios e as TVs, e com Beto para tratar do caso da Publivendas e do Videocasete, mas depois do show, no domingo retrazado, Beto, Waldir e Niculau (um rapaz que ele conheceu aqui, uma ótima pessoa) se queixaram a mim, que ele estava andando com uma turma de péssima reputação, rapazes e moças entre 20 e 30 anos, que tem uma casa na Barra, bem escondida no topo do morro do Gonzaga, aonde fazem "rendevou" bailes, trocam de mulheres e etc... Os vícios imperam, maconha, cocaína, éter, bebidas etc...

Desde o dia 31/10 a 4/11 ele sumiu daqui, pouco me ligava. Deixou o hotel correr por conta dele e não ia dormir lá. Aparecia de dia lá, cheio desta gente, que exploraram ele a bessa. No dia 4 Plininho convidou ele pela 2ª vez a ir almoçar na casa dele, ele esteve aqui de manhã cedo e me disse que ia viajar com uns amigos, para Nazareth das Farinhas. Fui pra casa de Plininho, certa de que ele tinha viajado. Eu já preocupada com a turma que estava com ele, mas o que eu podia fazer? Falava com Dr. Américo, pedindo opinião e orientação. Ele dizia não o procure ele volta.

Dito e feito, a noite quando voltei para casa recebi um telefonema dele, já totalmente "dopado", me pedindo para ir buscá-lo, pois os "amigos" haviam viajado de manhã cedinho e o deixaram sozinho, lá na "toca". Ele bebeu muito, não podia nem andar. Eu e Raul fomos busca-lo para casa. Aqui demos um banho e botamos para dormir, depois de dar uma sopa quente. Acordou 4 ½ de 2ª feira, ontem, são e salvo. Só falava em vocês, ansioso esperou que desse 6 ½ para telefonar. Leu sua carta que chegou neste dia. Deixei ele em jejum, chamei a clínica Santa Paula, de Jecê, tirou sangue e 1ª urina. Hoje teremos o resultado.

Recebeu o pisiquiatra Dr. Jordan Guedes por 2 horas. Ele virá diariamente até sábado. 2ª feira próxima ele passará a ir na clínica pisiquiátrica Salvador, aonde este médico é um dos donos. Lá tem internamento, para poucos dias, até desintoxicar. Mas o médico disse que é melhor ele ficar em casa. Passou um dia lindo, tomando os remédios, comendo e falando, que não sabe porque fêz isto. Mostrou-se arrependido.

Hoje o médico virá as 8 ½ da manhã, 10h tem dentista, a tarde vai sair com Beto e o advogado para ver se recebe os 3 milhões da Publivendas. Já disse que 2 milhões são do dentista, para a entrada do tratamento, que será demorado, mais ou menos 2 meses. 1 milhão é para pagar a diferença dos últimos dias do hotel, o resto é dele. Não vai pedir ao Dr. Lélio para o pagamento do hotel, pois acha que ele vai ficar zangado. Palavras dele. Dr. Américo acha que é normal estes altos e baixos, mas tem fé que ele com o pisiquiatra se conserte, muito breve.

Vou telefonar ao clinico para saber o resultado dos exames hoje pela manhã. Não se preocupe, eu tenho fé. A reação dele foi ótima segundo o Dr. Américo. 5 dias de fuga e a volta por conta própria com arrependimento visível, diz já uma melhora bôa. Tenha paciência, eu tenho fé, ele se cura da "cabeça", da doença física só Deus sabe. Eu mandei buscar na roça, aquelas folhas que ele tomou o chá, quando se operou e se deu tão bem. Lhe deram uma "pata de vaca" outra folha que equilibra a diabete dizem. Mamãe tomava.

Recebeu ontem 100 mil na conta dele, ficou contentíssimo, pagou os exames e 2 quadros que mandou botar em um retrato lindo que eu tenho de vocês 2 abraçados, botou na parede do quarto. Deitou-se ontem as 8h e está dormindo até agora 8:25. Tomou F e N que o Dr. Jordan receitou. Disse que se sentiu ótimo durante o dia nem falou em cerveja quanto mais em outras coisas mais fortes. Espero que continue assim. Só fala em vocês para passar o Natal com ele. Silvio me escreveu vou responder breve.

Soube por Raulzito que um sobrinho de Tania M. Barreto é colega de Simone nos USA, será verdade? Se for vou pedir a ela o endereço do colégio e escrever junto com Raulzito, pelo aniversário dela, em 19/11. Nana faz 12 anos dia 9/11 sexta feira próxima. Deixei este espaço para lhe dar o resultado dos exames de hoje. Os exames já deram grande melhora mais ainda tem 180 de açúcar no sangue vai continuar a tomar Taonil 1 por dia até normalizar o estado do pâncreas é o mesmo.

Não se impressione está tudo bem

Beijos em Vivi, Dona Edmeia, você e recomendações ao Brigadeiro

Maria Eugênia Seixas

A seguir, o bilhete que a própria Dona Maria Eugênia anexou a esta carta, numa folha de chamada "papel carta", que se usava na época:

Querida Kika – dia 8/11/1984. Segue uma carta não muito bôa mas como lhe disse não lhe escondo nada. Graças a Deus depois que ele voltou para casa do hotel e da "toca" ele está ótimo tem ido até ao *pisiquiatra Dr. Jordan Guedes, amigo de Dr. Américo. Por enquanto ele está gostando continua no dentista disse que só quer você aqui quando ele estiver com os dentes. Tampinha tem ajudado muito vem aqui hoje conversar comigo e com ele juntos. E não cobra nada! Fiqui tranquila está tudo bem ele não lhe telefonou ontem a noite porque foi a casa de Zeva e ficou lá até 11h. Tudo bem, Valdir está induzindo ele para ir 3ª feira a Divaldo Franco. Não fale nada a ele pois ele pensa que eu não sei. Beijos da sua Maria Eugênia*

Carta 7 — 19 de novembro de 1984

Maria Eugênia fala sobre Edith e "outro pai" para Simone.

Salvador 19/11/84

Minhas queridas filhas,
Kika e Vivinha

Telefonei ontem a tardinha para a vizinha da Tal Lena, perguntando se ela sabia do Paulzito. Ela me disse q não os viu ontem. No sabado ela viu Paulzito saindo com ela e as crianças. Não sabia me dizer se eles estavam dormindo ou tinham saido na hora q liguei. Ela bateu na porta e ninguém atendeu. Por isto não sei lhe dizer nada sobre ele. Alem de Dr. Américo achar melhor, nós não procuramos para ele aparecer, por conta pro pria eu estou evitando contato com ele até 4ª feira, dia de receber o dinheiro do Publivendas, pois se ele receber já era. Deixe o advogado pegar primeiro, q eu digo q q tigem receber e entregar o Dr Delio. Seguem algumas coisas p você vêr ler e fazer o q quizer.

Querida, eu sei q sua posição perante Vivinha é bastante difícil. Assim como nós temos grandes duvidas do futuro, é difícil lidar com ela, q não entende o q está acontecendo, se nós mesmas não entendemos. Foi por isto q depois q Edith casou e achou um Simone

Minhas queridas filhas Kika e Vivinha

Telefonei ontem à tardinha para a vizinha da tal Lena, perguntando se ela sabia de Raulzito. Ela me disse que não os viu ontem. No sábado ela viu Raulzito saindo com ela e as crianças. Não sabia me dizer se eles estariam dormindo ou tinham saído na hora que liguei. Ela bateu na porta e ninguém atendeu. Por isto não sei lhe dizer nada sobre ele. Além de Dr. Américo achar melhor, nós não o procurarmos para ele aparecer, por conta própria, eu estou evitando contacto com ele até 4ª feira, dia de receber o dinheiro da Publivendas, pois se ele receber já era. Deixe o advogado pegar primeiro, que eu digo que a Sigem recebeu e entregou ao Dr. Lélio. Seguem algumas coisas para você ver, ler e fazer o que quiser.

Querida, eu sei que sua posição perante Vivinha é bastante difícil. Assim como nós temos grandes dúvidas do futuro, é difícil lidar com ela, que não entende o que está acontecendo, se nós mesmas não entendemos. Foi por isto que depois que a Edith casou e adotou Simone, se desligou completamente de nós. Não sei se ela está certa ou errada, pois ninguém pode saber o que se passou ou se passa na cabeça de Simone, é um grande enigma.

Sei que Janaína foi criada com a verdade, vendo e tomando conhecimento de tudo de Plínio e Helena, aparentemente pelo menos parece aceitar toda a realidade da vida dela. É uma excelente menina, não dá trabalho nos estudos, nem em casa. Ela está mais ou menos sabendo do que se passa com Raulzito, nós não escondemos nada. Ela diz que tem pena dele e de vocês, ela gostaria que vocês não se separassem, pois ela diz que gosta muito de tia Kika e de Vivinha. Tem saudades de Simone e diz que um dia vai vê-la nos Estados Unidos, quando crescer. De Scarlet ela não fala, pois não a conheceu. Ela nunca veio à Bahia. O tempo que Raulzito viveu com Glória foi o que mais se afastou de nós. Eu apenas fui *um mês para o nascimento de Scarlet, porque ele me pediu. Nunca mais as vi. Caso ele apareça por estes dias eu lhe escreverei imediatamente. Só lhe telefono se for caso de urgência. Beijos para vocês, recomendações a seus pais.*

Sua de sempre

Maria Eugênia

Carta 8 — 20 de novembro de 1984

Maria Eugênia descreve dívidas e médicos do Raul.

Salvador 20/11/84

Querida Kika, beijos

Fui ontem à tarde à "Tampinha", comuniquei a ele que desde 5ª feira passada não sei o que deu em minha cabeça q eu isolei "Raulzito", Raulzito não, é "ator Raul Seixas" de minha cabeça. Não sei lhe explicar a indiferença q sinto, embora observe e cuide das coisas dele, com todo cuidado p q ele não seja enganado monetaria mente por esta "vigarista", não sinto mais angústia nem ânsias. Em resumo, não estou sofrendo. Cuido dele como cuido dos 18 seguintes do S.C.B, ou de qualquer um necessitado q me procure. Se ele tiver algum problema grave, estarei aqui pronta a atendê-lo imediatamente.

Tampinha reclamou comigo, porque eu mandei lhe dizer q ele está vivendo a 2 semanas c/esta mulher, sem vir aqui, ou dar notícias. Eu não sei como ele está, mas ela me telefonou ontem, dizendo que Raul estava descansando, por isto não falava comigo. Ela queria o telefone do advogado daqui, Dr. Políbio Lago, para cuidar do caso da Publivendas. Perguntou por Beto e Waldir, e como encontrá-los. Beto não tem dado notícias e está sem telefone. Waldir falou para

Querida Kika, beijos

Fui ontem a tarde no "Tampinha", comuniquei a ele que desde 2ª feira passada não sei o que deu em minha cabeça que eu isolei "Raulzito". Raulzito, não, o "ator Raul Seixas" de minha cabeça. Não sei lhe explicar a indiferença que sinto embora observe e cuide das coisas dele, com todo cuidado para que ele não seja enganado monetariamente por esta ███████ ███, não sinto mais angústia nem ânsias. Em resumo, não estou sofrendo. Cuido dele como cuido dos 78 ceguinhos do ICB, ou de qualquer necessitado que me procure. Se ele tiver algum problema grave, estarei aqui pronta a atende-lo imediatamente.

Tampinha reclamou comigo, porque eu mandei lhe dizer que ele está vivendo a 2 semanas c/esta mulher, sem vir aqui ou dar notícias. Eu não sei como ele está, mas ela me telefonou ontem dizendo que Raul estava descançando, por isto não falava comigo. Ela queria o telefone do advogado daqui, Dr. Políbio Lago, para cuidar do caso da Publivendas. Perguntou por Beto e Waldir, e como encontra-los. Beto não tem dado notícias e está sem telefone. Waldir falou para mim ontem e me disse que a "tal" pediu a ele para arranjar shows p/Raul, que eles querem viajar para o Rio ou São Paulo (as chaves novas do apartamento estão aqui comigo). Me disse também que ela largou o emprego, está direto com ele! Ele deve estar dominado por ela.

Dr. Políbio me prometeu solenemente que por ele Raul não vai saber nem receber o dinheiro da Publivendas. Mas estou com medo deles procurarem o pessoal da Publivendas, que ele sabe aonde é, e eu não sei. Não posso deixar de receber este dinheiro para não cair nas mãos dela e porque ele já deve em Salvador quase 1 milhão de médicos, telefone, dentista, etc. Falei ontem a noite com Dr. Lélio para contar a ele que ela me procurou para falar sobre a Publivendas. Não sei como, mas ele me disse que soube que ela, além de viciada tem coisas peores *contra ela, é uma* ████████*creio. Não tenho como tirá-lo dela. Nem posso me envolver nisto. Compreenda.*

Não fique sofrendo, se desligue. Eu estou acreditando piamente no destino de cada pessoa, o que tiver de acontecer acontece. Eu rezo p. que ele enxergue quem é ela, e se desligue por ele mesmo. "Tampinha" me contou que quando ele o procurou estava altíssimo. Ele mesmo me disse que havia tomado 5 copos de Wisk para ter coragem de ir a Dr. Américo. Ele me disse q Raul o beijou e se deitou no tapete da sala o tempo todo, pedindo a ele que fizesse eu deixa-lo em paz. Viver como ele queria, sem controla-lo ou se envolver com ele. Dr. Américo tornou a me dizer que ele está se autodestruindo propositalmente, "like Elvis Presley" e que ninguém vai poder fazer nada. Quanto mais ele beber e cheirar éter, mais depressa ele morre. Pois a qualquer momento ele pode ter uma rutura do pâncreas ou um colapso.

Apesar da resistência dele, é isto que vai acontecer. Falei pela manhã com Dr. Claudio Dias o endocrinologista q Jecé entregou ele. Ele me disse o mesmo que Dr. Américo. Ele deve 70.000,00 ao Dr. Cláudio Dias. 40.000,00 ao Dr. Jecé. 200.000,00 ao psiquiatra Jordan Guedes. 285.000,00 ao dentista Fernando Machado. 188.596,00 de telefone (se eu tivesse, não cobraria). Custos de advogado. Total de 783.596,00. Isto é o que eu sei e fiquei responsável, se ele tem outras dívidas não sei. Hoje vou pagar o hotel 727.169,00 e 100.000,00 para o processo de receber os 5 milhões.

Embora Tampinha ache que eu não deva me envolver na vida pessoal dele com você, q não deva lhe contar nada que prejudique o relacionamento de vocês, eu continuarei lhe informando toda a verdade dê no q der. Eis aqui os telefones q tenho para atende-lo: Dr. Cláudio Soares Dias, endocrinologista: Promédica durante a manhã até 9h e a tarde de 15 as 20h. Telefone 2474611. Hospital Dr. Jorge Valente de

13 as 14h. Telefone 2352785. Clínica Santa Paula (de Jecé) de 10 as 12h Telef. 2451766. Casa dele – 2455366. Dr. Jordan Guedes pisiquiatra – Clinica Pisiquiatrica Salvador: telefone 2353548. Casa dele – 2454911. Dr. Fernando Machado Cirurgião Dentista. Trabalha na clinica de 8 da manhã as 12 e de 14 as 20h. Sábado pela manhã. Clínica Odontológica da Graça telefone 2370949 casa dele 2353900. Dr. Políbio Hélio Lago – Advogado – escritório 2427248. Casa da mãe Glacy 2300313 e restaurante "Casebre 40". Beto – telef. 2472224. Casa da mãe 2355819. No momento está sem telefone, Waldir também. Nicolau – casa 2459551.

A "Toca" como eu chamo a casa de Dó e Paulo Alves q é agente da Veja. Eles estão brigados com esta gente – telefone 2459075. "Cabaré de Vícios" Helder e Raymundo representantes da Som Livre em Salvador – 2437530. Nunca mais Raul os procurou e vice-versa. Dr. Américo Seixas da Silva – consultório 2ª 4ª e 5ª de 14 as 20h – 2479814 – casa dele 2453246. Chácara fins de semana 8912270.

Quem sabe se eu morro de repente e você vai precizar destes telefones. Guarde e previdente. Hoje em dia só eu e você cuidamos dele, mais ninguém. Lhe escreverei diariamente se for preciso. Os dias q não escrever é porque não soube nada. Beijos. Sua amiga Maria Eugênia

Mande dizer se você quer mesmo saber do q se passa aqui ou se prefere q eu não escreva. Caso eles ou ele apareça aqui para pegar o que tem aqui, roupas, documentos, etc, eu não tenho jeito senão entregar. Não se preocupe, não darei as chaves do apto de S.Paulo, digo q mandei para Dr. Lélio. Breve lhe mandarei com sua blusinha rosa que já está pronta. O casaco é p/o inverno, depois eu conserto preciso comprar lã e é cara, de 6 a 8 mil cada bolo, vai gastar pelo menos 2. Plininho está em São Paulo até sábado trabalhando. Falei com Dr.

Lélio sobre as possibilidades de Luiz o sobrinho dele comprar o apartamento ou o patrão. De 1º de dezembro em diante vai ter aumento em tudo, é melhor esperar um pouco. Kika agora são 8 ½ acabei de saber pelo gerente do Ondina Praia Hotel que Raul está no hotel novamente, desde domingo com a dita cuja. Ele me disse q só de wisk da geladeira ele já gastou mais de 60mil. Vou falar agora para o Dr. Lélio sabendo o q podemos fazer. Eu estou sem saber o q faça. O número do hotel é 0712471033. O apartamento é de nº 602. Pedi ao gerente p tirar da geladeira todas as bebidas importadas e diminuir a carga ou o número de garrafinhas por hora, é só o q posso fazer.

Observação: em novembro de 1984 o dólar estava cotado a 2.698 cruzeiros. Apenas para termos um valor ilustrativo para comparar com os valores de hoje, as contas citadas acima, em dólares, ficariam:

Ele deve 70 mil ao Dr. Cláudio Dias.	*26,00 dólares*
40 mil ao Dr. Jecé.	*14,80 dólares*
200 mil ao psiquiatra Jordan Guedes.	*74,13 dólares*
285 mil ao dentista Fernando Machado.	*105,60 dólares*
188.596 de telefone.	*70,00 dólares*
Custos de advogado. Total de 783.596	*290,40 dólares*
Hoje vou pagar o hotel 727.169	*270,00 dólares*
e 100 mil para o processo	*37,00 dólares*
de receber os 5 milhões	*1.853,22 dólares*

Carta 9 — 22 de novembro de 1984
Raul devendo em todos os lugares e enchendo a cara.

Salvador 22/11/84

Querida Kika e Vivinha

Paulzito voltou p. o Hotel. Está lá com a tal "Lina" bebendo muito e cheirando "Éter". Isto sei porque o gerente se tornou meu camarada e me informa. Escrevi a Dr. Lélio uma longa carta, peça a ele p. você ler. Estou preocupada pois você não me escreveu como prometeu. A carta q você fez a Paulzito está aqui, ele ainda não apareceu e nem sabe q eu sei q ele está no Hotel. Dr. Lélio me disse q vai receber 3.500,00 da questão da Publivendas ai no Rio e q de vendagem de disco no 2º semestre no dia 3 vai receber cerca de 6.000.000,00 pois rendeu mais de 12 milhões, porem vão descontar cerca de 5 milhões de dinheiro adiantado, conta de Hotel etc. Ele já tem aqui em Salvador cerca de 1 milhão de débitos c. médicos, dentista, conta telefônica e advogado, sem contar o Hotel q vem por aí. É doloroso, mas não sei o q fazer. A minha nova filosofia e deixar ele fazer o q quer, certo ou errado, se é que ele tem vida curta como dizem os clinicos. A vida é dele o dinheiro é dele! Todo vez q ele liga p. cá ele pergunta se você tem ligado,

391

Querida Kika e Vivinha

Raulzito voltou para o hotel. Está lá ███████████ *bebendo muito e cheirando "éter". Isto sei porque o gerente se tornou meu camarada e me informa. Escrevi a Dr. Lélio uma longa carta, peça a ele para você ler. Estou preocupada pois você não me escreveu como prometeu. A carta que você fez a Raulzito está aqui, ele ainda não apareceu e nem sabe que eu sei que ele está no hotel. Dr. Lélio me disse que vai receber 3.500.000,00 da questão da Publivendas aí no Rio e que de vendagem de disco no 2° semestre no dia 3 vai receber cerca de 6.000.000,00 pois rendeu mais de 12milhões, porém vão descontar cerca de 5milhões de dinheiro adiantado, conta de hotel etc...*

Ele já tem aqui em Salvador cerca de 1 milhão de débitos de médicos, dentista conta telefônica e advogado, sem contar o hotel que vem por aí. É doloroso, mas não sei o que fazer. A minha nova filosofia é deixar ele fazer o que quer, certo ou erado, se é que ele tem vida curta como dizem as clínicas. A vida é dele o dinheiro é dele! Toda vez que ele liga para cá ele pergunta se você tem ligado. Até ontem quando me pediu o telefone de Dr. Lélio que ele não se lembrava, mas estava tão dopado que quase não podia falar (eu tive que ajudar) perguntou por vocês.

Recebi uma carta de Shirley para Raulzito. Como veio num envelope comercial da Radar Tanta e endereçado a Ilmo Sr. Raul Seixas meu marido pensou que era dele e abriu mais logo que começou a ler viu que era de Raulzito, era carta de amor, por sinal uma linda carta muitíssimo bem escrita. Será que ela é tão culta e inteligente assim? Já me disseram que a tal ████████████ *, viajada, fila de família rica, muito inteligente, fala mais de uma língua, deixou a família desde os 20 anos. Já foi hippe.*

Estamos lhe esperando com Vivi no dia 22/12/1984 sábado

véspera de Natal, iremos para a rocinha e lá ficaremos até fevereiro. Raul tem férias daí até lá. Fale com Dr. Lélio para pagar a passagem de vocês, eu pedi a ele. Creio que ele pagará pois tem dinheiro pelo menos agora. Ele pode comprar logo no princípio de dezembro antes que suba de preço. Até agora tudo em paz relativa.

Beijos para todos, aguardo uma carta sua. Beijos
Maria Eugênia

Observação: *a seguir, o bilhete que a própria Dona Maria Eugênia anexou a esta carta, numa folha chamada "papel carta", que se usava na época:*

Kika, Raulzito esteve aqui agora veio buscar roupas e documentos. Levou o xerox da carteira de identidade, ficou comigo o passaporte novo os cartões médicos e um resto de roupa. Disse que vai viajar para Mar Grande para descançar, não estava dopado mas a boca fedia a éter. Fiquei em situação difícil, ele discutiu comigo porque me disse que falou com você hoje e você disse que Amaralina toda estava fedendo a éter e que só podia ser eu que disse isto a você. Não podemos conversar ele gritou comigo e me agrediu. Eu calei. Ela disse ele está morando comigo eu tomo conta de tudo não perde nada. Levou sua carta. Você não devia ter falado o que ele disse, se é que é verdade, me complicou.

Observação: *em novembro de 1984 o dólar estava cotado a 2.698 cruzeiros. Apenas para termos um valor ilustrativo para comparar com os valores de hoje, as contas citadas acima, em dólares, ficariam:*

Dr. Lélio me disse que vai receber 3,5 milhões da questão da Publivendas 1.297,25 dólares de vendagem de disco no 2º semestre no dia 3 vai receber cerca de 6. milhões (2.223,87 dólares), pois rendeu mais de 12milhões (4.447,74 dólares), vão descontar cerca de 5 milhões de dinheiro adiantado (1.853,22 dólares). Ele já tem aqui em Salvador cerca de 1 milhão de débitos (370,65 dólares).

Carta 10 — 28 de novembro de 1984
Maria Eugênia quer que Kika e Vivi passem o Natal em Salvador.

Kika, lá na roça você dorme e Vivinha numa cama de casal, ou quer q eu tome emprestado um berço?

Salvador 28/11/84

Querida Kika,

Desde o dia q tive a briga com Raulzito, na quinta feira passada, q não soube mais dele. Neste dia eli viajaram p. a Ilha, não sei se já voltou ou não. Estou esperando q ele me procure. Passei uns dias péssimos na maior depressão, mas de on tem para cá estou melhor, embora preocupada. Di: Maurício esteve aqui em casa conversando comigo e meu marido e afirmou novamente, para nós não o procurarmos. Ele não quer ajuda, ele quer é morrer mesmo. Mas tem certeza q na hora que ele se sentir mal ele procure.

Kika quero q você me responda sinceramente sem restrições. Flininho está preparando uma ceia de Natal p. o dia 24, como é costume dele, fazer todos os anos, para a família de Cecília, nós, e uns poucos amigos. Este ano então que a casa é grande, vai ser uma beleza. Eu estou sem nenhuma vontade de ir lá, mas ao mesmo tempo receio q ele se aborreça. Você é quem vai decidir, você quer ir a ceia ou quer ir direto p Dias D'Ávilla? Como a família de Cecília é grande e tudo está muito caro, eles vão fazer amigo secreto p. os presentes. Só as crianças não entram, todas ganharão presente de todos. Receio ir e ficar lá chorando, no meio de tanta

Querida Kika

Lá na roça você dorme com Vivinha numa cama de casal ou quer que eu tome emprestado um berço? Desde o dia que tive a briga com Raulzito na quinta feira passada, que não soube mais dele. Neste dia eles viajaram para a Ilha, não sei se já voltou ou não. Estou esperando que ele me procure. Passei uns dias péssimos na maior depressão, mas de ontem para cá estou melhor, embora preocupada. Dr. Américo esteve aqui em casa conversando comigo e meu marido e afirmou novamente para nós não o procurarmos. Ele não quer ajuda, ele quer é morrer mesmo. Mas tem certeza que na hora que ele se sentir mal ele procura.

Kika quero que você me responda sinceramente sem restrições. Plininho está preparando uma ceia de Natal para o dia 24, como é costume dele fazer todos os anos para a família de Cicélia, nós e uns poucos amigos. Este ano então que a casa é grande, vai ser uma beleza. Eu estou sem nenhuma vontade de ir lá, mas ao mesmo tempo receio que ele se aborreça. Você é quem vai decidir, você quer ir a ceia ou quer ir direto para Dias D'Ávila? Como a família de Cicélia é grande e tudo está muito caro, eles vão fazer amigo secreto para os presentes. Só as crianças não entram, todas ganharão presentes de todos. Receio ir e ficar lá chorando, no meio de tanta alegria.

Dê sua opinião sincera, você prefere ir à festa ou ir para Dias d'Ávila direto? Eu preciso saber para me preparar. Lá fora não tem nada, somos nós somente. Até Nana só vai depois do Ano Novo, vai ficar para passar com os pais. Eu ia mandar sua blusa rosa esta semana com as chaves, mas como você vem acho melhor não gastar este dinheiro. Os álbuns de retrato estão escondidos, assim como aquelas medalhas que seu pai deu a ele. O paletó branco, a camisa preta, e a verde do exército, ele não procurou mais. Os óculos dele e o livro de telefone, está tudo aqui. Dr. Lélio me disse que vai a São Paulo por uma semana, estou preocupada com as dívidas de Raulzito aqui, praticamente assumi a responsabilidade, pois fui eu que chamou os médicos e dentista. Tomara que Dr. Lélio não demore em pagar, eu já avisei a todos que no início do mês o dinheiro vem.

Tudo bem me responda urgente. Peça a Dr. Lélio o endereço ou telefone da Unimed aqui na Bahia a que tem no manual que ele mandou não existe. Escrevi a Silvio Passos. Responda urgente esta carta.

Beijos em Vivi sua mãe para vocês todos um abraço

Maria Eugênia Seixas

Anexo 2

Falando da música
Carimbador Maluco

Muitos fãs não gostaram da "conversão do Raul ao sistema" por fazer um programa infantil na maior representante do "Monstro Sist" (citado na música *As Aventuras de Raul Seixas na Cidade de Thor*), que era — para eles — a Rede Globo de Televisão. No entanto, ele teve sua carreira impulsionada pela própria Globo, como, por exemplo, no revolucionário videoclipe colorido da música Gita, apresentado no Fantástico, em 1974 (o segundo "a cores" da história, depois de Sonia Santos cantando Bom Tempo). E havia um outro detalhe que poucos conheciam à época, mas que foi revelado no livro Raul Seixas - Uma Antologia, página 35, de 1992, nove anos após a gravação da música:

> *Raul Seixas sempre se declarou anarquista, no sentido original deste termo, que foi aplicado, por exemplo, em sua música "De Cabeça prá Baixo", do LP "O Dia em que a Terra Parou", de 1977 (o próprio título do LP faz referência também aos discos voadores). A palavra anarquismo deriva do grego άναρχος, transliterado anarkhos, que significa "sem governantes". O primeiro uso conhecido da palavra data de 1539. O primeiro filósofo a declarar-se anarquista foi Pierre-Joseph Proudhon (1809-1865), em 1840, na sua obra "O Que É a Propriedade?". Ele percebeu a ambiguidade do termo grego, que pode significar não apenas a desordem, mas também a falta de governo em situações onde este é considerado desnecessário! Ele proclamou-se anarquista com base neste último significado, de sentido completamente positivo! Proudhon é considerado o "Pai de todos os anarquistas"!*

E foi baseado num texto de Proudhon, falando sobre "o que é ser governado" que Raul Seixas compôs o *Carimbador Maluco* para a TV Globo! A seguir vamos curtir o texto. Observem o ritmo, o martelar das palavras, onde está contida a revolta de um ser oprimido, violentado e explorado por todos os tipos de governantes (seja de esquerda ou de direita), e que ansiava por um mundo sem a existência de pequenos grupos de privilegiados explorando os demais:

Pierre-Joseph Proudhon

"Oh, personalidade humana! Como é possível que durante sessenta séculos tenhas vivido miseravelmente nesta abjecção! Dizes-te santa e sagrada, e não passas da prostituta, infatigável, gratuita, dos teus lacaios, dos teus monges e dos teus soldados de velha guarda. Sabe-lo e sofres com isso!

"Ser governado é ser guardado à vista, inspecionado, espionado, dirigido, legislado, regulamentado, parqueado, endoutrinado, predicado, controlado, calculado, apreciado, censurado, comandado, por seres que não têm nem o título, nem a ciência, nem a virtude!

Ser governado é ser, a cada operação, a cada transação, a cada movimento, notado, registrado, recenseado, tarifado, selado, medido, cotado, avaliado, patenteado, licenciado, autorizado, rotulado, admoestado, impedido, reformado, reenviado, corrigido.

É, sob o pretexto da utilidade pública e em nome do interesse geral, ser submetido à contribuição, utilizado, resgatado, explorado, monopolizado, extorquido, pressionado, mistificado, roubado; e depois, à primeira palavra de quei-

xa, reprimido, multado, vilipendiado, vexado, acossado, maltratado, espancado, desarmado, garroteado, aprisionado, fuzilado, metralhado, julgado, condenado, deportado, sacrificado, vendido, traído e, no máximo grau, jogado, ridicularizado, ultrajado e desonrado. Eis o Governo, eis a sua justiça, eis a sua moral!"

E daí Raul fez "tem que ser selado, registrado, carimbado, avaliado, rotulado, se quiser voar! Sem o meu plunct-plact-zuuum, não vai a lugar nenhum!" Um profundo recado anarquista para as crianças da Nova Era, um verdadeiro cavalo de troia dentro do estômago do Monstro Sist! Foi linda a explosão de alegria no Brasil todo com esta música.

Anexo 3

Principais nomes do rock no Brasil entre os anos 1950 e 1980

O objetivo aqui não é fazer um "inventário" da história do rock no Brasil (pois existem publicações especializadas nisso), mas citar alguns nomes que se destacaram desde os anos 1950 a 1980, destacando em negrito os que mais tiveram relações com Raul Seixas. Isto ajuda a mostrar o quanto Raul foi importante para o Rock Nacional. Dos anos 1950 pode-se citar Tony e Celly Campello; de 1960: **Renato e seus Blue Caps**; Os Incríveis; The Jet blacks; **Leno e Lilian**; The Jordans; **Jerry Adriani**; **Eduardo** e **Silvinha Araújo**; Roberto e **Erasmo Carlos**, com **Wanderléa** e a Jovem guarda; **Wanderley Cardoso**; Ronnie Von; **Rita Lee** e os Mutantes. Dos anos 1970: O Terço; Made in Brazil e Casa das Máquinas.

Dos anos 1980, especificamente em 1984, que Raul Seixas já estava quase impossibilitado de trabalhar, **Marcelo Nova** surgiu com sua banda **Camisa de Vênus** e lançaram Batalhões de Estranhos; **Lobão**, Ronaldo foi pra Guerra; **Barão Vermelho**, o Maior Abandonado; **Celso Blues Boy** (que havia tocado com Raul Seixas no começo da carreira) lançou seu disco de maior sucesso, Som na Guitarra, que continha também o maior sucesso de sua carreira, Aumenta que Isso aí é Rock'n'roll!; os Titãs lançaram Titãs.

O **Circo Voador** (templo do rock nacional) estava bombando tanto que, no ano seguinte (1985), fez uma turnê pelo Nordeste para, em 1986, ir para a 13ª Copa do Mundo de Futebol, no México, com duzentos artistas, em dois aviões. Ainda em 1985, no embalo do Rock in Rio, Cazuza lançou Exagerado; **Ultraje a Rigor**, Nós Vamos Invadir sua Praia; Legião, Legião Urbana 1985; Plebe Rude, O Concreto já Rachou; Titãs, Televisão; Kid Abelha, Educação Sentimental, e **Arnaldo Brandão** montou a banda Hanoi Hanoi. Ver no Anexo 6 uma listagem de 61 das músicas que Raul fez para outros cantores.

Anexo 4

Os oito discos de ouro e dois discos de platina de Raul Seixas

É comum ouvir dizer que os anos 1970 foram os "melhores e mais produtivos de Raul Seixas". Não parece ser assim se olharmos no quadro abaixo a distribuição de seus oito discos de ouro (quando a vendagem ultrapassava 100 mil cópias nos seis primeiros meses após o lançamento) e dois discos de platina (acima de 250 mil cópias). Nos anos 1970 Raul teve apenas um disco de ouro, com o Gita. Na década seguinte, anos 1980, teve quatro discos de ouro (Abre-te Sésamo, Plunct Plact Zuuum, Uah-Bap-Lu-Bap-Lah-Béin-Bum! e A panela do diabo). Visto assim, não há "decadência" em sua carreira na década de 1980.

No entanto, na soma da vendagem dos quatro de ouro dos anos 1980 encontramos *455.204* cópias, número menor do que as *600* mil cópias do Gita. A contagem para conferir disco de ouro e platina era feita num prazo de seis meses. O Panela do diabo atingiu a meta em apenas três meses e ganhou o de ouro.

DISCOS DE OURO E PLATINA DE RAUL SEIXAS

01. 1975	**Gita – Philips** — LP — Disco de ouro — 600 mil cópias
02. 1980	**Abre-te Sésamo — CBS** — LP — Disco de ouro — selo Harmony (Sony Music, em 1984). Acima de 100 mil cópias
03. 1983	**Plunct Plact Zuuum** — Som Livre (vários autores) — LP — Disco de ouro — acima de 100 mil cópias
04. 1987	**Uah-Bap-Lu-Bap-Lah-Béin-Bum!** — Copacabana — LP — Disco de ouro — acima de 105.204 cópias
1987	**Início da expansão do mercado de CDs no Brasil**

05. 1989	**A Panela do Diabo** — WEA (póstumo) — LP — Disco de ouro — acima de 150 mil cópias
06. 1991	**As Profecias** — WEA (póstumo) — LP — Disco de ouro — acima de 100 mil cópias
07. 1993	**Maluco Beleza** — Globo/Polydor — LP, K7, CD — **Disco de platina** — acima de 250 mil cópias
08. 1993	**Maluco Beleza** — Globo/Polydor — LP, K7, CD — Disco de ouro — acima 100 mil cópias
1997	**CDs atingem 106,8 milhões cópias e LP caem praticamente a zero!**
09. 2004	**O Baú do Raul** — Som Livre — CD, DVD — Fundição Progresso — Disco de ouro —
10. 2004	**O Baú do Raul** — Som Livre — CD, DVD — Fundição Progresso — **Disco de platina** — acima 50 mil cópias

Observação: no quadro acima estão identificados dois anos críticos para a música brasileira: a expansão do mercado de CDs a partir de 1987, que culminou na "extinção" dos LPs dez anos depois, em 1997. Em consequência disso, a exigência para se ganhar um disco de platina também caiu, de 250 mil cópias de LPs até meados da década de 1990, para "apenas" 50 mil cópias em 2004 (com domínio absoluto de CDs e DVDs).

Importante esclarecer os casos dos discos *Maluco Beleza* e *Baú do Raul*, que ganharam discos de platina. No quadro acima consta que também ganharam discos de ouro. Mas em cada disco a contagem do "ouro" está embutida no de "platina". Numa contagem geral só consideraremos os de platina.

Se somarmos à década de 1980 os posteriores *As Profecias* (ouro, 100 mil), *Maluco Beleza* (platina, 250 mil) e O *Baú do Raul* (platina, 250 mil), teremos um total de 1,055 milhão. Podemos então dizer que a década de 1970 de Raul foi extraordinária ao vender 600 mil cópias com um só disco, mas o que veio depois superou em muito esse resultado. E no total de sua obra, Raul vendeu em torno de 1,655 milhão de discos somente nos períodos de lançamento dos ouros e platinas.

Anexo 5

Se você acha que tem pouca sorte, se lhe preocupa a doença ou a morte

Trecho da música
Eu Sou Egoísta, de *Raul Seixas*

Observações relativas ao título:
"Detalhes fisiológicos sobre a pancreatite e a diabetes de Raul Seixas" *(página 116)*

As bebidas alcoólicas fazem parte da nossa alimentação. No artigo de revisão de literatura "O impacto do consumo alcoólico no ganho de peso", Adriana Trejger Kachani (e outros, da equipe de nutrição da FMUSP) publicou em 20 de fevereiro de 2008 que: "Para cada grama de etanol metabolizado, são formadas 7,1 kcal/g, uma fonte energética considerável, comparando-se aos carboidratos (4 kcal/g), proteínas (4 kcal/g) e lipídios (9 kcal/g). Sabe-se que o álcool supre o alimento na dieta de dependentes graves; portanto, o alcoolista grave é descrito normalmente como um paciente desnutrido, uma vez que a ingestão alcoólica substitui calorias e nutrientes adequados".

Raul Seixas, com 48kg e 1,68 de altura, sedentário, tinha necessidade média de 1. 650 kcal por dia. Um copo de vodka, que ele tomava como "café da manhã", tem em torno de 540 kcal (ou 76 g de álcool). Para começar o dia ele ingeria 33% (ou um terço) da sua necessidade calórica diária! E essa energia imediata induz (por complicados processos metabólicos) a estocagem da energia dos outros alimentos, como a gordura. Ele amava "peixinho frito". Mas o tecido adiposo é vivo e produz seus próprios hormônios, induzindo desequilíbrio hormonal no organismo. Esta é uma das causas do excesso de gordura a partir do consumo de álcool: pessoas gordas, com desequilíbrio hormonal e desnutridas!

E a obesidade (resultado do sedentarismo e péssimos hábitos alimentares) é apenas uma das DCNT (doenças crônicas não transmissíveis), que incluem o alcoolismo, hipertensão, diabetes, hipercolesterolemia, câncer, insuficiência renal, pancreatite, insuficiência cardíaca, cirrose, inflamação do endotélio (camada interna dos vasos) etc. A associação desses males produz a síndrome metabólica, que têm em comum a resistência à insulina (que obriga o pâncreas a produzir mais este hormônio). Pancreatite (inflamação do pâncreas) e diabetes sempre foram os maiores problemas de saúde de Raul Seixas.

Observações relativas ao título: "Raul Seixas, morto aos 44 anos: um gênio entre os seis milhões de alcoólatras do Brasil" *(página 187)*

> *Derramar cachaça em automóvelé a coisa*
> *mais sem graça de que eu já ouvi falar!*
> *Por que cortar assim nossa alegria,*
> *já sabendo que o álcool também vai ter que acabar!*
> **Raul Seixas, Tânia M. Barreto e Oscar Rasmussen,**
> **Movido a álcool**

Segundo a psiquiatra Ana Cecília Marques, professora da Unifesp (Universidade Federal de São Paulo), em artigo publicado em 18 de março de 2013[44] (quando a população era de 202,4 milhões de pessoas), existiam cerca de 5,8 milhões (ou 2,87%) de dependentes de álcool no Brasil, onde o número de homens era

---

[44] Disponível em: <https://noticias.r7.com/saude/quase-6-milhoes-de--pessoas-sao-alcoolatras-no-brasil-18032013>. Acesso em: 17 nov. 2020.

quase três vezes maior que o de mulheres.[45] As 3 condições que caracterizam esse estado de dependência são:

1. Histórico de consumo abusivo
2. Síndrome de abstinência
3. Manutenção do uso

O tratamento não é fácil. Para vencer o histórico de uso abusivo, o tratamento dura pelo menos um ano e meio e tem índice de recaída de cerca de 50% nos primeiros 12 meses. Na síndrome de abstinência, a falta do álcool provoca uma série de sintomas graves, como elevação da pressão arterial, tremores, enjoo, vômito e, em alguns pacientes, até mesmo convulsão. A manutenção do uso está ligada a problemas de relacionamento e de saúde. O tratamento:

1ª fase: Dois meses, estabilização do paciente, com medicação (o álcool é uma substância psicotrópica depressora, junto com inalantes, clorofórmio, éter e calmantes. A cocaína e a cafeína são

---

[45] Em 2018, a população brasileira estimada pelo IBGE (Instituto Brasileiro de Geografia e Estatística) era de 208,5 milhões de pessoas, divididas em 100,7 milhões de homens (48,3%) e 107,8 milhões de mulheres (51,7%). Consomem álcool 80% dos homens (80,56 milhões) e 68% das mulheres (73,30 milhões). Ou seja: 154,86 milhões de pessoas (73,8% da população, quase três quartos) faz uso de bebidas alcoólicas no país. Desses, aproximadamente seis milhões (3,87%) são dependentes desse subproduto da cana-de-açúcar, esta gramínea do gênero Saccharum, que desde a primeira metade do século XVI consumiu a mão de obra de cerca de cinco milhões de escravos no período colonial. Os escravos atuais, em número maior que toda a história do Brasil Colônia, agora são os alcoólatras. Só que em vez de espalhados por cinco séculos, estão agora mesmo, aí pelas ruas...

estimulantes. Maconha e LSD são perturbadoras do sistema nervoso central. Cada uma exige um tipo de tratamento diferente).

2ª fase: De oito a dez meses, prevenção de recaída. Além do álcool, procura-se tratar as doenças correlatas adquiridas e aumentar o controle do paciente sobre a dependência. Recaídas esporádicas são consideradas normais.

3ª fase: Seis meses, diminuição da tutela. O paciente está mais seguro e fica cada vez mais tempo sem o médico. Até que possa vir de ano em ano. Mas, na prática, não terá alta nunca, pois sempre existirá o risco de recaída.

Com relação a Raul Seixas, é interessante observar que ele utilizou o álcool, que é uma droga psicotrópica depressora, desde o final dos anos 1950. E associou-o à cocaína, que é psicotrópica estimulante (e o "ajudava a produzir"), a partir de 1973. Em Ubatuba, em 1982, ele já estava tomando até álcool de limpeza. Em 1984, onze anos depois do início da cocaína, ele a trocou por outra mais barata, o éter, que é também uma droga depressora (associando duas substâncias altamente depressoras, álcool e éter, numa pessoa que já tinha um temperamento depressivo).

Associado a isso, vieram as patologias decorrentes (hipertensão, diabetes, pancreatite e periodontite, que é a infecção gengival que o fez perder os dentes entre 1984 e 1989. Periodontite é doença perigosa, principalmente em diabéticos: pode atacar o coração e matar). Uma reabilitação inicial necessitaria de uma abstinência de pelo menos um ano e meio, mas ele não conseguia energia psíquica e física para suportar nem algumas horas! Uma de suas tragédias era ser um gênio aprisionado no corpo de um dos seis milhões de alcoólatras deste país. Em outubro de 1984 os médicos lhe deram mais dois anos de vida. Ele os contrariou e sobreviveu mais cinco, morrendo com 44, idade acima da "maldição dos 27 anos", mas bem abaixo dos septuagenários Beatles (vivos) e Rolling Stones (entre os Stones, a média é de 76 anos. Os beatles Paul McCartney e Ringo Starr têm, respectivamente, 79 e 81 anos — Ringo é o recordista — todos cheios de disposição!).

Anexo 6

Lista de 61 músicas que Raul Seixas fez para outros cantores (existem outras)

Nr	Ano	Música	Autores	Para (Grupo ou Cantor)
1	1968	Se Você Me Prometer	Raulzito	Os Jovens
2	1969	Um Novo Amor Há de Vir	Raulzito	Versão How'd We Ever Get This Way
3	1969	Tudo Que É Bom Dura Pouco	Raulzito	Jerry Adriani
4	1969	Se Ela Não Serve P/Você, Também Não Serve P/ Mim	Raulzito	Ed Wilson
5	1969	Obrigado Pela Atenção	Raulzito	Renato e Seus Blue Caps
6	1970	Sha-La-La (Quanto Eu Lhe Adoro)	Raulzito e Leno	
7	1970	Se Eu Sou Feliz, Por Que Estou Chorando?	Raulzito e Leno	Renato e Seus Blue Caps
8	1970	Se Pensamento Falasse	Raulzito	Jerry Adriani
9	1970	O Seu Táxi Está Esperando	Raulzito	Jerry Adriani
10	1970	Aqui É Quente, Bicho	Raulzito	Edy Star
11	1970	Não Consigo Te Esquecer	Raulzito, Gileno, Rossini Pinto	Sérgio e Cobel
12	1970	Deixe Ele Falar Sozinho	Raulzito	Luiz Carlos Magno
13	1970	Desta Vez Eu Voltei Pra Ficar	Raulzito	Luiz Carlos Magno
14	1970	Play Boy	Raulzito, Pedro Paulo	Renato e Seus Blue Caps
15	1970	Tudo Acabado	Raulzito	Odair José
16	1970	Volta e Vamos Recordar	Raulzito	Lafayette

Nr	Ano	Música	Autores	Para (Grupo ou Cantor)
17	1971	O Mundo É Triste Sem Você	Raulzito	Ver. Le Monde Est Gris, para Altamir César
18	1971	Eu Não Quero Lhe Perder	Raulzito	Versão I Don't Wanna Lose You Baby, para Altamir César
19	1971	Estou Voltando Pra Casa	Raulzito e Pedro Paulo	Pedro Paulo
20	1971	Último da Lista	Raulzito	Lafayette
21	1971	Nasci Para Te Amar	Raulzito	Lafayette
22	1971	Lady, Baby	Raulzito e Carlos Augusto	Leno
23	1971	Convite Para Ângela	Raulzito e Leno	Leno
24	1971	Johnny McCartney	Raulzito e Leno	Leno
25	1971	Sentado no Arco-Íris	Raulzito e Leno	Leno
26	1971	Sr. Imposto de Renda	Raulzito e Leno	Leno
27	1971	Bis	Raulzito e Leno	Leno
28	1971	Trifocal	Raulzito	Tony e Frankye
29	1971	Darling	Raulzito e Mauro Motta	Renato e Seus Blue Caps
30	1971	Ainda Queima a Esperança	Raulzito e Mauro Motta	Diana, com Ed Wilson
31	1971	Vê Se Dá Um Jeito Nisso	Raulzito e Mauro Motta	Trio Ternura
32	1971	Amei Você Um Pouco Demais	Raulzito e César Sampaio	José Roberto

Nr	Ano	Música	Autores	Para (Grupo ou Cantor)
33	1971	Se Você Não Precisasse Você Não Pedia	Raulzito	The Big Seven
34	1971	Amigo (Contigo Eu Me Confesso)	Raulzito e Mauro Motta	Túlio Monteiro
35	1971	Doce, Doce Amor	Raulzito e Mauro Motta	Jerry Adriani
36	1971	Sheila	Raulzito e Mauro Motta	Renato e Seus Blue Caps
37	1971	Ainda é Hora de Chorar	Raulzito e Gileno	Wanderley Cardoso
38	1971	Foi Você	Raulzito e Mauro Motta	Márcio Greyck
39	1971	O Mundo Dá Muitas Voltas	Raulzito e Mauro Motta	Wanderley Cardoso
40	1972	Deus Queira	Raulzito e Mauro Motta	José Roberto
41	1972	Agora Eu Faço O Que Me Convém	Raulzito e Mauro Motta	José Roberto
42	1972	Minha Amiga Stella	Raulzito e Mauro Motta	Pedro Paulo
43	1972	Vim Dizer Que Ainda Te Amo	Raulzito e Mauro Motta	Raphael
44	1972	Muito Obrigado, Meu Bem	Raulzito e Mauro Motta	Paulo Gandhi
45	1972	São Coisas da Vida	Raulzito	José Ricardo
46	1972	Jamais Estive Tão Segura de Mim Mesma	Raulzito	Núbia Lafayette
47	1972	Deus É Quem Sabe	Raulzito	Leno e Lilian
48	1972	Objeto Voador	Raulzito	Leno e Lilian

Nr	Ano	Música	Autores	Para (Grupo ou Cantor)
49	1972	Um Drink a Dois	Raulzito e Mauro Motta	Leno e Lilian
50	1972	Estou Completamente Apaixonada	Raulzito e Mauro Motta	Lafayette
51	1972	Tarde Demais	Raulzito e Mauro Motta	Jerry Adriani
52	1972	A Qualquer Hora	Raulzito e Mauro Motta	Waldir Serrão
53	1972	Você Tem Que Aceitar	Raulzito e Mauro Motta	Diana
54	1972	Pegue As Minhas Mãos	Raulzito	Versão Take My Hand for A While, para Diana
55	1972	Hoje Sonhei Com Você	Raulzito e Mauro Motta	Diana
56	1972	Baby, Baby	Raulzito e Mauro Motta	Renato e Seus Blue Caps
57	1973	Não Diga Nada	Raulzito e Mauro Motta	Monny
58	1973	Problemas	Raulzito e Mauro Motta	Monny
59	1973	Lágrimas nos Olhos	Raulzito	José Roberto
60	1983	Canção do Melâncio (TV Tutti Frutti)	Raul Seixas e Kika Seixas	Reinaldo Cominato
61	1983	Chiquita Banana (TV Tutti-Frutti)	Raul Seixas e Kika Seixas	Patrícia Godoy

Anexo 7

Currículo de
Kika Seixas como
produtora artística
e musical entre 1992
e 2014 (23 anos)

Shows
(Alguns estão com a relação de artistas, como exemplo)

01. 1992 — **O Baú do Raul, Homenagem a Raul Seixas** — Circo Voador, RJ, 20 de agosto de 1992 — *Com Celso Blues Boy, Pepeu Gomes, Metamorphose Ambulante, Rick Ferreira, Vid & Sangue Azul, Ira!, Baiuzito e os Rock Boys e Toninho Buda.*

02. 1992 — **O Baú do Raul, Homenagem a Raul Seixas** — Aeroanta, São Paulo, SP, 28 de agosto de 1992

03. 1993 — **Raul Seixas, A Missão** — Circo Voador, RJ, 12 de fevereiro de 1993

04. 1993 — **O Baú do Raul com Festival de Bandas Raul Seixas** — Circo Voador, RJ, 20 e 21 de agosto de 1993 — *Evento com apoio da Fluminense FM e Rádio Cidade. As duas bandas vencedoras do concurso de bandas cover de Raul Seixas tocaram no Baú do Raul nesta data.*

05. 1993 — **Tributo a Raul Seixas**, Concha Acústica (patrocínio da Fundação Cultural da Bahia e Bahiatursa), Salvador

06. 1994 — **II O Baú do Raul, Homenagem a Raul Seixas** — Circo Voador, RJ, 20 de agosto de 1993 — *Com Celso Blues Boy, Zé Ramalho, Metamorphose Ambulante, Roberto Frejat, Rick Ferreira, Guto Goffi, Vid, Baiuzito e os Rock Boys, Arnaldo Brandão, Luiz Carlini, Sérgio Vulcannis, Gustavo Schroeter, Vera Negri e Lucia Turnbul (lançamento curta Tanta Estrela por aí, de Tadeu Knudsen, com Rita Lee no papel de Raul Seixas).*

07. 1994 — **Show de lançamento do livro Rockbook Raul Seixas**, Ed. Gryphus — Circo Voador, RJ, 19 de agosto de 1994 — *Com Roberto Frejat, Arnaldo Brandão, Vid, Rick Ferreira, Guto Goffi, Mu, Nazi, Scandurra, Dadi, Rodrigo, Ulysses, Mimi Lessa, Gustavo, Zé*

Ramalho, Sérgio Vulcannis, Lee Marcucci, Franklin, Cecelo, Luiz Carlini, Metamorphose Ambulante.

08. 1994 — **O Baú do Raul** — Vale do Anhangabaú (apoio da Prefeitura de São Paulo)

09. 1999 — **Homenagem a Raul Seixas (Presença Maria Eugênia)** — Prefeitura do Rio — Arpoador — Rio — 20 de junho de 1999

10. 1999 — **Show Tributo a Raul Seixas** — Metropolitan, RJ, 19 de agosto de 1999

11. 2004 — **O Baú do Raul, Homenagem a Raul Seixas** (com vinte cantores mais 13 músicos e backing vocals) — Fundição Progresso, RJ, 31 de agosto de 2004 — *Com Caetano Veloso, Pitty, CPM-22, Detonautas, Nasi, Toni Garrido, Lobão, Zélia Duncan, Marcelo D2, BNegão, Gabriel o Pensador, Marcelo Nova, Raimundos, Sandra de Sá, Afroreggae, Pedro Luís e a Parede, Érika e os Autoramas, Arnaldo Brandão, Baia, Rick Ferreira. Banda base: Arnaldo Brandão, Luce, Rick Ferreira, Pedro Augusto, Marcelinho da Costa. Backing Vocals: Solange Borges, Carla Prieto e Viviane Godoy. Músicos adic.: Peu, Ciro Cruz, Fernando Magalhães, Xilon e Hadjii. Direção musical: Arnaldo Brandão.*

12. 2005 — **O Baú do Raul na Estrada**, Campo Grande, MS, 6 de maio de 2005

13. 2005 — **O Baú do Raul na Estrada**, Cuiabá, MT, 7 de maio de 2005

14. 2005 — **O Baú do Raul na Estrada**, Nova Iguaçu, RJ, 14 de maio de 2005

15. 2005 — **O Baú do Raul na Estrada**, Divinópolis, MG, 8 de julho de 2005 — *Com Tianastácia, Marcelo Nova, Bauxita, Sandra de Sá, Kapone, Rick Ferreira, Belchior, Bárbara Zinger, Baia, Raimundos, Código B, Hanoi Hanoi, Frejat (Barão Vermelho).*

16. 2005 — **O Baú do Raul na Estrada**, Goiânia, GO, 7 de outubro de 2005

17. 2005 — **O Baú do Raul**, Kazebre Rock Club, Zona Leste, SP, 14 de novembro de 2005

18. 2007 — **O Baú do Raul, Homenagem a Raul Seixas**, Morro da Urca, RJ, 15 de dezembro de 2007

19. 2009 — **Viradão Cultural** — Secretaria da Cultura, São Paulo, 2009

20. 2014 — **O Baú do Raul** (25 anos morte, gravação com quarenta participantes) — Fundição Progresso, RJ, 19 de agosto de 2014 — *Com Edy Star, Zeca Baleiro, Nação Zumbi, Os Panteras, Gabriel Moura, BNegão, Maria Gadú, Ana Cañas, Marcelo Jeneci, Forfun, Baia, Marcelo Nova, Tico Santa Cruz, Digão (Raimundos), Plebe Rude, Nasi e Edgard Scandurra, Jerry Adriani, Cachorro Grande, Luiz Carlini, Digão, Clemente, Philippe Seabra, Beto Bruno, Marcelo Gross, Rick Ferreira e Cláudio Roberto. Banda: Arnaldo Brandão, Luce, Rick Ferreira, Gê Fonseca, Marcelo da Costa, Pedro Augusto. Backing vocals: Micheline Cardoso, Nina Pancevski, Valeria Mariano e Paula Tribuzy. Músicos adicionais: Renato Rocha, Pedro Henrique Terra, Drake Nova e Lúcio Maia. Direção musical: Arnaldo Brandão.*

Exposicões

01. 1996 — **Exposição do acervo de Raul Seixas** — Museu de Arte Moderna (MAM) da Bahia/Salvador

02. 1999 — **Exposição do Acervo de Raul Seixas** — Câmara Municipal dos Vereadores/Rio de Janeiro

03. 2014 — **Exposição de fotos de Raul Seixas** — SESI/RJ

Livros

01. 1992 — **O Baú do Raul** — Editora Globo

02. 1994 — **Rock Book Raul Seixas** — Editora Gryphus

03. 1995 — **Raul Rock Seixas** — Editora Globo

04. 2005 — **O Baú do Raul Revirado** — Editora Ediouro *(mezanino da Fundição Progresso, 9 de novembro de 2005)*

CD/DVD

01. 1998 — **Lançamento CD Raul Documento** — Gravadora MZA (Mazolla) — RJ, 28 de abril de 1998

02. 1999 — **Raul Seixas Também É Documento** — Universal Music

03. 2003 — **Produção Musical CD Anarkilópolis** — Gravadora Som Livre

04. 2004 — **O Baú do Raul**, CD e DVD — Coordenação geral — Gravadora Som Livre — Disco de platina (50 mil cópias)

05. 2014 — **Lançamento CD e DVD O Baú do Raul** — Som Livre, com 18 artistas e grupos, RJ, 19 de agosto de 2014

Nota: Participações de Sylvio Passos nos discos de Raul Seixas

Sylvio Passos, que fundou o Raul Rock club e nos acompanha desde 1981, participou da produção do disco Metrô Linha 743 (Som Livre, 1984), do LP Raul Seixas Rock, Volume 2 (Fontana, 1986); O Baú do Raul (Universal, 1992) e Se o Rádio Não Toca (Eldorado, 1994). Além disso, lançou pelo Raul Rock Club, em edição independente e limitada (mil cópias), disponível somente em vinil, o disco Let Me Sing My Rock and Roll (1985).

Coisas do CORAÇÃO

ANEXO 8

Os trinta ritmos
que Raul Seixas
explorou

Para ficar mais clara a grande diversidade de ritmos que o Raul experimentou, vamos dar uma olhada no estudo feito por Toninho Buda, pelo baterista Nenem, pelo guitarrista Guanito Fernandes e pelo contrabaixista Reginaldo (todos da banda Realce, de Juiz de Fora, MG), em 16 de julho de 1992, onde foram identificados trinta ritmos nas 160 músicas que Raul compôs e gravou. Colocamos pelo menos uma canção de exemplo em cada ritmo:

Ritmo	Música de exemplo
01. Baião-Forró:	Os Números
02. Balada:	Metamorfose Ambulante
03. Blues:	Canceriano Sem Lar
04. Bolero:	Sessão das Dez
05. Caipira:	Capim Guiné
06. Cantiga:	Cantiga de Ninar
07. Country:	Cowboy Fora da Lei
08. Hino:	Ave Maria da Rua
09. Jazz:	Moleque Maravilhoso
10. Moda De Viola:	Lua Cheia
11. Prelúdio:	Réquiem Para uma Flor
12. Rap:	É Fim de Mês
13. Reggae:	Idi a Mim Dadá
14. Repente:	As aventuras de Raul Seixas na Cidade de Thor
15. Rock'n'roll:	Rock'n'Roll

Dentro do rock'n'roll temos as fusões que ele adorava fazer, cantando, por exemplo, Blue Moon de Elvis Presley com Asa Branca de Luiz Gonzaga e mostrando que possuíam o mesmo balanço, a mesma malícia. Mas adorava fazer outras fusões do rock com outros ritmos, como nos nove exemplos a seguir:

16. Rockabilly: Rock das Aranha
17. Rock-Baião: Let Me Sing, Let Me Sing
18. Rock-Balada: Ouro de Tolo
19. Rock-Country: Eu Também Vou Reclamar
20. Rock-Folk: Metrô Linha 743
21. Rock-Macumba: Mosca na Sopa
22. Rock-Maxixe: Rockixe
23. Rock-Samba: Eu Vou Botar pra Ferver
24. Rock-Soul: Movido a Álcool
25. Samba: Aos Trancos e Barrancos
26. Spiritual: Dentadura Postiça
27. Tango: Canto Para Minha Morte
28. Toada: Coração Noturno
29. Valsa: Mata Virgem
30. Valsa-Caipira: À Beira do Pantanal

Não há espaço aqui para mostrar o estudo completo, mas o seu ritmo predominante é o rock'n'roll, com 53 canções. Em seguida vem rock-balada, com 36. Depois balada, com vinte, rockabilly com sete, rock-baião com cinco e baião-forró com quatro. Juntando os quatro principais ritmos de rock — rock'n'roll, rock-balada, rockabilly e rock-baião — temos 101 músicas, correspondente a 63% das 160 compostas e gravadas por ele. Com isso está provado matematicamente que Raul era realmente um roqueiro, eleito pelo povão (seu maior público fiel desde os anos 1960) como o Rei do Rock Brasileiro!

Coisas do CORAÇÃO

Índice Onomástico

Nome	Detalhes	Página
A Bolha	Grupo seminal carioca (1970)	134, 144, 334
Adalgisa Rios	Namorada de Paulo Coelho	20
Adilson Simeone	Parceiro de Raul Seixas	51, 178
Adrian Rosário	Bailarino americano, amigo da Kika	26
Adriana Trejger Kachani	Nutricionista da FMUSP	417
Affonso Costa	Pai de Ângela Costa (Kika Seixas)	7, 46, 154, 155, 186, 194, 228, 283
Afroreggae	Músicos (Baú do Raul, Rio, 2004)	432
Airto Moreira	Músico brasileiro radicado EUA	225, 226, 228, 229, 230, 232
Albert Koski	Esposo Vivian Mayer (amiga Kika)	23, 31
Alberto Serravalle	Médico de Raul em Salvador	319
Altamir César	Cantor (p/quem Raul fez música)	426
Alwin E. Johannes Ochsner	Violista	141
Américo Seixas da Silva	Médico do Raul em Salvador	365, 367, 368, 369, 372, 379, 380, 382, 384, 388, 389, 396
Ana Cañas	Cantora (Baú do Raul, Rio, 2014)	336, 433
Ana Cecília Marques	Psiquiatra da UNIFESP	187, 418
André Midani	Presidente da WEA	29, 247, 261, 265
Ângela	Mulher do Cláudio Roberto	47, 48
Angela Regina La Ponzina	Mãe de Lennie Dale, N.York	224
Antonio Ferrer	Violinista	141
Ariel Severino	Fotógrafo	141
Armandinho Ferrante	Músico (Polysix)	142
Arnaldo Batista	Músico e composit. dos Mutantes	336
Arnaldo Brandão	Cantor, Compositor, baixista	7, 334, 335, 336, 344, 407, 431, 432, 433
Arrigo Barnabé	Cantor de São Paulo	127
Audino Nuñes	Violinista	141
Augusto César Vannucci	Diretor musical da Globo	122, 123, 131
BNegão	Rapper (Baú do Raul, Rio, 2004)	336, 432, 433
B. B. King	Guitarrista de blues americano	47, 233
Baby Consuelo	Cantora	29
Baia	Cantor	344, 432, 433

Nome	Detalhes	Página
Baiuzito e os Rock Boys	Banda de rock carioca	334, 431
Baldo	Sax-barítono	142
Barão Vermelho	Banda de rock brasileira (1981)	155, 189, 336, 407, 432
Barbra Zinger	Cantora de São Paulo SP	344
Bauxita	Cantor de Belo Horizonte, MG	344, 432
Belchior	Cantor	137, 344, 432
Beto (Betão)	Amigo de Raul em Salvador	93, 364, 369, 372, 374, 375, 376, 379, 380, 387, 389
Beto Bruno	Cantor (Baú do Raul, Rio, 2014)	433
Boca Livre	Grupo musical de São Paulo (1979)	127
Boni	Diretor da Rede Globo	210
Bonzinho	Personagem criado por Raul	199
Bronnie Ware	Enfermeira australiana	347
Bruno	Citado por Maria Eugênia 4ª carta	371
Bruno Quaino	Diretor Artístico da Sigem (Sistema Globo Edições Musicais)	228
Cacá	Sax-alto	142
Cachorro Grande	Banda de rock gaúcha (1999)	433
Caetano Finelli	Violinista	141
Caetano Veloso	Cantor	20, 122, 247, 252, 432
Camisa de Vênus	Banda de Marcelo Nova (1980)	189, 261, 334, 407
Capitão Garfo	Personagem criado por Raul	199
Carinha da Gaita	Músico	334
Carla Prieto	Backing-vocal (Baú Raul, 2004)	432
Carlinhos	Primo do Raul (fº de Maria Luiza)	75
Carlinhos	Coro do Raul em 1983	141
Cartola	Cantor carioca (1908-1980)	127
Casa das Máquinas	Banda de rock de 1974	407
Catherine Deneuve	Atriz francesa	25
Cazuza	Cantor (1958-1990)	222, 407
Cecelo	Músico (Circo Voador, 1994)	432
Celly Campello	Cantora	155, 407

Nome	Detalhes	Página
Celso Blues Boy	Guitarrista	47, 192, 334, 407, 431
Chacrinha	Apresentador (anos 50 a 80 na TV)	62, 65, 103, 106, 109, 329
Chico Buarque de Hollanda	Cantor	137
Chico Recarey	Rei da Noite no Rio	222
Chiquinho do Acordeon	Acordeon	142
Cicélia	2ª Esposa de Plínio	376, 396
Cidinha	Coro do Raul em 1983	141
Ciro Cruz	Músico (Baú do Raul, Rio, 2004)	432
Clarice Pellegrino	Filha de Hélio Pellegrino	221
Clarivaldo	Empresário de Salvador	375
Cláudia	Irmã da Kika Seixas	121, 153, 154
Cláudia Thompson	Fotógrafa, amiga da Kika	252, 253
Claudine	Esposa do Jair Rodrigues	70
Cláudio Dias	Médico espec. diabetes Salvador	368, 388, 390
Cláudio Fortuna	Fotógrafo	20, 21, 288, 292
Cláudio Roberto	Parceiro de Raul Seixas	7, 22, 28, 34, 45, 47, 48, 51, 52, 88, 101, 134, 142, 143, 178, 433
Cláudio Soares Dias	Endocrinologista do Raul	388
Clemente	Cantor (Baú do Raul, Rio, 2014)	433
Clementina de Jesus	Cantora de samba (1901-1987)	127
Clive Stevens	Músico americano	175, 230, 247
Clube da Esquina	Grupo de MPB de Belo Horizonte	99
Código B	Banda de rock mineira	344, 432
Comando Negri	Banda de rock de Vera Negri	334, 336
CPM 22	Banda hardcore de Barueri SP	336, 432
Cristina Ruiz	Jornalista esposa do Clive Stevens	175, 230, 247, 254
Dadi Carvalho	Músico, irmão de Maurício	265
Dalva Borges	Empregada do Raul em SP	262
Dedé (Veloso)	Mulher de Caetano Veloso	122
Dedé Caiano	Irmão Sérgio Sampaio	47, 48

Nome	Detalhes	Página
Detonautas Roque Clube	Banda de rock carioca de 1997	336, 432
Diana	Filha de Airto Moreira e Flora Purin	226
Diana	Cantora (p/quem Raul fez música)	43, 426, 428
Digão	Cantor (Baú do Raul, Rio, 2014)	433
Dinho (Raimundo Barbosa)	Empresário do Raul em Caieiras	102, 105, 107, 108, 109
Dó	Esposa de Paulo Alves, Veja Salv.	389
Dora Pellegrino	Filha de Hélio Pellegrino	221
Dóris Barki Israel	Médica homeopata da Kika	7, 114
Drake Nova	Músico (Baú do Raul, Rio, 2014)	433
Dzi Croquettes	Grupo teatral de Lennie Dale	23, 24
Ed Wilson	Cantor (p/quem Raul fez música)	425, 426
Edgard Scandurra	Músico do grupo Ira!, São Paulo	336, 433
Edith Wisner	1ª esposa de Raul Seixas	20, 43, 56, 57, 58, 59, 243, 319, 325, 326, 328, 359, 361, 383, 384
Edmea Bastos Costa	Mãe da Kika	7, 115, 152, 154, 155, 228, 283, 306
Edson Frederico	Maestro, amigo da Kika	26
Eduardo Araújo	Esposo de Sylvinha Araújo	98, 99, 407
Edvaldo Franco	Espírita	212, 376
Edy Star	Cantor parceiro de Raul	335, 425, 433
Elba Ramalho	Cantora	135, 222
Elias Slon	Violinista	141
Elis Regina	Cantora	24, 29, 99
Erasmo Carlos	Cantor, amigo de Raul Seixas	40, 41, 98, 155, 334, 407
Érika e os Autoramas	Cantora (Baú do Raul, Rio, 2004)	432
Everly Brothers	Dupla, cantores folk americanos	44
Ezequiel Neves	Produtor Musical	132
Fafá de Belém	Cantora	132, 265
Fagundes Varella	Poeta, ancestral de Raul Seixas	46
Falcão	Cantor de Fortaleza, CE.	343
Felipe	Nome do peixinho da Vivi	161, 162
Fernando Machado	Dentista do Raul em Salvador	388, 389, 390

Nome	Detalhes	Página
Fernando Magalhães	Músico (Baú do Raul, Rio, 2004)	432
Ferreira Neto	Colunista da Folha da Tarde	210
Flora Purin	Cantora brasileira radicada EUA	225, 226, 228, 229, 230, 231, 232
Forfun	Banda de rock carioca (2001)	433
Francisco	Personal Trainer do Raul	125
François	Músico (trombone)	142
Frank	Irmão de Lennie Dale, N.York	222, 223
Franklin	Músico (Circo Voador, 1994)	432
Franklin Roosevelt dos S.	Juiz do inventário de Raul Seixas	326
Frederico Mendes	Fotógrafo	53, 54, 299
Gabriel Moura	Cantor (Baú do Raul, Rio, 2014)	433
Gabriel o Pensador	Cantor (Baú do Raul, Rio, 2004)	336, 432
Gal Costa	Cantora	20, 21, 29
Gastão Lamounier	Produtor Musical	29
Gay Vaquer	Músico parceiro de Raul	175
Gê Fonseca	Músico (Baú do Raul, Rio, 2014)	433
Genival Lacerda	Cantor	137
George Kiszely	Músico (violista)	141
Germano	Músico (violista)	141
Gil	Músico (trompete)	142
Gilberto Gil	Cantor	29, 99
Glacy	Mãe de Políbio Hélio Lago	389
Gloria Vaquer (Space Glow)	2ª esposa de Raul Seixas	60, 61, 173, 175, 231, 234, 243, 319, 325, 326, 384
Guilherme Arantes	Cantor	132
Gustavo Schroeter	Músico (baterista)	134, 265, 431
Guto Goffi	Músico (baterista)	336, 431
Guto Graça Mello	Produtor Musical da Som Livre	131, 132
Hadjii	Músico (Baú do Raul, Rio, 2004)	432
Hanoi Hanoi	Banda de rock carioca (1985)	407, 432

Nome	Detalhes	Página
Helder	Repres. Som Livre em Salvador	389
Helena	Esposa do Plínio	202, 232, 233, 374, 376, 384
Hélio Pellegrino (filho)	Arquiteto	221
Hélio Pellegrino (pai)	Psicanalista	221
Heloísa Seixas	Prima de Raul Seixas	37, 47, 75
Horácio	Primo Raul (fº Maria Angélica)	75
Hugo Rangel Amorrotu	Traficante assassinado	35
Iacov Hillel	Diretor de teatro, amigo da Kika	26
Inêz Nova	Esposa de Marcelo Nova	260, 261, 273, 275, 295
Ira!	Banda de rock paulista (1981)	336, 431
Ivan Mamão	Baterista	47, 290, 334
Iza Goes	Amiga da Kika em São Paulo	99
Jair Rodrigues	Cantor, amigo de Raul Seixas	67, 70
Janaína	Filha do Plínio	66, 95, 364, 384
Jane	Mulher de Luiz Melodia	20
Jeane Moreau	Atriz francesa	25
Jecé	Médico do Raul em Salvador	367, 368, 369, 377, 380, 388, 389, 390
Jerry Adriani	Cantor, amigo de Raul Seixas	43, 407, 425, 427, 428, 433
Jerry Leiber	Apelido do dentista do Raul em São Paulo	267
Jô Soares	Comediante	138, 345
João Gilberto	Cantor e compositor	253
João Lara Mesquita	Produtor do Grupo Eldorado	126, 127
João Maconha	Piloto de avião	191
João Paranaguá	Namorado da Kika	7, 260, 264, 265, 290
João Pellegrino	Filho de Hélio Pellegrino	221
Jon Lucien	Cantor das Ilhas Britânicas	132
Jordan Guedes	Médico de Raul em Salvador	376, 380, 381, 382, 388, 389, 390
Jorge Gisbert	Músico (violinista)	141
Jorge Salim Filho	Músico (violinista)	141

Nome	Detalhes	Página
José Ricardo	Cantor (p/quem Raul fez música)	427
José Roberto	Cantor (p/quem Raul fez música)	426, 427, 428
José Roberto Abrahão	Parceiro e amigo de Raul	262, 271, 272, 316
José Vasconcelos	Comediante	132
José Walter	Primo do Raul	75
Kapone	Cantor	344, 432
Kid Abelha	Banda de rock carioca (1981)	407
Kid Vinil	Cantor e compositor	272
Kika Seixas	Angela Maria de Affonso Costa	15, 16, 22, 26, 34, 40, 49, 51, 60, 61, 64, 65, 66, 67, 72, 84, 86, 93, 101, 106, 107, 109, 142, 143, 158, 161, 163, 170, 176, 177, 196, 210, 212, 213, 215, 217, 218, 223, 224, 229, 231, 232, 234, 244, 245, 254, 257, 271, 308, 317, 325, 333, 341, 352, 357, 360, 361, 363, 364, 367, 371, 374, 377, 379, 381, 384, 387, 390, 392, 393, 395, 396, 428, 429
Kiko Zambianchi	Cantor e compositor	272
Lafayette	Cantor (p/quem Raul fez música)	425, 426, 428
Lee Marcucci	Músico (Circo Voador, 1994)	432
Legião Urbana	Banda de rock de Brasília (1982)	189, 407
Lélio Altair Barbosa	Advogado de Raul e Kika	36, 123, 152, 162, 187, 188, 202, 208, 258, 319, 320, 325, 365, 368, 372, 375, 377, 380, 384, 387, 389, 390, 392, 393, 394, 397
Lena Coutinho	Ex-companheira do Raul	240, 242, 258, 316, 319, 384
Lennie Dale	Leonardo La Ponzina	7, 23, 24, 25, 26, 27, 31, 83, 124, 221, 222, 223, 224, 225, 228, 229
Leno e Lilian	Raul fez músicas para eles	407, 427, 428
Leo Jaime	Cantor e compositor	137
Leonardo Netto	Chefe da Kika na WEA	30
Lidiane Barbosa	Esposa de Tony Ramos	98

Nome	Detalhes	Página
Língua de Trapo	Grupo musical de S.Paulo (1979)	127
Lira Paulistana	Grupo de São Paulo (1979)	127
Liza Minelli	Atriz e cantora americana	25
Lobão	Cantor e compositor	189, 340, 407, 432
Loriano Rabarchi	Músico (violista)	141
Luce	Músico (Baú do Raul, Rio, 2004)	432, 433
Lúcia Turnbul	Cantora	431
Lúcio Maia	Músico (Baú do Raul, Rio, 2014)	433
Lui Rocher	Cantor americano (Nata Carioca)	265
Luiz Bastos	Coro do Raul em 1983	141
Luiz Carlos Magno	Cantor (p/quem Raul fez música)	425
Luiz Felipe Guimarães	Participou da assinatura do contrato com a Som Livre	170
Luiz Carlini	Músico (guitarrista)	336, 431, 432, 433
Luiz Gonzaga	Cantor, compositor	129, 337, 437
Luíza Erundina	Política brasileira	262
Lula Martins	Artista multimídia	82
Lulu	Tio de Raul em Salvador	74, 75
Lulu Santos	Cantor	132
Made in Brazil	Banda de rock paulista (1968)	407
Maluquinho	Personagem inventado por Raul	160, 199
Marcelo D2	Cantor (Baú do Raul, Rio, 2004)	432
Marcelo da Costa	Músico (Baú do Raul, Rio, 2004)	433
Marcelo Gross	Músico (Baú do Raul, Rio, 2014)	433
Marcelo Jeneci	Cantor (Baú do Raul, Rio, 2014)	433
Marcelo Nova	Cantor, parceiro e amigo de Raul	7, 15, 192, 246, 260, 261, 262, 266, 271, 272, 273, 274, 275, 277, 295, 332, 334, 344, 347, 407, 432, 433
Marcelo Ramos Motta	Professor e parceiro de Raul	164, 174, 251
Márcio Greyck	Cantor (p/quem Raul fez música)	427
Marco Mazzola	Produtor Musical	29, 157, 290
Maria Angélica Seixas	Tia de Raul	37, 75, 95
Maria Bethânia	Cantora	132, 260

Nome	Detalhes	Página
Maria Cecília L. Brucoli	Música (violoncelista)	141
Maria Clara Pellegrino	Filha de Hélio Pellegrino	221
Maria Eugênia Seixas	Mãe de Raul Seixas	7, 37, 56, 75, 76, 91, 94, 95, 96, 97, 163, 174, 189, 194, 200, 206, 208, 211, 212, 266, 271, 275, 276, 284, 306, 317, 320, 325, 326, 328, 349, 350, 351, 353, 357, 362, 365, 369, 372, 373, 376, 377, 381, 382, 383, 385 386, 389, 393, 395, 397, 432
Maria Gadú	Cantora (Baú do Raul, Rio, 2014)	433
Maria Juçá	amiga da Kika (Circo Voador)	208, 333
Maria Lígia	Tia de Raul	75
Maria Luíza Seixas	Tia de Raul	75
Marilena Ansaldi	Coreógrafa, amiga da Kika	26
Marília Gabriela	Apresentadora de TV	345
Mário Luiz Thompson	Fotógrafo	99, 294
Marisa Orth	Atriz	333
Matilda	Amiga da Kika, de Ibiza	38, 39
Maurão	Músico (triângulo e congas)	142
Maurício (Mu) Carvalho	Músico, irmão de Dadi Carvalho	265, 267
Maurício Baia	Cantor e compositor	334, 336
Mauro Motta	Compositor e produtor Musical	43, 426, 427, 428
Max Pierre	Produtor musical da Som Livre	170
Metamorphose Ambulante	Banda de rock carioca	431, 432
Michel Verebes	Músico (violista)	141
Micheline Cardoso	Backing-vocal (Baú Raul, Rio, 2014)	433
Miguel Cidras	Maestro de Raul Seixas	47, 134, 141, 142, 262, 335
Milton Nascimento	Cantor	20, 21, 99
Mimi Lessa	Músico (Circo Voador, 1994)	431
Miquelle	Citada Maria Eugênia 5ª carta	375
Mônica	Citada por Maria Eugênia 3ª carta	369
Monny	Cantor (p/quem Raul fez música)	428

Nome	Detalhes	Página
Mutantes	Banda de rock de SP (1966)	336, 407
Mutica	Empresário de Raul	210
Nação Zumbi	Banda de rock de Recife (1990)	433
Nádia Nardine	Bailarina, amiga da Kika	26
Nadir	Citada por Maria Eugênia 2ª carta	364, 375
Nadja Ribeiro	Terapeuta reichiana	193
Nana	Citada por Maria Eugênia 6ª carta	381, 396
Naná Vasconcelos	Percussionista brasileiro	254, 255
Nasi	Vocalista do grupo Ira	336, 432, 433
Nehemias Gueiros	Advogado de direitos autorais	339, 340, 341, 346
Nelson Motta	Produtor Musical	121, 132, 325
Nenem	Músico (baterista, Banda Realce)	437
Niculau	Amigo de Raul em Salvador	379
Nina Pancevski	Backing-vocal (Baú Raul, 2014)	433
Núbia Lafayette	Cantora (p/quem Raul fez música)	427
O Terço	Banda de rock carioca de 1968	407
Odair José	Cantor, amigo de Raul Seixas	126, 137, 425
Odilon	Médico amigo de Raul no Rio	188
Oldimar Cáceres	Músico (bandoneom)	142
Omar Sharif	Ator egípcio	25
Os Incríveis	Banda de rock (1961)	191, 407
Os Jovens	Cantores (Raul fez músicas p/eles)	425
Oscar Rasmussen	Parceiro de Raul Seixas	32, 36, 148, 418
Osias Silveira	Amigo de Raul Seixas no Rio	7, 37
Osvaldo Montenegro	Cantor	127
Otávio Augusto	Ator	333
Patrícia Godoy	Cantora (p/quem Raul fez música)	428
Paula Tribuzy	Backing-vocal (Baú Raul, 2014)	433
Paulo Alves	Agente da Veja em Salvador	389
Paulo César Barros	Músico (baixista)	47, 141, 290, 334

Nome	Detalhes	Página
Paulo Coelho	Parceiro de Raul Seixas	18, 20, 43, 55, 86, 90, 136, 143, 164, 174, 181, 198, 202, 256, 270, 328
Paulo D. Taccetti	Músico (violoncelista)	141
Paulo Gandhi	Cantor (p/quem Raul fez música)	427
Paulo Maluf	Político brasileiro	262
Pedrão	Músico (baterista)	141
Pedro Augusto	Músico (Baú do Raul, Rio, 2004)	432, 433
Pedro Henrique Terra	Músico (Baú do Raul, Rio, 2014)	433
Pedro Luís e a Parede	Músicos (Baú do Raul, 2004)	432
Pedro Paulo	Cantor (p/quem Raul fez música)	425, 426, 427
Pedro Pellegrino	Filho de Hélio Pellegrino	221
Pepeu Gomes	Músico (guitarrista)	29, 431
Pérola Rock	Internauta que comentou Raul	338
Peu	Músico (Baú do Raul, Rio, 2004)	432
Philippe Seabra	Cantor (Baú do Raul, Rio, 2014)	433
Pick	Músico (sax-tenor)	142
Pierre-Joseph Proudhon	Filósofo "Pai do Anarquismo"	133, 401, 402
Pitty	Cantora (Baú do Raul, Rio, 2004)	432
Plebe Rude	Banda punk de Brasília (1981)	407, 433
Plínio Seixas	Irmão de Raul Seixas	7, 74, 75, 98, 163, 185, 272, 275, 276, 384
Políbio Hélio Lago	Advogado de Raul, Salvador	387, 389
Premeditando o Breque	Grupo musical da USP (1976)	127
Raíces de América	Grupo musical brasileiro (1979)	127
Raimundo	Chefe da Divulgação, amigo antigo do tempo da Phonogram	202
Raimundos	Banda de rock de Brasília (1987)	344, 432, 433
Ralf	Cantor do coro do Raul em 1983	141
Raphael	Cantor (p/quem Raul fez música)	427
Ratos de Porão	Banda punk paulista (1981)	127
Raul Varella Seixas	Pai de Raul Seixas	46, 51, 64, 75, 139, 143, 212, 350

Nome	Detalhes	Página
Raulzito e os Panteras	Banda seminal de Raul Seixas	343
Raymundo	Repres. Som Livre em Salvador	389
Reinaldo Cominato	Cantor (p/quem Raul fez música)	428
Reindal	Soc. Recup. Int. Doentes Alc.	169
Renato e seus Blue Caps	Raul fez músicas para eles	47, 135, 407, 425, 426, 427, 428
Renato Rocha	Músico (Baú do Raul, Rio, 2014)	433
Ricardo Morato	Músico (violinista)	141
Ricardo Whately	Bailarino, amigo da Kika	26
Rick Ferreira	Guitarrista "Fiel Escudeiro" de Raul	47, 141, 179, 248, 290, 334, 344, 431, 432, 433
Rita	Coro do Raul em 1983	141
Rita Lee	Cantora, amiga de Raul Seixas	99, 333, 407, 431
Robertinho de Recife	Guitarrista e band-líder	192
Roberto Carlos	Cantor	155, 327, 375
Roberto Farias	Diretor de Cinema	137
Roberto Frejat	Cantor, amigo da Kika	334, 336, 431
Robinson	Empresário musical de Nova York	232
Robson Paraíso	Produtor e amigo da Kika	26
Rodrigo	Músico (show Circo Voador 1994)	431
Ronnie Von	Cantor	407
Sandra de Sá	Cantora (Baú do Raul, Rio, 2004)	344, 432
Sandrita	Empregada da Kika em São Paulo	97, 165
Scarlet	Scarlet Vaquer Seixas, filha de Raul	60, 66, 173, 175, 231, 234, 325, 326, 346, 384, 385
Sean Lennon	Filho de John Lennon	336
Sepultura	Banda heavy-metal (1984)	127
Serginho Groisman	Apresentador de TV	345
Sérgio & Cobel (dupla)	Dupla (p/quem Raul fez música)	425
Sérgio Péo	Cineasta, amigo da Kika	208
Sérgio Porto	Músico (congas e agogô)	142
Sérgio Sá	Compositor "Gruta das Formigas"	132

Nome	Detalhes	Página
Sérgio Sampaio	Cantor, amigo de Raul Seixas	47
Sérgio Vulcannis	Músico	431, 432
Shirley	Mulher apaixonada pelo Raul	369, 392
Simone Andrea W. Seixas	1ª filha de Raul Seixas	43, 56, 57, 59, 60, 66, 173, 175, 243, 319, 325, 326, 328, 346, 359, 381, 383, 384
Solange Borges	Backing-vocal (Baú Raul, 2004)	432
Solange Hernandes	Chefe da Div. Censura e Div. Públ.	53, 137
Sônia Thomé	Amiga da Kika em N.York	253
Stan	Apelido de Plínio, irmão do Raul	66
Sylvinha Araújo	Cantora, esposa Eduardo Araújo	98
Sylvio Passos	Amigo de Raul Seixas	7, 53, 99, 128, 129, 173, 185, 187, 188, 191, 262, 290, 293, 334, 347, 434
Tadeu Knudsen	Cineasta	333, 431
Tampinha	Médico de Mª Eugênia (mãe Raul)	188, 361, 376, 382, 387, 388
Tania Menna Barreto	Namorada de Raul	319, 381, 418
Tárik de Souza	Jornalista	121, 122, 333
Telita	(Citada na música "Vivian")	93, 94
Tenisson	Músico (trompete)	142
Teófilo Lima	Músico (baterista)	141
Tereza Pellegrino	Filha de Hélio Pellegrino	221
The Big Seven (grupo)	Grupo (p/quem Raul fez música)	427
The Jet Blacks	Banda de rock (1960)	407
The Jordans	Banda de rock de SP (1956)	407
Thereza	Irmã da Kika	153, 154
Tianastácia	Banda de rock de B. Horiz., MG	344, 432
Tico Santa Cruz	Músico e compositor	433
Titãs	Banda de rock paulista (1982)	407
Toni Garrido	Cantor (Baú do Raul, Rio, 2004)	432
Toninho Buda	Amigo de Raul Seixas	7, 262, 263, 267, 290, 334, 336, 431, 437
Tony & Frankye (dupla)	Dupla (p/quem Raul fez música)	426

Nome	Detalhes	Página
Tony Campello	Cantor	407
Tony Osanah	Músico (guitarrista)	127, 141, 191, 294
Tony Ramos	Ator, dono da casa de Raul/Kika	98
Toquinho	Músico	265
Trio Ternura	Trio (p/quem Raul fez música)	426
Túlio Monteiro	Cantor (p/quem Raul fez música)	427
Ultraje a Rigor	Banda de rock paulista (1980)	407
Ulysses	Músico (Circo Voador, 1994)	431
Valentino	Estilista italiano	25
Valéria Mariano	Backing-vocal (Baú Raul, 2014)	433
Vera	Prima de Raul (fª de Maria Luíza)	75
Vera Negri	Cantora do "Comando Negri"	334, 431
Vera Setta	Atriz de teatro, amiga da Kika	26
Vid	Cantor	247, 431
Vid & Sangue Azul	Banda de rock dos anos 80	431
Vini	Padrasto de Lennie Dale, N.York	224
Violeta Parra	Cantora e pintora chilena	347
Vivian Costa Seixas	Filha de Raul com Kika Seixas	5, 7, 10, 15, 23, 27, 60, 72, 86, 91, 92, 93, 94, 96, 98, 99, 107, 115, 118, 121, 123, 124, 131, 132, 139, 152, 153, 155, 156, 160, 161, 165, 166, 168, 173, 185, 186, 189, 193, 194, 196, 199, 202, 212, 213, 215, 217, 218, 221, 228, 229, 230, 231, 234, 247, 252, 253, 254, 255, 260, 261, 263, 264, 265, 272, 302, 303, 304, 305, 306, 307, 308, 309, 311, 317, 318, 320, 325, 326, 327, 339, 359, 361, 362, 364, 365, 381, 392, 395, 397
Vivian Magnus Meyer	Amiga da Kika na Europa	23
Viviane Godoy	Backing-vocal (Baú Raul, 2004)	432
Waldir Serrão	Amigo de Raul em Salvador	428
Wanderléa	Cantora, amiga de Raul Seixas	135, 138, 141, 142, 407
Wanderley Cardoso	Cantor (p/quem Raul fez música)	43, 407, 427

Nome	Detalhes	Página
Wilhelm Reich	Psiquiatra austríaco	193
Wilson Aragão	Parceiro de Raul	143
Xilon	Músico (Baú do Raul, Rio, 2004)	432
Xuxa	Animadora de TV	155
Zé Geraldo	Cantor e compositor	272, 335
Zeca Baleiro	Músico e compositor	336, 433
Zélia Duncan	Cantora (Baú do Raul, Rio, 2004)	432
Zeva	Colega de Raul na infância	382
Zezé	Sub-gerente banco em Salvador	375
Ziraldo	Cartunista	156, 178